KT-233-801

САМАНТА
ШЕННОН

•

Сезон костей

•

Каста мимов

•

Ход королевой

•

Обитель Апельсинового Дерева

•

САМАНТА ШЕННОН

ХОД КОРОЛЕВОЙ

Санкт-Петербург

УДК 821.111
ББК 84(4Вел)-445
Ш 47

Перевод с английского Анны Петрушиной

Серийное оформление Виктории Манацковой

Оформление обложки Татьяны Павловой

Карты выполнены Юлией Каташинской

ISBN 978-5-389-07268-8

Обреченным молчать посвящается

Мы боимся молчания,
Голос все искупает.

Эмили Дикинсон.
Мы боимся молчания.
Перевод А. Грибанова

Сайенская республика
Англия
(второе название – Сайенская республика Британия)
Инвернесс
Северо-Шотландское нагорье
Эдинбург
Среднешотландская низменность
Ольстер
Белфаст
Коннахт
Ленстер
Дублин
Манстер
Ферма «Медуница»
Северо-Западное нагорье
Северо-Восточный регион
Манчестер
Лидс
Центральный пояс
Западный регион
Бирмингем
Кардифф
Бристоль
Юго-Восточный регион
Лондон
Юго-Западный регион
Сайенская республика
Ирландия
Столица
Цитадель
Дом, где выросла Пейдж Махоуни

Каста мимов

ТЕМНАЯ ВЛАДЫЧИЦА — Пейдж Махоуни,
также известная как Черная Моль и Бледная Странница

ЕЕ ДОСТОЧТИМЫЕ ПОДЕЛЬНИКИ

Старший подельник — Никлас Найгард
по прозвищу Алый Взор

Подельница — Элиза Рентон
по прозвищу Страдающая Муза

ВЫСШЕЕ КОМАНДОВАНИЕ
Потустороннего совета

Первая когорта — Мария Огненная — Стратегия

Вторая когорта — Светляк — Вербовка

Третья когорта — Том Рифмач — Связь

Четвертая когорта — Минти Вулфсон — Законодательство

Пятая когорта — Винн Ни-Люань — Врачевание

Шестая когорта — Жемчужная Королева —
Продовольствие и снабжение

ВЫСШЕЕ КОМАНДОВАНИЕ
Рантанов

Тирабелл, хранительница Шератана — Финансы

Арктур, страж Мезартима — Обучение

НЕ ПРЯТАТЬСЯ, НЕ СДАВАТЬСЯ!

ПРЕЛЮДИЯ

2 ноября 2059 года

Свет нещадно бил по чужим глазам. Я по-прежнему находилась в другом теле, в той же самой комнате, однако все переменилось.

Улыбка на его губах. Знакомый блеск во взгляде, как в старые добрые времена, когда мне удавалось сорвать куш на аукционе. Мое сознание впитывало каждую мелочь: черный камзол, расшитый золотыми якорями; на шее повязан алый галстук. Затянутая в шелковую перчатку рука сжимает трость из эбенового дерева.

— Вижу, ты освоила переселение на расстоянии, — констатировал он. — Умеешь удивлять, лапушка, умеешь.

Фарфоровый набалдашник трости сделан в форме лошадиной головы.

— Думаю, ты знакома с моим верховным надсмотрщиком, — вкрадчиво произнесла Нашира.

Впервые с момента появления здесь этого человека я осмелилась перевести дыхание.

Так вот чем объяснялись все его бесконечные попытки помешать мне. Лукавый змий неделями убеждал меня молчать о рефаитах. И вот, пожалуйста: он здесь, в стане врага, и при этом чувствует себя как рыба в воде.

— Никак лапушка проглотила свой воровской язычок? — гортанно расхохотался Джексон. — Да, Пейдж, это я собственной персоной, заодно с рефаитами. В самом сердце архонта с якорем на груди! Ты напугана? Посрамлена? Потрясена до глубины своей трепетной души?

— Но почему? — прошептала я. — Какого черта ты тут делаешь?

— Можно подумать, у меня есть выбор. С тобой в статусе темной владычицы мой горячо любимый Синдикат обречен. Поэтому я решил вернуться к корням.

— К корням?

Джексон улыбнулся во весь рот.

— Ты воюешь не на той стороне. Примкни к нам, — продолжал он, пропустив мой вопрос мимо ушей. — Какое мучение — видеть тебя марионеткой в руках презренных предателей, именующих себя Рантанами. В отличие от Старьевщика, я верил, что ты не попадешься на их удочку. Не соблазнишься Арктуром. Надеялся, что Бледная Странница не станет слепо подчиняться тому, кто совсем недавно был ее хозяином.

— Разве ты не требовал от меня того же самого? — холодно парировала я.

— Туше́. — На скуле Джексона багровел свежий синяк. — Для Тирабелл Шератан ты всего лишь пешка в затяжной игре. Арктур Мезартим не более чем приманка, на которую Тирабелл ловит наивных дурочек. Покорный инструмент ее воли. Угадай, по чьей указке он взял тебя под крыло там, в колонии? Тирабелл изначально хотела заманить тебя в сети, расставленные Рантанами. А ты, милочка, клюнула. Жаль, что это очевидно всем, кроме тебя.

По спине пробежал нехороший холодок. Кто-то в цитадели тормошил мое бесчувственное тело.

— Это сражение тебе не выиграть. Не уродуй Синдикат, лапушка, — мурлыкал Джексон. — Не ему служить орудием войны, и не тебе им править. Отступись, пока не поздно. Все в архонте стремятся защитить тебя — и твой бесценный дар. Если нам суждено подрезать тебе крылышки, чтобы ты не сгинула в пламени, значит так тому и быть. — Он подался вперед. — Присоединяйся к нам. Ко мне. И тогда радикальные меры не потребуются.

Происходящее просто не укладывалось в голове. Если Джексон вздумал меня пугать, то получилось у него из рук вон плохо.

Снова неприятный холодок. Меня неумолимо вытесняли из чужого лабиринта обратно в эфир.

— Уж лучше сгореть, — выдавила я.

Расплавленный мозг сочился из носа на грудь. Нужно встать, глотнуть воздуха...

Кто-то тряс меня за плечо. Чей-то голос звал по имени. Я сорвала кислородную маску, распахнула дверцу и кубарем выкатилась из салона. От удара швы на боку разошлись, рубашка пропиталась кровью.

Конечно, Джексон Холл способен на любую подлость, но объединиться с Сайеном... Немыслимо! Ведь он сделал карьеру в тени Якоря, а вовсе не по его указке.

Раны после Битвы за власть на «Арене розы» буквально горели огнем, каленым железом жгли грудь и отдавались пульсирующей болью в спине. Я устремилась в ночь, сбежала по мшистым ступенькам к Темзе и рухнула на колени. Обхватив голову руками, я кляла себя за глупость. Ведь могла же предвидеть подобный поворот, могла! Наверное, что-то не заметила, упустила. Теперь Джексон станет нашим заклятым врагом, главным убойным оружием архонта.

В памяти всплыли слова, которые он сказал мне после поединка: «Я найду других союзников. Учти, мы еще встретимся».

Надо было убить его на «Арене розы». Клинок уже упирался Джексону в горло, но мне не хватило духу довести дело до конца.

«Давний, очень давний союзник, — зазвучал в ушах голос Наширы. — Он явился ко мне сегодня... после двадцати лет разлуки...»

От далекого крика время точно застыло или, напротив, сдвинулось с мертвой точки.

«Я решил вернуться к корням».

— Нет, — со стоном вырвалось у меня. — Нет, только не это! Только не ты...

С какой непринужденностью стоял он подле Саргасов. Поза закадычного друга. Сотни мелочей, которыми я пренебрегла, которые не разглядела в своей слепоте. Джексон всегда был на порядок богаче иных главарей мимов. Да один лишь абсент стоил на черном рынке целое состояние, а он пил его почти каждый вечер. Как ему удалось выбиться из грязи прямиком в князи? Уж точно не благодаря сочинительству — за памфлеты много не платят. Помню свое недоумение, когда Джексон очертя голову ринулся спасать меня из колонии, даже не позаботившись о плане отступления. Чистое безумие, совсем не в его духе. Но если он уже сбегал оттуда... если заранее знал обходной путь — или же и вовсе предпринял вылазку с разрешения Саргасов...

Давний союзник. Двадцать долгих лет. Так вот кем был и остался Джексон Холл. Пусть у меня не имелось доказательств, но я нутром чуяла, что не ошиблась.

Джексон не просто предатель.

Он — тот самый предатель.

Тот, кто двадцать лет назад предал Рантанов и столь страшной ценой купил себе свободу.

Тот, по чьей милости спина Стража испещрена шрамами.

Тот, кто обрек других узников на верную смерть в колонии.

А я столько лет была его подельницей. Правой рукой.

Белый шум вытеснили чьи-то шаги. Страж опустился рядом со мной на корточки.

Надо рассказать ему, разделить с кем-то это невыносимое бремя.

— Я знаю, кто предал вас двадцать лет назад. Знаю, из-за кого твоя спина покрыта шрамами.

Молчание. Меня трясло как в лихорадке.

— Здесь небезопасно, — произнес наконец Страж. — Разговор терпит до мюзик-холла.

Мысли колючей проволокой путались в голове. Все использовали меня как марионетку, подвешенную на тысяче ниточек.

— Легионеры! — перевесившись через перила, крикнул Ник. — Страж, тащи ее сюда!

Арктур не шелохнулся. Я боялась, что он не сумеет верно истолковать выражение моего лица и тогда мне придется самой назвать имя. Но постепенно ему, как и мне, открылась чудовищная истина. Глаза рефаита полыхнули огнем:

— Джексон.

ЧАСТЬ I

БОГ В МАШИНЕ

1

ТЕМНАЯ ВЛАДЫЧИЦА

Войну недаром сравнивают с игрой. И там и там есть соперники, есть враждующие стороны. И там и там можно потерпеть поражение.

Существует лишь одно принципиальное различие.

Любая игра по сути своей — лотерея. А лотерея исключает определенность. Если выигрыш гарантирован заранее, пропадает весь смысл играть.

В войне, напротив, мы жаждем определенности. Даже полный дурак не станет воевать без твердой уверенности в победе или, на худой конец, без осознания, что вероятность проигрыша ничтожно мала и с лихвой окупает кровавую цену. На войну идут не за адреналином, а за триумфом.

Другой вопрос, оправдывает ли триумф средства его достижения.

27 ноября 2059 года

В сердце делового квартала Лондона полыхал пожар. Дидьен Вэй, поэт подпольного мира и заклятый соперник Джексона Холла, горевал в Чипсайде над останками заброшенной церкви. Незыблемый атрибут столицы превратился в обуглившиеся руины.

В напудренном парике и фраке Дидьен смотрелся диковинно даже по меркам Сай-Лона, однако поглощенные драмой зеваки не обращали на чудака ни малейшего внимания — даже те, кто откликнулся на его зов. Замаскированные с головы до пят, мы сгрудились у входа в проулок и молча наблюдали, как пламя пожирает Сент-Мэри-ле-Боу. По сообщениям местных ясновидцев, взрыв прогремел около полуночи. Теперь пламя перекинулось на соседние дома. Стены покрывали граффити:

СЛАВЬТЕ БЕЛОГО СБОРЩИКА,
ИСТИННОГО ВЛАДЫКУ ЛОНДОНА!

Рядом с надписью горел оранжевый цветок. Настурция — символ борьбы и власти.

— Надо увести беднягу, — мрачно заметила Мария Огненная, одна из моих командующих. — Пока до него не добрался Сайен.

Я не двинулась с места. Дидьен настаивал на моем присутствии, однако его нынешнее состояние не располагало к конструктивному диалогу. Вэй наверняка потребует компенсировать убытки из казны и, не колеблясь, выдаст меня толпе в случае отказа. Лучше не попадаться ему на глаза, по крайней мере, сейчас.

— Я помогу, — вызвалась Элиза, потуже затягивая капюшон. — Переправим его на Граб-стрит.

— Осторожнее, — посоветовала я.

Дидьен молотил кулаками по брусчатке и блажил на чем свет стоит. Мария вместе с подручными двинулась вслед за Элизой.

Я держалась позади Ника. С недавних пор мы приспособились носить зимние капюшоны — последний писк моды, — полностью закрывавшие лицо. Однако в моем нынешнем положении даже самая изощренная маскировка могла подвести.

После памятной битвы за право возглавить Синдикат — и победы над Джексоном Холлом, моим наставником и главарем мимов, — Ник бросил работу и исчез с радаров Сайена, но напоследок выкрал несколько комплектов медицинских инструментов и почти опустошил свой банковский счет. Буквально через пару дней его снимок транслировали по «Оку Сайена» наряду с моим.

— Думаешь, это Джексон постарался? — Ник кивнул на остов церкви.

— Его приспешники. — От жара у меня защипало в глазах. — Очевидно, в их полку прибавилось.

— Жалкая горстка диверсантов. Не забивай себе голову.

Несмотря на его обнадеживающий тон, меня грызли сомнения. Уже третье нападение на стратегический объект Синдиката. В прошлый раз мятежники учинили погром на рынке Спиталфилдс: распугали торговцев, опустошили палатки. Участники погрома считали Джексона истинным темным владыкой — вопреки его подозрительному отсутствию. Даже когда я изложила им факты, они наотрез отказывались верить, что Белый Сборщик, знаменитый главарь мимов I-4 (то есть Четвертого сектора Первой когорты), переметнулся к Сайену.

Впрочем, это никак не влияло на расстановку сил — большинство ясновидцев приняли мою сторону. Однако смысл диверсии очевиден: мне так и не удалось завоевать сердца всех подданных. Хотя чему удивляться: основная масса паранормалов глубоко презирала моего предшественника по прозвищу Сенной Гектор. Малочисленные приверженцы повиновались ему из страха или за солидную мзду.

Мария с Элизой подняли рыдающего Дидьена на ноги и увели прочь. Его исступленные вопли заглушил громкий рев сирены. Хотелось бы верить, что прибывшие пожарные успеют потушить близлежащие дома, но все присутствующие понимали: церковь не спасти, равно как и склеп Юдифи, где проводились аукционы. Мы удалились, а важная веха нашей истории продолжала полыхать.

Прежняя Пейдж рвала бы на себе волосы от горя: сколько часов я провела на юдифионах, предлагая баснословные деньги за фантомов, которыми нелегально торговал Дидьен... Но с тех пор, как Джексон открыл свое истинное лицо, воспоминания о временах, когда я была его подельницей, потускнели, покрылись грязным налетом. И теперь мне хотелось лишь одного — соскрести их в яму, присыпать землей и начать жизнь с чистого листа.

— Ближайшая явка у нас на Клок-лейн, — шепнул Ник.

Мы юркнули в подворотню, прочь от кольца пламени, окружавшего церковь. Я выбирала безлюдные места, а Ник смотрел, нет ли камер наблюдения. После знаменательной битвы мы из рядовых преступников-паранормалов превратились в начинающих революционеров, награда за наши головы росла не по дням, а по часам. Хотя мы еще не предприняли никаких решительных действий, Сайен заранее подстраховался.

Одному эфиру известно, сколько мы еще протянем в столице. Ночные вылазки сулили крупные неприятности, тем не менее я не смогла отказать Дидьену в просьбе, желая убедить его, что мы с ним заодно. Давний соперник Джексона виделся мне потенциальным союзником.

Явка на Клок-лейн представляла собой квартиру-студию. Временная хозяйка из числа бывших лунатиков старалась по мере сил помогать Касте мимов. В отличие от большинства наших пристанищ, тут имелись камин, холодильник и нормальная кровать. Какое блаженство — очутиться в тепле! Погода не радовала: столбик термометра неуклонно опускался вниз, на город обрушились снегопады, тротуары сковало наледью. На моей памяти не случалось таких холодов, а ведь еще даже не наступила зима. Стоило высунуться на улицу, и глаза начинали слезиться, а раскрасневшиеся нос и щеки пощипывало на морозе.

Спать не хотелось. Отчаявшись меня уговорить, Ник сам плюхнулся на постель. Отлично, хотя бы он отдохнет. Лунный свет озарял его бледное лицо, подчеркивал глубокие морщины на лбу, которые не разглаживались даже во сне. До рассвета я проворочалась на кушетке. Перед глазами маячила пылающая церковь, угроза новых разрушений. Да, Джексон Холл исчез, но память о нем жива.

Наутро частник отвез меня на заброшенную Мукомольню в Силвертауне, где размещалась наша крупнейшая ячейка. (Мукомольня пополнила список промышленных заброшек, облюбованных нами по всей цитадели.)

Преобразовать структуру Синдиката с целью сделать из него боеспособную армию оказалось непростой задачей. Первым делом я упразднила классическую систему территорий, по возможности стараясь не дробить банды. Теперь ясновидцев расформировывали по ячейкам, чье местонахождение знали только непосредственные участники и местные главари мимов, получавшие распоряжения от командующих. Подданные без энтузиазма восприняли запрет на контакты вне ячейки, но иного способа выжить не было. Только так мы могли обезопасить себя от Джексона, знавшего устройство Синдиката вдоль и поперек.

Теперь в случае ареста власти не вытянут из пленника ничего, кроме дислокации горстки людей. Мы намеревались объявить Сайену войну, а война не терпит ошибок.

Расплатившись с водителем, я взбежала по лестнице. В конце коридора в инвалидной коляске сидел Леон

Воск — один из немногих невидцев, сотрудничавших с Кастой мимов. Смуглый до черноты, успевший растерять к шестидесяти годам половину волос, Леон выдавал комплекты первой необходимости (мыло, бутыли с водой) двум новеньким прорицателям.

— Привет, Пейдж, — поздоровался он.

— Привет. — Я кивнула новобранцам, которые уставились на меня, буквально разинув рты. — Добро пожаловать в ячейку.

Во взгляде прорицателей читался благоговейный страх. Обо мне болтали разное: подельница, вонзившая нож в спину собственному главарю мимов; странница, имевшая союзников из самого эфира. Интересно, оправдала ли я ожидания новичков в своем нынешнем виде: изможденная, с синевой под глазами? Мои волосы вновь приобрели первозданный платиновый оттенок, но челка по-прежнему оставалась цвета воронова крыла. О поединке напоминали только поблекшие синяки и внушительный рубец на скуле — след от удара мачете. Живое свидетельство того, что я способна сражаться и победить.

Очевидно, моя внешность произвела должное впечатление.

— С-спасибо, темная владычица, — пролепетала бледная шатенка и даже сделала реверанс. — Для нас большая честь примкнуть к Касте мимов.

— Не нужно реверансов, — отмахнулась я, оставляя ребят на попечение Леона и направляясь к лестнице. Самые глубокие раны по-прежнему саднили, но лекарства притупляли болевой порог.

Разведцентр помещался на одиннадцатом этаже. Внутри двое моих командующих, Том Рифмач и Светляк, завтракали, не отрываясь от карты цитадели с отмеченными на ней координатами сканеров «Экстрасенс» — нашей новой головной боли. Среди документов и ноутбуков лежали разномастные нумы: магические камни, ключи, нож, хрустальный шар размером с кулак.

— Доброе утро, темная владычица, — поприветствовал меня Светляк.

— У нас проблема.

Рифмач вскинул кустистые брови.

— Не лучшее начало дня. Я даже кофе не допил, — буркнул он, пододвигая мне стул. — В чем дело?

— Сторонники Джексона спалили склеп Юдифи.

— Да, Мария сказала, — вздохнул Рифмач. — Какая-нибудь мелкая сошка постаралась.

— Так или иначе, нельзя бездействовать, — заявила я, наливая себе кофе. — Мы должны консолидировать Синдикат, причем быстро. Для начала неплохо бы подыскать Джексону замену, — рассуждала я вслух. — Ну а у вас какие сводки?

— Наши ряды пополняются день ото дня, — рапортовал Светляк. — Пока это капля в море, но если так пойдет и дальше, то беспокоиться не о чем. Многим ясновидцам импонируют идеи Касты мимов; чем больше народу примкнет, тем охотнее другие последуют их примеру.

Том согласно кивнул.

— Вчера мы завербовали двоих. Медиумы, их засек «Экстрасенс». Мне было видение, как это случится, а люди Светляка отыскали беглецов в укрытии. — Рифмач откашлялся и покосился на коллегу. — Занятная штука с ними приключилась. Сканер сработал, хотя они его не видели. Просто услышали сигнал.

Я нахмурилась. Сайен приступил к внедрению «Экстрасенса» в подземке, однако, на наше счастье, приборы отличались крупными габаритами, поэтому обойти их не составляло труда.

— Как можно не заметить сканер? Он же огромный. Где это произошло?

— Пока не в курсе.

— Отправь своего подельника на разведку. Не нравится мне эта история. — Перед уходом я умыкнула со стола имбирную булочку, хотя Рифмач и пытался спрятать сдобу в ящик.

Мой путь лежал вниз, в спортзал. Через разбитые окна струился солнечный свет, роняя блики на бетонный пол и покрытые пылью станки. Сквозь зияющий разлом в потолке виднелось жемчужно-серое небо. На импровизированных рингах ясновидцев обучали физическому и фантомному бою, а также искусству метания ножей.

По распоряжению Тирабелл, Рантаны регулярно наведывались в ячейки и помогали рекрутам оттачивать навыки. Слева на ринге Плиона Суалокин объясняла тактику сражения на фантомах. Потрясенные ясновидцы выстроились кругом, не в силах отвести от наставницы глаз.

— Соприкасаясь с аурой противника, арсенал наводняет ее тревожными образами, способными выбить почву из-под ног. Но учтите, слабый арсенал всегда можно развеять или отразить. Поэтому необходимо прочно связывать фантомов — на гиблом наречии это именуется ткацким ремеслом. — Рукой в перчатке Плиона принялась водить перед собой, сплетая духов в замысловатое кружево. При виде меня представительница Рантанов разжала пальцы и сухо обратилась к ученикам: — В здании достаточно фантомов, тренируйтесь.

Студенты бросились врассыпную, здороваясь со мной на ходу.

— Избранная правительница просила передать, что завтра проверит ячейки в Первой когорте, — сообщила Плиона, дождавшись, когда ясновидцы уйдут.

— Хорошо.

В ее зрачках едва теплился огонь — верный признак голода. Я строго-настрого запретила Рантанам подпитываться от моих подопечных, ограничив их рацион паранормалами, обитавшими за пределами Синдиката. Разумеется, скудное питание не замедлило пагубно сказаться на их и без того непростом нраве.

— Тирабелл недовольна, — продолжала моя собеседница. — Почему ты до сих пор не искоренила влияние гнусного архипредателя из Лондона?

— Я стараюсь, поверь.

— Советую постараться как следует, странница.

Держась на расстоянии вытянутой руки, Плиона удалилась. Я уже привыкла к манере рефаитов шарахаться от меня как от прокаженной.

Нас роднила обоюдная ненависть к Джексону, хотя особенно полагаться на это не стоило. Теперь все Рантаны знали, кто предал их много лет назад, когда они впервые отважились восстать против правящего клана Саргасов. Думаю, рефаиты винили меня не меньше. Сложно представить, что за три года, проведенные в роли подельницы их заклятого врага, я не сумела разгадать его страшную тайну.

Неподалеку состязались ясновидцы. Прорицатель собрал арсенал и метнул его в наставника-рефаита, застывшего в центре круга.

Страж. Легким движением он отогнал арсенал и обратил фантомов в бегство.

«Арктур Мезартим — не более чем приманка, на которую Тирабелл ловит наивных дурочек. Покорный инструмент ее воли».

Страж чуть повернул голову. Я попятилась, пытаясь не пролить кофе.

«Жаль, что это очевидно всем, кроме тебя».

Поверженный прорицатель поплелся обратно в строй. Страж поманил из шеренги еще двух паранормалов.

Первым выступил Феликс Комс — один из немногих уцелевших в Сезоне костей. Феликс шагнул в круг и наполнил чашу водой для гидромантии. В соперницы ему назначили Рошин Джейкоб, примитивную прорицательницу; ее заплетенные в косу волосы потемнели от пота. Когда моим приказом из трущоб Джейкобс-Айленда вызволили всех примитивных прорицателей, преданность Рошин не знала границ, в благодарность девушка тренировалась сутками напролет.

Скрестив руки на груди, Арктур наблюдал за противниками.

— Феликс! — От его оклика гидромант испуганно вздрогнул, рефаиты по-прежнему наводили на него священный ужас. — Перестань горбиться, от легионеров это все равно не спасет.

Феликс занял позицию напротив девушки, которая была на голову его выше.

— Рошин, атакуй в полную силу, но дай ему шанс применить свою технику, — распорядился Страж.

— Маленький шанс, — уточнила Рошин. — Совсем крохотный.

Прочистив горло, Феликс созвал фантомов и объединил их в арсенал.

Арктур нарезал по арене круги.

— Встали спиной друг к другу и отступили каждый на три шага, — скомандовал он. Соперники подчинились. — Отлично.

Под его руководством битва всегда превращалась в дуэль, танец, произведение искусства. За пределами круга столпились зеваки. Пока Феликс и Рошин ждали отмашки, зрители подбадривали их на все лады.

— Три, два, один, — произнес Страж.

Феликс взмахнул рукой. Описав плавную дугу, фантомы погрузились в чашу; вода на поверхности покрылась рябью, эфир завибрировал натянутой струной. Мои брови медленно поползли вверх. Едва лишь покрытый блестящими каплями арсенал взмыл к потолку, как Рошин, видимо, решила, что поблажек довольно, — и метнулась к противнику.

Кулаком задрала ему руку и, швырнув мужчину на канаты, впилась пальцами в его предплечье. Феликс содрогнулся всем телом, фантомы в панике кинулись наутек. Гидромант рухнул на залитый водой пол и завопил.

— Сдаюсь! Больно же! — надрывался он под общий хохот собравшихся. — Рошин, как это тебе удалось?

— Она обратила против тебя свой дар, — пояснил Арктур. — Рошин — талантливый остеомант, твои кости среагировали на ее прикосновение.

— Кости? — ужаснулся Феликс.

— Именно. Даже сокрытые плотью они подчиняются воле остеоманта.

Победительницу чествовали бурными овациями. Пристроив стаканчик, я аплодировала вместе со всеми. Под руководством Стража Рошин сумела развить свой дар, сделать из него мощное оружие. Да и манипуляции Феликса выбивались из ряда классической гидромантии.

— Говорил ведь, не надо их выпускать, — прошипел заклинатель по имени Тренари. — Примитивным прорицателям тут не место.

— Довольно! — прикрикнул на него Страж, продолжая нарезать круг за кругом. — Темная владычица не одобряет подобные речи.

Кое-кто из зрителей вздрогнул. Оказывается, у рефаитов чуткий слух. Любой другой прикусил бы язык, но заклинатель не внял суровому тону наставника.

— Ты мне не указ, рефаит, — огрызнулся он. Феликс сглотнул и покосился на Стража. — Я повинуюсь лишь темной владычице.

— Тогда слушай внимательно, Тренари. — Я шагнула вперед, и все головы разом повернулись в мою сторону. — Мы больше не придерживаемся такой позиции относительно примитивщиков. Свои правила устанавливай в другом месте. На улице, например, где снег и мороз.

После короткого замешательства Тренари пулей вылетел в коридор. Рошин победно ухмыльнулась ему вслед.

Гнетущее напряжение снял Джос Бивотт:

— Страж, а меня сумеешь чему-нибудь научить? Я ведь только певец.

— Пение — могущественная сила. Каждый из вас обладает огромным потенциалом, но на сегодня мое время истекло. — По залу прокатился ропот разочарования. — Продолжим на следующей неделе. А пока тренируйтесь.

Ясновидцы разбрелись кто куда. Страж потянулся за пальто.

За последние несколько недель мы с ним не перекинулись и парой слов. Пора уже заканчивать играть в молчанку. Стараясь подавить дурное предчувствие, я направилась к рефаиту.

— Здравствуй, Пейдж.

Его голос пьянил, точно вино. Невыносимая тяжесть давила на грудь, распирала меня изнутри.

— Привет, Арктур. Давно не виделись.

— Да уж, давненько.

Я притворилась, будто наблюдаю за метателями ножей, но краем глаза замечала устремленные на нас пристальные взгляды: подданные таращились на темную владычицу и ее собеседника с нескрываемым любопытством.

— Потрясающая работа, просто дух захватывает, — искренне восхитилась я. — Как ты обучил Феликса таким штукам?

— У нас это называется синтез. Усовершенствованная форма фантомного боя, доступная избранным категориям гадателей и прорицателей. Злая Леди наглядно продемонстрировала ее на Битве за власть. — Страж смотрел, как медиум высвобождает свой лабиринт для переселения. — Отдельные ясновидцы обладают свойством подчинять духов и через них управлять такими нумами, как вода, огонь, дым.

Все это могло обеспечить нам весомое преимущество. Вплоть до появления Рантанов единственным оружием прорицателей и гадалок был арсенал; вот почему Джексон считал их слабым звеном.

— Тот парень, — Страж кивнул на дверь, за которой исчез Тренари, — говорит гадости о примитивных прорицателях и завуалированно, исподтишка, агитирует за Джексона, полноправного лидера Касты мимов. Постоянно цитирует провокационные выдержки из «Категорий паранормального».

— Леон за ним приглядит. Нельзя допустить утечки в Сайен.

— Отлично.

Повисла короткая, недобрая пауза. На мгновение я зажмурилась.

— Извини, надо бежать. У меня срочное дело.

Я решительно двинулась к выходу, как вдруг за спиной послышалось:

— Я тебя чем-то обидел, Пейдж?

Оклик Стража пригвоздил меня к полу, вынудив обернуться.

— Нет, конечно. Просто... проблем невпроворот, — возразила я, словно оправдываясь, хотя мы оба понимали: что-то не так.

— Не сомневаюсь. — Не дождавшись ответной реплики, Страж мягко произнес: — Ты вправе сама выбирать друзей. Но если захочешь поговорить, спросить совета, я всегда выслушаю и помогу.

Внезапно меня бросило в жар: эти очертания его волевого подбородка, приглушенное пламя в глазах, волна тепла, согревавшего даже на расстоянии. По спине забегали мурашки. В животе разлилась сладкая истома.

Но между нами пролегла пропасть. Невидимый барьер. Нет, Страж не сделал ничего дурного. Напротив, принял меня — женщину, которая многие годы трудилась плечом к плечу с Джексоном Холлом, не догадываясь, какое он чудовище. В отличие от других Рантанов, Арктур относился ко мне по-прежнему и давно простил мое невежество.

Однако слова Джексона воздвигли между нами стену. Слова, рефреном повторявшиеся у меня в голове. Самое страшное: я не могла сказать Арктуру правду, не могла признаться, что отъявленный лгун Джексон Холл заставил меня усомниться в преданном союзнике, скомпрометировал его образ, представив Арктура марионеткой, пляшущей под дудку Тирабелл.

— Спасибо. — Устав от косых взглядов соратников, я поспешила свернуть беседу. — До скорого.

До позднего вечера я корпела над инвентаризацией. На обратном пути с Мукомольни меня перехватили Ник и Элиза с экстренным донесением от повелительницы мимов Второй когорты: якобы у телефона-автомата в ее секторе окопался взвод легионеров.

— Половина ясновидцев, побывавших в телефонной будке, испарилась, — сообщил Ник, пока мы пробирались через сугробы. — Сама повелительница, правда, вернулась целой и невредимой, но все равно требует приставить к будке лакеев.

— Помнится, на прошлой неделе некий медиум отправился в аптеку и исчез. Верно? — уточнила я.

— Угу.

— А ты пользовался телефоном?

— Да. Как видишь, без проблем.

Я спрятала лицо от ветра.

— Тогда нечего заморачиваться.

— Согласен. Идем в логово?

Я кивнула. Мы отсутствовали весь день, а ведь еще предстояло свести дебет с кредитом.

Рикша высадил нас на Лаймхаус-Козуэй; дальше двигались пешком: головы опущены, шарфы надвинуты до бровей. Среди портовиков с Собачьего острова сновали обалдевшие от «флокси» и предвкушения праздника гуляки. В преддверии Ноябрьфеста кислородные бары изнемогали от наплыва посетителей, особым спросом пользовались дешевые забегаловки, преобладавшие в этой части цитадели. Элиза притормозила у банкомата и незаметно достала ворованную кредитку.

Украденные карточки выручали нас постоянно, хотя действовали недолго — пока не хватится законный владелец. Тирабелл часто отказывала мне в деньгах и, подозреваю, получала от этого удовольствие. Ник бросал опасливые взгляды по сторонам — не видит ли кто из прохожих; тем временем Элиза сунула карточку в прорезь и топнула ногой.

Завыла сирена.

Мы с Ником оцепенели, Элиза испуганно попятилась. Оглушительный вой привлек внимание всей округи. Мы тупо уставились друг на друга.

Знакомый звук.

Такой издавал «Экстрасенс» при обнаружении паранормалов; однако сейчас звук, предвещающий арест, исходил из недр банкомата.

Невероятно! Сканеры представляли собой громоздкие конструкции высотой в человеческий рост. Увидишь за километр — не ошибешься. Угодить в них мог только слепой, ведь «Экстрасенс» никогда не маскировали.

Или маскировали?

Размышления заняли буквально долю секунды. Опомнившись, я рявкнула:

— Бежим!

Как по команде, мы бросились наутек.

— Паранормалы! — раздавалось нам вслед.

Кто-то схватил Ника за рукав. Удар — и бдительный невидец полетел на землю. Обернувшись, я увидела, как из банка выскочил отряд НКО с флюидными ружьями наперевес. От зловещих воплей — «Стоять!», «Пригнитесь!» — люди в панике шарахались кто куда. Заслышав характерный щелчок и шипение дротика, я кубарем выкатилась на соседнюю улочку, увлекая за собой Элизу. Сердце лихорадочно билось, легкие от страха сводило судорогой. Давно я не испытывала подобного ужаса: если точнее, с того самого дня, когда меня похитили и увезли в колонию. Мы втроем занимаем ключевые должности в Касте мимов — нельзя допустить, чтобы нас поймали.

Мы мчались к портовому поселку, где так легко раствориться в запутанном лабиринте трущоб. Впереди уже вырастали деревянные бараки, как вдруг дорогу нам перегородил фургон. Точно загнанные звери, мы рванули обратно и очутились лицом к лицу с солдатами в черно-красных мундирах.

— Вот дерьмо! — простонала Элиза.

Я медленно подняла руки. Спутники последовали моему примеру. Легионеры выстроились полукругом: электрические дубинки зловеще поблескивают; ружья, начиненные последней версией «флюида», целятся нам в грудь. Я покосилась на Ника. Его аура стремительно менялась, все глубже устремляясь в эфир.

Мой лабиринт еще не восстановился после Битвы за власть. Пустить его сейчас в ход означало неминуемый проигрыш.

Однако слабая аура не мешала мне расправиться с легионером голыми руками.

Дар Ника вырвался на волю, ослепляя наемников потоком образов; Элиза бомбардировала их арсеналами. Легионеры барахтались в паутине фантомов, навевавших чудовищные галлюцинации. В возникшей суматохе я врезала кулаком в незащищенный подбородок и выхватила ружье. Баллистический шприц воткнулся командиру взвода между лопаток.

Мы действовали стремительно и слаженно, как во времена войн с конкурирующими бандами. Ник завладел дубинкой и впечатал локоть в чей-то нос. Разряд — и легионер рухнул навзничь. Элиза сбила солдата с ног и швырнула через плечо драгоценную дымовую шашку. Поле боя окутала густая серая мгла. Выстрелив в темноту, я помчалась за Элизой, не выпуская из рук разряженное ружье. Ник догнал меня через пару секунд.

Мы перемахнули через низкую стену, проползли под исписанным граффити забором, отмечавшим границу поселка, и метнулись к первому попавшемуся бараку. Отдернув брезентовое полотнище, заменявшее дверь, мы вихрем пронеслись по комнатам. Портовые рабочие осыпáли нас бранью, но мы не останавливались и, только добравшись до юго-западной окраины поселка, рухнули на грязную песчаную полосу, омываемую водами Темзы. Шов на боку горел огнем, но боль не шла ни в какое сравнение с бездной страха, разверзшейся у меня внутри.

Мы всегда соблюдали предельную осторожность, гордились своим умением слиться с толпой. Думали, ничто не угрожает нашей безопасности — но, по иронии судьбы, именно нас застали врасплох и едва не погубили.

— Что это была за хреновина? — просипела Элиза, жадно ловя воздух ртом. — Потайной сканер?

С моих губ не сорвалось ни звука. Надо убираться отсюда, и поскорее, но обессиленное дракой тело не желало повиноваться. Ник покачал головой, тяжело дыша.

Постепенно ко мне вернулся дар речи:

— Уходим. Надо предупредить Касту мимов. Эта... эта штуковина способна стереть нас с лица земли.

2

ОБСТАНОВКА НАКАЛЯЕТСЯ

Собрание состоялось незамедлительно. К нашему появлению Светляк, Том Рифмач и Мария Огненная уже собрались в северном убежище и с аппетитом уплетали оставшиеся булочки. Напротив устроилась Даника Панич, одна из «Семи печатей», принявшая мою сторону после Битвы за власть. Обычно в совете участвовали все шестеро командующих, но сегодня мне не хотелось рисковать и собирать всех под одной крышей.

При виде меня присутствующие встали. Болезненно поморщившись, я опустилась в кресло рядом с Ником. Трескучий мороз мало способствовал заживлению ран.

— Пейдж, это правда? — нарушила молчание Мария. — Про скрытый сканер?

Одно место за столом по-прежнему пустовало.

— Подождем? — спросила Элиза, усаживаясь слева от меня.

— Нет, — отрезала я.

Отсутствие Тирабелл здорово действовало на нервы. Решается вопрос жизни и смерти, а она даже не соизволила явиться. Мы знали о планах Сайена постепенно увеличить число сканеров — об этом сообщалось со всех экранов, — но думали, что речь идет о громоздких устройствах, заметных невооруженным глазом.

— Спасибо, что так быстро откликнулись, — начала я. — Перейду сразу к делу. Элиза пыталась обналичить карту, когда сработала сигнализация. По всей видимости, «Экстрасенс» был встроен в банкомат. — Повисла пауза: собравшиеся переваривали информацию. — Мы чудом унесли ноги.

Все затаили дыхание. Светляк провел ладонью по лбу.

— Для Касты мимов это может обернуться катастрофой, — продолжила я. — Как избежать того, чего не видно?

— Банкомат, — пробормотала Мария, запустив пальцы в прическу. — Такая заурядная вещь...

— Вот вам и разгадка таинственной телефонной будки, — протянул Ник. — И пропавшего медиума из аптеки.

Выходит, зря я поторопилась сбросить со счетов тревожные донесения.

— Мы столкнулись с по-настоящему серьезной угрозой. Количество установленных сканеров пока еще точно не известно, однако первые три касты, непосредственно попадающие под удар, должны залечь на дно. Разумеется, временно. Сейчас появляться на улицах слишком опасно.

— Нет! — выпалила Элиза. — Пейдж, нельзя просто прятаться.

— Согласен с коллегой-медиумом, — встрепенулся Светляк. — Без пехотинцев мы будем как без рук.

— А лучше, если Сайен их сцапает? — возразила я. — Функции пехоты передадим представителям других каст.

— Но их слишком мало.

— Достаточно, — парировала я. Однако собеседники не разделяли моего мнения. Мария Огненная досадливо поморщилась. — Хорошо, тогда ищите выход: думайте, как не угодить в эту треклятую ловушку. На сей раз мы обязаны принять меры. Гектор до последнего прятал голову в песок, но нам такая роскошь не по карману. Пора взглянуть в лицо фактам и осознать, с чем мы столкнулись. С богом в машине. Всевидящим оком.

— И ослепить его будет нелегко, — вставила Даника с противоположного края стола.

Она сидела, скрестив руки на груди. Рыжие кудряшки сбились в паклю, сосуды в глазах полопались от переутомления. Благодаря работе в инженерном подразделении Сайена Даника служила нашим главным источником информации об «Экстрасенсе».

— Дани, ты знала, что грядет нечто подобное? — спросила я.

— Я знала, что Сайен собирается внедрять крупногабаритные сканеры по всей территории цитадели, и поэтому пыталась сконструировать устройство, блокирующее ауры. Как вы помните, попытка не увенчалась успехом. Еще я в курсе, что, помимо станций метро, сканеры постепенно охватят все ключевые сферы жизнедеятельности. Но о встраиваемых сканерах слышу впервые.

— Тогда поставлю вопрос ребром: как нам избавиться от этой дряни?

— Вручную не получится. Большие «Экстрасенсы» тщательно охраняются, да и крепят их сваркой.

— Ты знаешь, как они работают? — сухо осведомился Светляк.

— Разумеется.

— И? Ну говори уже!

Взгляд девушки полыхнул ненавистью. Даника Панич терпеть не могла, когда ее торопят.

— По слухам, сканеры питаются от главного источника энергии, именуемого ядром, — нарочито медленно начала она. — Понятия не имею, что это за штука, но без нее не функционирует ни один сканер.

— Иными словами: нейтрализуем ядро, и вся система рухнет, — констатировала я.

— В теории да. Убери аккумулятор, и машина не поедет. — Том почесал бороду. — Только вот где искать это самое ядро?

— В архонте, где же еще, — пожала я плечами.

— Не обязательно, — вклинилась Даника. — «Экстрасенс» — детище СайенМОПа, следовательно, прятать его могут где-нибудь в военном учреждении.

СайенМОП. Международное оборонное подразделение вооруженных сил Сайена. Я уже сталкивалась с ними тринадцать лет назад, когда их войска вторглись в Ирландию через Дублин.

— СайенМОП, — повторила Мария, вытаскивая из кожаного портсигара сигарету. — Выходит, «Экстрасенс» — оборонный проект, — протянула она, закуривая. — Если тут замешана армия, то история с повсеместным внедрением сканеров принимает совсем уж скверный оборот.

В желудке возник неприятный холодок. Мы сравнительно обезопасили себя от легионеров и враждебно настроенных рефаитов, но никто не предполагал, что в дело ввяжется армия. По крайней мере, не на начальном этапе, ведь основные силы Сайена базировались за рубежом.

— Сейчас наша ключевая задача — нейтрализовать «Экстрасенс», — продолжала Мария. — Но если уж будить зверя, то делать это надо во всеоружии, ибо нам предстоит встретиться с абсолютным злом. Злом в лице Хилдред Вэнс, верховного командора Республики Сайен и, по совместительству, главы СайенМОПа.

Том бессвязно что-то пробормотал.

Вэнс... Мне уже доводилось слышать это имя.

— Хилдред Вэнс, — глухо произнес Светляк. — Именно она инициировала вторжение в Болгарию, да?

— Она самая. Серый кардинал, стоящий за судьбой Ирландии и Балкан. — Мария выпустила тонкую струйку дыма. — Проспонсировать массовое внедрение «Экстрасенса» для военных целей вполне в ее стиле.

Элиза непроизвольно дернулась.

— Допустим, она нагрянет сюда. Что дальше?

Мария прикрыла веки и сделала новую затяжку.

— Дальше на нас натравят одного из гениальнейших и наиболее безжалостных стратегов в истории. С огромным опытом уничтожения бунтарских группировок.

Воцарилось угрюмое молчание. Наше движение еще недостаточно окрепло, чтобы сразиться с целой армией.

Затянувшуюся паузу прервал мой голос:

— Вне зависимости от того, замешана тут Вэнс или нет... — Я осеклась, заметив в дверном проеме Стража в черном пальто.

Все командующие с опаской покосились на гостя: на его холодные, точно скованные льдом глаза, могучие плечи.

— Прошу прощения за опоздание, темная владычица.

Радужная оболочка наглядно объясняла причину задержки — по пути Страж основательно подкрепился.

— А где Тирабелл?

— Она сегодня занята.

Рефаит опустился в кресло рядом со Светляком. Пронзительная синева взгляда всякий раз напоминала, чем он вынужден промышлять, чтобы выжить. Впрочем, нельзя ставить это ему в вину... Я вкратце обрисовала Арктуру ситуацию со сканерами.

— Хочется услышать твое компетентное мнение, каковы наши шансы нейтрализовать «Экстрасенс». Ты ведь близко знаком с Саргасами. Может, тебе что-нибудь известно о сканерах? Чем они питаются?

— Зная Саргасов, рискну предположить, что ядро — это некая эфирная технология, эксплуатирующая энергию фантомов.

Брови Рифмача поползли вверх.

— Устройство, которое работает на фантомах? Впервые о таком слышу.

— Подобное даже рефаитам в новинку. Саргасы — единственный клан, сумевший объединить энергию эфира с человеческими механизмами. Многие из нас считают такой гибрид кощунством. К сожалению, детали и тонкости мне неведомы.

Я медленно кивнула. И поинтересовалась:

— Как, по-твоему, ядро прячут в архонте?

— Уточню у нашего двойного агента, но уверен: находись оно там, нам бы уже давно сообщили.

Арктур имел в виду Альсафи Суалокина, ценнейшего шпиона Рантанов. В колонии он проявил себя безжалостным и преданным сторонником Наширы. Известие, что Альсафи один из Рантанов, не чаявших свергнуть Саргасов, было для меня как гром среди ясного неба.

— Хотя мы не знаем точного местонахождения ядра, думаю, настало время сделать кое-какие выводы по сканерам. — Страж пристально оглядел собравшихся. — Как известно, «Экстрасенс» способен идентифицировать представителей лишь трех первых каст. Сколько ни бился Сайен, однако настроить прибор на четыре высших ранга так и не удалось.

Мария вскинула подбородок:

— А каким образом осуществляется эта... хм... настройка?

— Неизвестно, но думаю, через прямое взаимодействие с аурой. Заметьте, «Экстрасенс» распознает лишь то, с чем сталкивался прежде. — Рефаит выдержал паузу. — Следовательно, любой из вас расширит границы его способностей.

Иных разъяснений не требовалось. Если наши вылазки чреваты не только арестом, но и развитием потенциала «Экстрасенса», значит мой вариант уйти в подполье рано сбрасывать со счетов: пригодится в качестве крайней меры.

— К слову, о ядре: как считаешь, его легко восстановить? — сменила я тему. — Допустим, мы его уничтожим, а Саргасы построят заново.

— Маловероятно, — протянул Страж. — Я, конечно, не Саргас и ничего не смыслю в эфирных технологиях, но в целом могу сказать: вещь эта мудреная и хрупкая. На ее создание уйдут годы.

Судя по тону, Страж просто выдвигал обоснованную теорию, однако все лучше, чем ничего. Хоть какая-то зацепка.

— И вот еще что, — произнес он чуть погодя. — Усовершенствованный «Экстрасенс» сильно ударит по НКО. Когда Сайен научится распознавать все семь каст, надобность в зрячих офицерах отпадет автоматически. Из верных солдат Сайена они превратятся в обузу, следовательно, от них захотят избавиться небезызвестным кое-кому способом. — Страж выразительно посмотрел на меня. — Кто-то из них наверняка захочет помочь нам ликвидировать ядро.

— Категорически возражаю! — рявкнул Светляк. — Синдикат не якшается с легионерами!

Светляк, производивший впечатление шутника и балагура, на деле оказался педантом. К революции он относился чрезвычайно серьезно, чего не скажешь о многих других представителях Потустороннего совета.

— Если не протянуть ночным легионерам руку помощи, они погибнут, — предупредил Страж.

— Вот и отлично, — кровожадно осклабился Светляк.

— Они предатели. — Элиза лихорадочно теребила прядь курчавых волос. — «Шестерки» Сайена.

Светляк одобрительно цокнул языком.

Элиза выдвинула весомый аргумент, не поспоришь.

— Страж зрит в корень, — не согласилась с ними Мария. — Вчера легионеры, завтра — потенциальные рекруты. Зачем разбрасываться кадрами?

— Мы можем заключить с ними временный союз, — обратилась я к Стражу. — Избавимся от «Экстрасенса», и они первыми побегут к Сайену на поклон.

— Никто и не призывает вас к затяжному сотрудничеству.

В гробовой тишине я переваривала услышанное. Совет выразил мнение, однако решать, в конечном итоге, мне. Теперь понятно, почему Сенной Гектор так беззастенчиво злоупотреблял своей властью, и малодушие лидеров Синдиката играло здесь ключевую роль. Ясновидцы преклонялись перед силой, а в поединке я проявила себя истинным воином. Впрочем, это никак не добавляло мне революционного опыта.

Инстинкт всегда подсказывал держаться от легионеров подальше, но если овчинка будет стоить выделки, интуицией и недовольством товарищей можно смело пренебречь. Кроме того, союз с НКО обещал значительно сократить ряды Сайена.

— Учтем такой вариант на будущее, — резюмировала я. — Если для успеха предприятия потребуется привлечь легионеров, значит станем думать. — Присутствующие с облегчением вздохнули. — Пока нужно составить план действий. Дани, твоя задача — выяснить все о ядре, а главное, узнать, где его прячут. Это наша основная цель.

— Минутку! — Том кивнул на Данику. — Белый Сборщик ведь в курсе, что ты работаешь на Сайен. И что, до их пор — ничего, никаких репрессий?

— Как видишь, — хмыкнула та.

Ник нахмурился.

— Странно, почему он ее не выдал. Я не доверяю Джексону, потому и уволился, а тут прошло уже три недели... — Он испуганно осекся.

— Страж справлялся у «крота» Рантанов, — заверила я. — Пока что Дани не взяли под колпак. Нас уведомят, если ситуация изменится.

Морщины на лбу Тома разгладились.

— Пока мы занимаемся «Экстрасенсом», предупредите всех главарей мимов о потайных сканерах, — продолжила я. — Обо всех инцидентах докладывать незамедлительно: кто с ними столкнулся, когда и где. Карты с перечнем локаций распространим через Граб-стрит. Далее на повестке — разобраться с союзниками Джексона. Подрежем им крылышки.

— О нем забудут, как только в Четвертом секторе Первой когорты появится новый главарь, — вставил Светляк.

— Претендентов пока нет.

— Люди думают, что Джексон вернется, — вздохнула Элиза. — И опасаются занять его место.

Ничего удивительного. Даже после исчезновения Белого Сборщика его тень, как и прежде, довлела над цитаделью.

По правилам нового главаря мимов избирали в случае смерти предшественника, если подельник не претендовал на титул покойного хозяина. Внутри сектора разгоралась борьба за власть, и в результате победитель заявлял о своих намерениях Потустороннему совету.

Не знаю, успел ли Джексон перед бегством назначить себе новую подельницу. По правде говоря, возможная наместница не заботила меня совершенно. Главное, не допустить склок в Синдикате.

— Наверняка у каждого из вас есть кто-то на примете. Передайте этим людям, пусть не робеют и завтра на суде выдвинут свои кандидатуры. Хватит уже тянуть резину. — Я встала из-за стола. — Распоряжения получите в ближайшее время.

Бормоча «доброй ночи», командующие направились к выходу. Я поручила Нику с Элизой проверить здание, а сама стала собирать бумаги.

Страж не спешил уйти. Впервые за долгое время мы остались наедине.

— Уходишь? — окликнула я его, не поднимая головы.

Он замер на пороге.

— Да, пора. Надо доложить Тирабелл обстановку.

Недосказанность, царившая между нами, угнетала. Золотая пуповина — хрупкая нить, связавшая наши фантомы, — обычно передавала мне мысли и эмоции Стража, но сейчас я ощущала лишь отзвук собственной пустоты.

— Пейдж, ты должна устранить союзников Джексона, — помедлив, произнес он. — Такова воля Тирабелл, а ее лучше не злить.

— Ты ведь слышал...

— Речь не о союзниках в целом, а о двоих в частности, — перебил меня Страж.

Ясно: Зик и Надин.

— Уже донес, что они не изгнаны из I-4? — Я зыркнула на собеседника из-под челки.

— Пока еще нет.

— Но собираешься.

— У меня нет выбора. Рано или поздно Тирабелл спросит.

— И ты расскажешь.

— По-моему, Пейдж, ты сердишься.

— Да неужели?

— Да.

Я потерла переносицу.

— Тирабелл беспокоится из-за жалкой горстки сторонников Джексона, — начала я, немного успокоившись. — И между прочим, переживает совершенно напрасно. Да, она его ненавидит, ненавидит заслуженно, по вине Джексона вы очень много выстрадали, но эти бесконечные напоминания отвлекают от насущных проблем, вроде «Экстрасенса».

— По мнению Тирабелл, в глубине души ты питаешь тайную привязанность к прежнему главарю мимов, отсюда и нежелание искать ему замену. Якобы ты надеешься на возвращение Джексона. Отказ изгнать Зика и Надин лишь усугубит ее подозрения.

— Что за чушь? — Я поспешно натянула куртку. — Ладно, я разберусь. Дай мне пару дней.

— Ник любит мальчишку, а ты не хочешь его огорчать.

— Может, ты и научился читать мысли Тирабелл, но в мою душу не лезь!

Страж промолчал, однако глаза его полыхнули огнем.

Кровь бросилась мне в лицо. Опасаясь новой вспышки гнева, я схватила сумку и ринулась к двери.

— По-твоему, я бессловесная пешка Рантанов и чересчур ревностно исполняю свой долг, — бесстрастно констатировал Страж, вынудив меня замереть на полдороге. — Тирабелл — моя избранная правительница, которой я служу верой и правдой, однако не нужно считать меня бездумным инструментом ее воли. Не забывай: я сам себе хозяин и не единожды ослушивался Рантанов. Не тебе меня упрекать, Пейдж.

— Можно подумать, я не в курсе.

— Ты это знаешь, но тем не менее не веришь.

Из моей груди вырвался вздох.

— Я уж и сама не пойму, чему верить.

Страж впился в меня взглядом, а затем легонько взял за подбородок, чуть запрокинув голову. Мое сердце бешено забилось, норовя выскочить из груди.

Прикосновение пробудило затаенные желания, дремавшие с той памятной ночи накануне поединка. Мы молча смотрели друг на друга, связанные едва уловимым касанием его пальцев. Не знаю, чего именно мне хотелось, меня раздирали противоречивые желания: «Уйди. Останься. Поговори со мной».

Мои руки машинально взметнулись вверх, погладили могучие плечи и сомкнулись у Арктура на затылке. Его ладони спустились по спине к талии. Я вглядывалась в него, точно в карту, выискивая знакомый, но почти позабытый маршрут. Когда наши лбы встретились, мой лабиринт по обыкновению озарился сотнями огней.

Секунду мы стояли неподвижно. Потом мои пальцы нащупали ложбинку у его горла, где бился пульс, — и меня в очередной раз поразило: ну зачем бессмертному существу сердце? Страж перебирал мои кудри; я чувствовала его дыхание, чувствовала, как под кожей разгорается огонь. Изнемогая от страсти, я притянула его к себе, и мы слились воедино.

Словно кто-то разжег костер после проливного дождя. Я жадно припала к его губам, и он ответил страстным поцелуем. Сначала возник привкус вина с дубовой ноткой, а после я ощутила ни с чем не сравнимый аромат Стража.

Долгая разлука отзывалась напряжением во всем теле. Прижавшись к могучей груди Арктура, я надеялась, что напряжение исчезнет, но с каждым мгновением мне хотелось прижаться еще крепче, еще теснее. Мы целовались исступленно, до боли, обострившейся из-за хронического воздержания. Тщетно мои пальцы шарили по двери в поисках ключа или щеколды; наша тайна в любой момент грозила выплыть на поверхность, однако я уже не могла остановиться.

Язык Стража скользнул мне в рот. Наши ауры привычно переплелись. Меня бросило в дрожь от мысли, что случится, застань нас сейчас Тирабелл или кто-то из Рантанов. И без того хрупкий союз мгновенно распадется.

— Страж, — выдохнула я.

Он спешно отстранился, но в следующий миг я притянула его обратно, не в силах противиться влечению. Его ладони легли мне на талию, губы исследовали шрам на щеке, обжигая тонкую, точно папиросная бумага, кожу. Страж бережно расстегнул молнию на моей куртке и принялся осыпать поцелуями шею, украшенную подвеской-оберегом. Меня охватила сладкая истома, из груди вырвался хриплый стон.

В последний момент я заметила чужой лабиринт. Рывком высвободилась из объятий Стража и рухнула в ближайшее кресло. Секунду спустя на пороге возникла Мария.

— Забыла пальто, — пояснила она. — Страж, ты еще здесь?

Рефаит наклонил голову:

— Мы с Пейдж обсуждали частный вопрос.

— Ясно. — Мария взяла пальто, висевшее на спинке кресла. — Пейдж, милая, да ты вся горишь!

— Есть немного.

— Обязательно проконсультируйся с Ником. — Мария смерила нас пристальным взглядом. — Ладно, не смею отвлекать.

Набросив пальто на плечи, она скрылась за дверью.

Страж не двинулся с места. Адреналин пульсировал у меня в висках и разливался по венам. Мною завладела безграничная нежность, прикосновения рефаита сломили броню, вопреки моей воле сковывавшую сердце. Мы остались вдвоем — в безлюдном, защищенном от посторонних глаз пространстве.

— Я и забыла, чем чреваты наши посиделки, — раздался в тишине мой преувеличенно веселый голос.

— Хм.

На долю секунды наши взгляды встретились. Мне до боли хотелось поверить в его искренность, но всякий раз перед внутренним взором вставал Джексон с этой своей издевательской ухмылкой: «Арктур Мезартим — не более чем приманка, на которую Тирабелл ловит наивных дурочек. Покорный инструмент ее воли... А ты, милочка, клюнула».

— Пора по домам... Нужно выспаться, — пробормотала я, вставая. — Завтра суд над Иви.

Иви обвиняли в пособничестве Старьевщику, продававшему ясновидцев на сером рынке.

— Не сомневаюсь, ты примешь верное решение. — Каким-то чутьем Страж уловил мою неуверенность.

— Тирабелл планирует прислать своего наблюдателя на процесс?

— Да, Цефея.

Отлично. Цефей парень дружелюбный, прямо как Цербер.

— Не смотри на меня с таким возмущением, — ласково укорил Страж.

— Даже не думала. Цефей просто душка. — Моя улыбка вспыхнула и сразу померкла. — Страж, мне... Ладно, забудь. Доброй ночи.

— Доброй ночи, юная странница.

Никто из троицы не удивился моему длительному отсутствию. Ник знал про Стража, Элиза явно догадывалась и время от времени косилась на нас с нескрываемым любопытством.

Снаружи завывала вьюга. Заслонив лицо от ветра, я старалась выбросить случившееся из головы. Надо же, чуть не попались! Конечно, Мария не побежит докладывать Тирабелл, но обязательно проболтается кому-нибудь из командующих. Нельзя допустить, чтобы правда выплыла наружу. Какое бы умиротворение я ни ощущала рядом со Стражем, риск разоблачения слишком велик.

Но мне очень недоставало наших бесед. Его близости. Я жаждала Арктура всей душой, а может, просто тешила себя напрасными иллюзиями. Ситуация осложнялась моим статусом темной владычицы, раньше было не в пример проще.

Поравнявшись с аптекой на углу, Элиза застыла как вкопанная. Мы с Ником разом обернулись.

— Все хорошо, — ласково увещевал Ник. — Идем. Просто надо держаться подальше от...

— От всего?

— Не бойся, никто не даст тебя в обиду.

Уговоры возымели действие. Мы снова тронулись в путь: Элиза в центре, я и Ник по бокам, пытаясь заслонить ее ауру своими.

Мы никогда подолгу не задерживались на явках, однако к сегодняшнему пристанищу — заброшенному дому на Лаймхаус-Козуэй с видом на гавань — я питала особую слабость. Заперев двери, мы разбрелись кто куда: Даника отправилась к себе, Элиза поднялась на чердак, а я решила приготовить бульон.

В виске нарастала боль. Страшно представить, что будет, не сумей мы избавиться от «Экстрасенса». Ядро наверняка берегут как зеницу ока, сведениями о нем располагают только высшие эшелоны, а отдел Даники едва ли относится к их числу. Повод опасаться есть, и серьезный.

Я машинально проглотила бульон. Недоверие ко всем и вся выматывало, отнимало последние силы. Нельзя принимать взвешенные решения, не выяснив отношения со Стражем. Три мучительные недели меня преследовали слова Джексона, отравляя кровь ядом сомнения. Я утратила веру в Арктура. Гадала, не манипулирует ли он мною по наводке Рантанов. Я возглавила восстание по их инициативе, но одной инициативы мало, требовалось мое желание. И полная покорность. Могли Рантаны восползоваться моей влюбленностью в корыстных целях? Да, вполне. Могли они специально подослать ко мне Стража и с его помощью дергать за ниточки? Разумеется.

Теперь каждая встреча с Арктуром сопровождалась приступом паранойи. Видимо, именно этого и добивался Джексон. Очевидно, таким образом я играла на руку своим врагам.

Есть лишь один способ прекратить кошмар. Надо набраться смелости и рассказать Стражу об обвинениях, выдвинутых Джексоном. Дать ему шанс оправдаться и вновь завоевать мое расположение.

Ник сидел у огня в гостиной и рассеянно перебирал депеши. От него сильно разило спиртным. А ведь прежде доктор Найгард даже не притрагивался к алкоголю.

— Скучаешь по Зику? — шепнула я, устраиваясь рядом на кушетке.

— Каждую минуту, — хрипло отозвался Ник. — Все мечтаю: вот открою глаза, а он здесь, со мной.

Совесть не позволяла мне вышвырнуть Зика и Надин из Севен-Дайлс. Несмотря на наш конфликт, я не собиралась отказывать им в убежище, даже отправила письмо, но ответа не получила.

— Страж в курсе россказней Джексона? — спросил Ник.

— Откуда ты знаешь? — насторожилась я.

— Оттуда же, откуда и ты про Зика. Знаю, и все.

Мы обменялись вымученными улыбками.

— Жаль, рефаитов не так легко прочесть, — ухмыльнулась я, поудобнее откидываясь на спинку. — Нет, Арктур пока не в курсе.

— Не тяни, — посоветовал Ник. — А то можно и опоздать...

За окном сгустились сумерки. Ник всматривался в огонь, словно силился проникнуть в его суть. Я думала, что знаю лицо Никласа Найгарда как свои пять пальцев, вплоть до ямочки на подбородке и чуть вздернутого кончика носа. Помню, как прежде его белесые брови складывались домиком в гримасе неусыпной тревоги. Однако сейчас в отблесках пламени передо мной сидел совершенно чужой человек.

— Все представляю, какую участь готовил Зику Джексон, — мрачно обронил он. — Взгляни, как он изувечил тебя в поединке.

— Зик не претендовал на его место.

Ник выругался: вполне естественная реакция, когда переживаешь за возлюбленного.

— Тирабелл не чает от них обоих избавиться, верно? — Не дождавшись ответа, он покачал головой. — Почему ты до сих пор не приняла меры?

— Потому что у меня сердце, а не камень.

— Проявляя сострадание к банде Джексона, ты здорово рискуешь, — еле слышно пробормотал Ник. — Делай должное, sötnos[1]. Не взваливай чужой груз себе на плечи.

— Для тебя на моих плечах всегда найдется местечко.

Ник улыбнулся и привлек меня к себе. В дрожь бросало от мысли, как бы все обернулось, сделай он выбор в пользу Джексона, который был его закадычным другом на протяжении без малого одиннадцати лет.

Заночевать решили в гостиной: никто из нас не хотел оставаться наедине со своими страхами. Ночь — опасное время. Всякий раз с наступлением темноты я принималась размышлять о том, что можно и нужно было предпринять. Следовало пристрелить Джексона в архонте. Перерезать ему глотку на «Арене розы». Набраться храбрости и сказать Стражу правду. Сколько всего сделано неправильно, сколько ошибок не исправлено, сколько шансов упущено.

---

[1] Милая *(швед.)*.

По-хорошему, надо было проанализировать сегодняшнее собрание, однако от усталости веки у меня слипались, малейшее умственное усилие навевало сон. С каждым пробуждением мне чудилось, что Страж здесь, в комнате. И всякий раз я видела, что огонь в камине угасал.

«Арктур Мезартим — не более чем приманка, на которую Тирабелл ловит наивных дурочек». Мне вспомнилась долгая ночь, когда наши со Стражем фантомы впервые соприкоснулись. Вспомнилось, как я беззаботно смеялась, когда мы танцевали в мюзик-холле.

«А ты, милочка, клюнула». В объятиях Арктура сомнения отступали. А может, всему виной моя чрезмерная наивность? Что, если Страж и впрямь действовал по указке Тирабелл?

А я, глупая, поверила?

Ник наконец заснул, теперь в голове вертелись его слова: «Все представляю, какую участь готовил Зику Джексон».

Я тоже представила. Воображение стало моим заклятым врагом, порождавшим несуществующих монстров. Сознание рисовало чудовищные картины: вот Сайен безжалостно расправляется с нашими сподвижниками, Нашира добирается до моих близких, чтобы учинить над ними изощренную месть.

Я посылала шпионов к жилому комплексу, где обитал отец. Однако здание оказалось оцеплено легионерами. Вероятно, Колина Махоуни держат под домашним арестом. Или надеются заманить меня в ловушку.

Мобильник лежал в кармане куртки. Я осторожно достала его, нажала клавишу. Вспыхнул экран. Палец застыл над кнопкой. Так и не набрав заветный номер, я спрятала телефон обратно и уронила голову на грудь. Даже если отец жив, его линию наверняка прослушивают. Мы должны забыть друг о друге. Иного выхода нет.

3

ПРОЦЕСС

— Суд темной владычицы рассматривает дело Дивии Джейкоб по прозвищу Якобит, хиромантки второй касты. Мисс Джейкоб, вас обвиняют в самом гнусном из преступлений — пособничестве Старьевщику в похищениях и продаже ясновидцев Сайену для последующего их порабощения и истребления в колонии Шиол I. Вам слово, мисс Джейкоб, а эфир определит истинность вашего заявления, — провозгласила с подмостков Жемчужная Королева.

По столь важному поводу председатель комиссии облачилась в черный бархатный костюм, щедро расшитый жемчугом, и элегантную шляпку-таблетку. Я сидела чуть поодаль, разодетая в пух и прах: шелковая блузка слоновой кости с длинными расклешенными рукавами, идеально подогнанные по фигуре брюки, алая бархатная жилетка с вышивкой из золотых роз и лилий. Кудри в художественном беспорядке падают на плечи, обрамляя лицо с искусным макияжем. Вылитая кукла на витрине.

Перед возвышением застыла Иви в изъеденном молью свитере. Левая рука на перевязи, отчего рукав болтается пустой, а правая примотана к жаровне.

— Я признаю себя виновной.

Минти Вулфсон строчила в успевшем запылиться за ненадобностью журнале. Очевидно, в Синдикате принято протоколировать суды для потомков.

— Мисс Джейкоб, поведайте нам, чем именно вы занимались вместе со Старьевщиком.

Мы с Иви не виделись с самого поединка. Сразу после Битвы за власть ее увезли в северную тюрьму и, опасаясь расправы, заперли в одиночке. За это время Иви слегка поправилась, обритый череп покрылся темным пушком.

Недрогнувшим голосом она повторила рассказ, некогда потрясший «Арену розы», — о том, как стала подельницей Старьевщика и по его приказу отбирала талантливых ясновидцев, якобы для трудоустройства.

После поединка Старьевщик с приспешниками растворились без следа. Иви — последняя ниточка, единственный ключ к его поимке.

Суд проходил неподалеку от Уайтчепела, в заброшенном здании мюзик-холла, закрытого за показ фильмов из свободного мира. Командующие когорт и их подельники сидели по обе стороны от меня и внимали истории о таинственных исчезновениях паранормалов. В дальнем углу зала высился Цефей Сарин; сверху, на галерее, выстроились восемнадцать наблюдателей, им предстояло донести детали процесса до всего Синдиката.

— Заметив пропажу ясновидцев, вы насторожились и поделились своими опасениями с Рот-до-Ушей, на тот момент досточтимой подельницей Сенного Гектора и вашим доверенным лицом, — хорошо поставленным мелодичным голосом вещала Жемчужная Королева. — Как бы вы охарактеризовали ваши отношения?

— В свое время мы были очень близки, — ответила Иви. — Не могли жить друг без друга.

— Иначе говоря, вы состояли в любовной связи.

— Протестую! — вмешалась Минти. — Это ваши домыслы, Королева. Обвиняемая не обязана...

— Ничего страшного, — отмахнулась Иви. — Примкнув к кодле, Рот-до-Ушей влюбилась в Гектора, но прежде мы действительно были любовницами.

Минти окинула председательницу негодующим взглядом, но внесла информацию в протокол.

Далее речь шла о том, как Рот-до-Ушей облазила катакомбы Камдена, обнаружила заточенных ясновидцев и незамедлительно доложила о находке Гектору. А темный владыка, падкий на легкие деньги, стал покровительствовать серому рынку.

Я покосилась на Цефея, одетого по классической моде рефаитов во все черное. Цефей хоть и не одобрял политику Синдиката, но слушал внимательно, чтобы слово в слово доложить Тирабелл.

— Вы знали, что ваш хозяин продает ясновидцев Сайену ради материальной выгоды?

— Нет.

Минти с пугающей скоростью строчила в журнале.

— Кто еще участвовал в нелегальной торговле?

— Аббатиса, Безликая, Зверюга, Злая Леди, Зимняя Королева, Дженни Зелёнка, Кровавый Кулак. Ну и еще плюс пара-тройка их подельников. Кроме Гроша, — поспешно добавила Иви. — Тот вообще ни о чем не догадывался.

Хоть какая-то радость: Грош был всеобщим любимцем, жаль, если придется изгнать его из Синдиката.

— А Белый Сборщик, главарь мимов Четвертого сектора Первой когорты, был связан с заговорщиками? — спросила Жемчужная Королева.

— Нет.

Ропот на галерее. Я машинально стиснула подлокотники кресла.

Джексон двадцать лет поддерживал контакт с Саргасами и не знал про серый рынок? Чушь какая-то.

Жемчужная Королева не скрывала своей растерянности.

— Другие участники группировки вели дела с Белым Сборщиком или упоминали о его причастности к торговле?

— Хотелось бы ответить утвердительно, — понурилась Иви, — но нет. Хотя, конечно, он мог общаться с ними и без моего ведома...

— Не нужно домыслов! — загромыхал Светляк. — Здесь суд, а не балаган!

Иви опустила голову.

— Мне очень жаль, — срывающимся тоном заговорила она. — Проклинаю себя за то, что не спохватилась раньше, хотя могла бы.

— Правильно проклинаешь, ничтожество! — рявкнул кто-то с галереи. — Ты полностью оправдываешь свое прозвище, примитивщица.

— Крыса! — поддержали его товарищи.

— Довольно! — обозлилась я.

После недолгого молчания ругательства возобновились с новой силой. Застарелую ненависть к примитивным прорицателям не искоренить за пару недель. Очередной блистательный вклад Джексона.

— Тишина! — Жемчужная Королева стукнула молоточком по трибуне. — Наблюдателям не позволено вмешиваться!

Даже во второй раз история производила гнетущее впечатление, а ведь это наверняка только верхушка айсберга. Судя по фактам, Иви служила пешкой в чужой игре.

— А теперь, — торжественно возвестила Жемчужная Королева, — эфир определит правдивость слов обвиняемой.

Со сцены спрыгнула Мария Огненная — пиромантка, постигавшая тайны эфира посредством огня. Чиркнув спичкой, она запалила дрова в жаровне. Вспыхнуло пламя.

— Подойди, Иви.

Хиромантка шагнула вперед. Мария положила ей руку на здоровое плечо и привлекла ближе.

Эфир задрожал. Мария склонилась над огнем, от жара на ее верхней губе выступили капельки пота.

— Трудно разобрать, — объявила она чуть погодя, — но занялось быстро, горит хорошо. Значит, обвиняемая не лжет.

Прежде чем сесть, Мария похлопала Иви по плечу. Хиромантка отпрянула от жаровни.

— Голосуем, — скомандовала Жемчужная Королева. — Кто за то, чтобы признать Дивию Джейкоб виновной?

Председательница первой подняла руку. За ней Мария, Том и Светляк. Ник, Элиза, Винн и Минти воздержались.

— Темная владычица, твой голос решающий.

Иви стояла понурившись. На смуглой гладкой коже белели шрамы — напоминание о зверствах рефаитов. Помню, как впервые увидела ее в колонии — напуганную, с ярко-голубыми волосами, дрожащую, словно осиновый лист. Она боялась больше остальных, девушка, которая не гнушалась продавать ясновидцев в рабство, но которая не покинула меня в трудную минуту и помогла пролить свет на коррупцию, царившую в Синдикате.

Я тоже не сразу угадала, какое чудовище таится под оболочкой моего главаря мимов. Долгие годы безропотно выполняла его приказы. Однако работа под началом предателя не помешала Пейдж Махоуни стать темной владычицей, и не Пейдж Махоуни лишать Иви места в Синдикате за аналогичное преступление.

— Я вынуждена признать тебя виновной.

Иви не шелохнулась, зато встрепенулась Винн.

— В эпоху моих предшественников подобный проступок карался смертной казнью, — продолжила я. Винн негодующе вскочила, скрипнув креслом. — Но здесь... особый случай. Даже знай ты о подпольной торговле с Сайеном, Потусторонний совет все равно отказал бы тебе в помощи. Кроме того, ты с лихвой искупила свои злодеяния во время пребывания в Первом Шиоле.

Минти снова углубилась в журнал.

— Темная владычица, — зашептал Том, — девчушка, конечно, молодец, не побоялась высказаться, но оставлять ее безнаказанной...

— Люди должны осознать, что пособничество серому рынку карается законом, — перебил Светляк. — И проявление милосердия станет неуважением к страданиям наших собратьев.

— Лютовать не обязательно. — Том сдвинул кустистые брови. — Но и действовать шибко мягко тоже не годится.

— Гектор мог запросто перерезать глотку всякому, кто попадался под руку, — возразила я. — На его фоне любое мое решение покажется милосердным.

Светляк покосился на Иви:

— Никто не требует смертной казни, но преступникам нужно преподнести урок. Дашь слабину, и все решат, будто мы отвечаем добром на зло.

Винн буравила меня взглядом. Какой вердикт ни вынесешь, от меня неизбежно отвернутся либо соседи по сцене, либо наблюдатели с галереи.

— Иви, предлагаю тебе вступить в Касту мимов, — зазвучал под сводами мюзик-холла мой голос. — Ты заслужила второй шанс.

Хиромантка подняла голову. Мария тихо выругалась, Светляк в бешенстве закусил губу, а верхний ярус захлебнулся негодованием.

— Подобное заявление просто сразило нас наповал. — Жемчужная Королева тряслась мелкой дрожью. — От имени всех присутствующих, позволь уточнить, темная владычица, ты действительно не намерена назначить мисс Джейкоб наказание?

— Ее признание сыграло ключевую роль в обнаружении серого рынка. — Перекошенные от злобы лица наблюдателей заставили меня усомниться в вердикте, но отступать было поздно. — Без Иви Аббатиса и Старьевщик по-прежнему заправляли бы цитаделью.

— Плевать! — завопили сверху.

— Эта сука — предательница!

— Повесить ее!

— Швырнуть на съедение крысам!

Толпа недовольных разнесет весть о моем первом приговоре по всему Синдикату. Если не умаслить их, народ может взбунтоваться.

— Мария Огненная подтвердила искренность мисс Джейкоб, — напирала я. — Не вижу ни малейшего повода подозревать обвиняемую в сговоре со Старьевщиком, однако риск все же присутствует, поэтому Иви останется под домашним арестом минимум на три месяца. Переведем ее куда-нибудь на конспиративную квартиру или под наблюдение командующих.

Такой вариант, по всей видимости, удовлетворил присяжных, но толпа не унималась, требуя сурового приговора. Иви хоть и едва держалась на ногах, однако нашла в себе силы вяло кивнуть.

— Процесс окончен. — Жемчужная Королева треснула молотком по трибуне. — Дивия Джейкоб, эфир отпускает тебе грехи!

От возмущенных воплей закладывало уши. Светляк перерезал ленту, тянувшуюся от Иви к жаровне. В следующую секунду Винн соскочила со сцены и, стиснув хиромантку в объятиях, увела ее прочь от разгневанной публики.

Мудрое решение. Сейчас лучше всего залечь на дно, пока градус недовольства не снизится. Я уже собиралась встать, как вдруг из мрака вынырнул какой-то человек; возгласы моментально стихли.

В глаза бросились легкая походка, кожаные сапоги на каблуках, изумрудно-зеленый плащ с капюшоном. Мне не составило труда узнать Тома Переростка, новопровозглашенного главаря мимов Первого сектора Третьей когорты, обычно сопровождаемого десятком преданных поклонниц. В поединке Том одолел Зверюгу и занял его место. Мария щелкнула пальцами, привлекая мое внимание, и кивнула.

Переросток отвесил собравшимся глубокий поклон.

— С вашего позволения, королева. — Его вкрадчивый голос так и сочился патокой.

— Излагай, — милостиво разрешила я.

Элегантным жестом он откинул капюшон, явив изящной лепки лицо с алебастровой бархатистой кожей. Густая темно-рыжая челка закрывала один глаз; второй, в обрамлении пушистых ресниц, переливался янтарем. Переросток ослепительно улыбнулся зрителям на галерее.

— Благодарю, темная владычица. Вплоть до Битвы за власть я знал о тебе только понаслышке, а узрев, едва не свалился с ног от такой красоты.

Я зарделась как девчонка. Прежде никто не делал комплиментов моей внешности, особенно при большом скоплении народа.

— Если не ошибаюсь, на ногах ты все же не устоял, — вырвалось у меня, — и отнюдь не из-за моей красоты.

По зданию прокатился смех. Переросток ухмыльнулся, демонстрируя белоснежные зубы, ничуть не пострадавшие в поединке. Впрочем, шишек он набил порядочно и вдобавок лишился большого пальца на левой руке.

— Ну и прохвост! — с притворным негодованием воскликнула Мария. — Надеешься сладкими речами завоевать расположение темной владычицы?

— Никогда! — Том шутливо ударил себя кулаком в грудь. — Мое сердце принадлежит тебе одной.

На галерее протяжно засвистели. Я расправила плечи и напустила на себя удивленный вид.

— Скажи-ка, Том, а с Сенным Гектором ты тоже общался в схожей манере?

— Общался бы, не уступай он тебе в очаровании, — без всякого смущения парировал Переросток.

Если поначалу я смутилась, застигнутая Томом врасплох, то теперь вольготно устроилась в кресле, старательно пряча улыбку. Этот парень явно ломал комедию в надежде выбить почву у меня из-под ног.

— Чем бы дитя ни тешилось, лишь бы не плакало. Ладно, дабы пощадить твое самолюбие, притворюсь, что поверила. — Я демонстративно зевнула. — Ну, говори уже, зачем пожаловал.

Зрители захихикали. Том моргнул.

— Пока меня не опередили, хочу предложить свою кандидатуру на пост главаря мимов Четвертого сектора Первой когорты.

— Одного сектора тебе мало?

— Не люблю останавливаться на достигнутом, — парировал Переросток.

— Вотчина Джексона — лакомый кусочек. Уверен, что потянешь?

— Ну, положим, силу я наглядно продемонстрировал на поединке. Кроме того, целых шесть лет мне удавалось поддерживать порядок в Первом секторе Третьей когорты, пока Зверюга пьянствовал и дебоширил. — Переросток опустился на одно колено. — Темная владычица, обещаю служить тебе верой и правдой. Я помешал Точильщику убить тебя на «Арене розы», поскольку разглядел твой потенциал.

Да, было дело. Едва ли Переросток вставал грудью на мою защиту, но, по крайней мере, не нападал, хотя его главарь мимов жаждал моей крови.

— Позволь мне проявить себя, — настаивал Том. — Под моим началом сектор преобразится, изменится в лучшую сторону.

Я покосилась на своих командующих. Мария воодушевленно кивала, Рифмач с ухмылкой поднял большие пальцы вверх, остальные никак не отреагировали — значит, не возражают. Правда, придется искать замену для III-1, но перепоручить подходящему человеку владения Джексона сейчас куда важнее.

— Хорошо, — вздохнула я. — Том Переросток, провозглашаю тебя главарем мимов Четвертого сектора Первой когорты! Да будет неоспоримым твое правление, пока оно угодно эфиру! — С галереи грянули аплодисменты. — Кого возьмешь в достопочтимые подельницы?

— Если не возражаешь, вернемся к этому разговору позже. Я пока еще не решил, кому отдать предпочтение. Но варианты есть.

Я выгнула бровь:

— Кто бы сомневался.

Из мюзик-холла Том отправился прямиком в I-4, проверить, как изменился сектор после исчезновения Джексона. По моей просьбе он обещал выдвинуть Зику и Надин ультиматум: либо они перебираются на конспиративную квартиру Касты мимов и сотрудничают с нами, либо — скатертью дорога: в Четвертом секторе Первой когорты им больше не место. Я и так уже сколько могла оттягивала неизбежное, однако всему есть предел.

Под неодобрительные взгляды отдельных командующих я спустилась с подмостков. За последнюю пару недель мне удалось основательно изучить своих ближайших союзников. И вот что я выяснила. Светляк с Жемчужной Королевой придерживаются самых строгих правил и свято чтут традиции. Под напускной суровостью Рифмача скрывается доброе сердце. С Марией вечно как на пороховой бочке: никогда не знаешь, чего ждать. Минти идет по пути наименьшего сопротивления, а Винн выступает защитницей слабых.

Широкий диапазон мнений обычно радовал, однако сегодня Винн единственная одобрила вынесенный мною вердикт. Она взяла мои руки в свои и клятвенно заверила, что мне воздастся за милосердие.

Впрочем, у большинства мимов милосердие явно не поощрялось. Скоро новость распространится по Синдикату, и ясновидцы упрекнут темную владычицу в малодушии.

Но тут уж ничего не поделаешь. Я не могла поступить иначе, Иви и без того много выстрадала.

В убежище Ник занялся ужином, а я тем временем зализывала раны. Порез на боку, затягиваясь, немилосердно чесался, что раздражало меня донельзя. От подмышки до бедра тянулась розовато-багровая полоса. Подарок прежнего наставника. Однако мои увечья не шли ни в какое сравнение с глубокими шрамами Стража, оставленными в наказание за измену Саргасам — наказание, которого можно было бы избежать, не вмешайся Джексон. Страж прятал рубцы от посторонних глаз, но мне доводилось касаться шершавых борозд, покрывавших его могучую спину. Джексон поставил тавро на каждом из нас.

И рано или поздно он за это заплатит.

Я подошла к зеркалу, чтобы стереть макияж. Губы без помады производили удручающее впечатление, под глазами залегли тени. После кофейно-бульонной диеты кости выпирали наружу.

Хороша правительница, нечего сказать.

Внимание привлекла блестящая точка на шее. Палец машинально коснулся подарка Стража — подвески в форме крыльев, которая спасла мне жизнь на «Арене розы».

Внизу Ник колдовал у плиты, помешивая в кастрюле какое-то варево; Элиза склонилась над листком бумаги. При виде меня она отложила чтиво и досадливо поморщилась:

— Ты хоть осознаешь, как тебе повезло?

— Сама не верю своему счастью. Угодить в лапы Сайена и полгода проторчать за колючей проволокой. Просто сказочное везение. Предлагаю рассортировать его по бутылкам и пустить в оборот. Денег заработаем немерено.

Элиза скорчила обиженную гримасу:

— Том, разрази его гром, Переросток ухлестывал за тобой, а ты и бровью не повела. Ты небось даже не в курсе, сколько лет я надеюсь добиться от него взаимности?

Я опустилась на стул.

— Почему бы тебе не податься к нему в подельницы? Правда, желающих там будет хоть отбавляй.

— Нет уж, уволь. Предпочитаю стать единственной и неповторимой, — промурлыкала она.

Моя слабая улыбка, не успев вспыхнуть, погасла, когда Элиза пододвинула мне листок с перечнем всех мест, где, согласно донесениям, установлена новая модель сканера. «Экстрасенс» проник повсюду: в банкоматы и телефонные будки, в такси и дверные проемы кислородных баров, в больницы и школы, в супермаркеты и приюты для бездомных. Скоро ясновидцы шагу не смогут ступить, не угодив в ловушку.

Ник поставил перед нами чай и две тарелки перлового супа. Каким осунувшимся он выглядел в свете керосиновой лампы!

— Пейдж, в Синдикате зреет раскол, — предупредила Элиза. — Народ недоволен приговором Иви.

Тоже мне, новость.

— Гектор привил людям страсть к кровопролитию по поводу и без. Иви нуждается в защите, а не в наказании, — возразила я.

— Полностью с тобой солидарна, просто имей в виду: многие не питают к ней теплых чувств.

— Ну, если люди пережили правление Гектора, хотя, эфир свидетель, оно было чудовищным, то мое проглотят и не подавятся.

— Твое чудовищное правление? — уточнил Ник и впервые за долгое время искренне улыбнулся.

Я обиженно насупилась.

— Ладно, извини.

— Не смешно. Во сколько Дани вернется со смены?

— Приблизительно в час, — ответила Элиза.

Я глянула время. Половина двенадцатого. Вряд ли Даника принесет важные вести, но сам факт ее близости к врагу внушал надежду. Если кому и хватит упорства отыскать ядро, то исключительно Данике Панич.

— Мы тут пообщались с Цефеем после суда, — вставил Ник. — Тирабелл желает встретиться с тобой в полночь. Пойдем вместе.

— Прекрасно. Целый час унижений гарантирован. — Мало мне своих проблем, теперь еще придется клянчить у Тирабелл денег. — Выписки у нас под рукой?

Элиза пододвинула мне гроссбух. Глаза заскользили по строчкам. Да, плохо дело. Источники дохода курам на смех, все финансирование держится на Тирабелл и налоговых вычетах. А ведь Гектор швырял деньги направо и налево. Хотя чему удивляться — серый рынок приносил баснословные барыши.

Я захлопнула гроссбух.

— Господа, приводите себя в порядок. Элиза, проверь, Потусторонний совет перечислил налоги в полном объеме?

— Не вопрос.

Тирабелл назначила встречу в заброшенном здании Уоппина. Знакомый мотоциклист подобрал нас у перекрестка, но не успели мы проехать и трех кварталов, как ожили внешние экраны: транслировали срочное сообщение от верховного инквизитора. По моей просьбе водитель свернул на обочину и заглушил мотор.

На мониторах возник Фрэнк Уивер:

«Граждане цитадели, говорит ваш инквизитор. В целях безопасности с сегодняшнего дня в столице вводится комендантский час продолжительностью с восьми вечера до пяти утра. Ограничение не распространяется на работников ночной смены при наличии у них униформы и удостоверения личности. Уверяю, мы вынуждены прибегнуть к столь суровым мерам исключительно ради вашего блага. Надеемся на понимание. И помните: Сайен был и остается самым надежным местом на земле».

Физиономию Уивера сменило изображение алого якоря на белом фоне — государственная эмблема Сайена. Повисла гробовая тишина.

— Разворачиваемся, — скомандовал Ник. — Живо.

На обратном пути я разглядывала прохожих: люди бранились, негодующе тыкали пальцем в мониторы; однако мало-помалу улицы пустели.

Мотоциклист высадил нас у доков. Мозг работал как заведенный, лихорадочно обдумывая, какие последствия повлечет за собой выступление Уивера. Сканеры вкупе с комендантским часом сильно ударят по Касте мимов.

Мы опрометью бросились в дом. Элиза, корпевшая над цифрами, испуганно встрепенулась:

— Что случилось?

— Комендантский час, — выпалила я. — С восьми до пяти.

— Проклятье! Совсем уже... — Не договорив, Элиза поспешно опустила шпингалеты на окнах. — А вам разве не нужно к Рантанам?

— Успеется.

Мы ринулись запирать двери. Ник проверил дом сверху донизу, после чего устроился вместе с нами за столом. Ошарашенные известием, мы молчали, занятые собственными мыслями.

Нужно придумать способ обойти запрет, хотя сделать это будет непросто, особенно если Джексон консультирует Сайен касаемо наших передвижений. Ему известны все секретные маршруты, по крайней мере, в Центральной когорте. Можно отправить разведчиков на поиски новых туннелей и троп, но те наверняка можно по пальцам перечесть. Джексон десятилетиями накапливал знания о Лондоне, не мне тягаться с ним в топографии.

Самый оптимальный вариант — воспользоваться подземными ходами, однако водосточники и канальи вряд ли встретят нас с распростертыми объятиями. Обитатели лондонского дна, невидцы по природе, они перебивались крохами, вырученными с продажи безделушек и артефактов, найденных в пересохших руслах, стоках и канализации. По негласному соглашению подземные туннели считались их вотчиной, входом туда служили канализационные люки, и никто в Синдикате не отваживался сунуться на территорию подземщиков.

Кто-то забарабанил в дверь. Мы вскочили, поспешно созывая арсенал.

— Легионеры, — шепнул Ник. — Надо сма...

— Постой, — перебила я.

Последовали два мощных удара, сопровождаемые ощущением нечеловеческих лабиринтов за окном.

Я медленно распустила арсенал.

— Нет, не легионеры. Рантаны.

Ник грязно выругался.

На цыпочках я прокралась в коридор и приоткрыла створку двери, удерживаемую цепочкой. Во мраке мелькнули зеленовато-желтые глаза, цепочка вылетела из паза, и дверь распахнулась настежь.

Удар пришелся в плечо. Не дав опомниться, рука в перчатке схватила меня за ворот и отбросила к стене. Ник с Элизой разразились гневными криками. Впервые после Битвы за власть мой фантом выстрелил, точно камень из рогатки, но, наткнувшись на глухой лабиринт, отрикошетил обратно. Боль раскаленной стрелой пронзила висок, проникая все глубже.

— Ты явно не стоишь вложенных в тебя денег, странница, — процедила Тирабелл Шератан.

В мгновение ока коридор наполнился рефаитами. Ник демонстративно прицелился в мою мучительницу:

— Отпусти ее. Немедленно.

Боль нарастала. На глаза предательски навернулись слезы.

— Рефаитам простительна непунктуальность, — продолжала Тирабелл. Собравшись с силами, я подняла голову. — Однако ты смертная. Каждая секунда отнимает у тебя драгоценную частичку жизни. Только не говори, что не разбираешься во времени.

— С сегодняшнего дня введен комендантский час, — рявкнул Ник. — Нам пришлось вернуться.

— Комендантский час не отменяет ваших обязательств.

— Тирабелл, ты ведешь себя неразумно!

— Какая ирония, — фыркнула Плиона. — Человеческая раса — само воплощение разумности.

Перед внутренним взором заплясали черные точки. Стальные пальцы до синяков впивались в кожу. Внезапно в коридоре возник Страж. Мгновенно оценив обстановку, он в бешенстве обратился к Тирабелл на родном наречии. Избранная правительница отшвырнула меня, словно былинку, прямиком на руки Нику.

— Как ты смеешь! — набросилась на нее Элиза. — По-твоему, Пейдж мало выстрадала на «Арене розы»?

— Сбавь тон, когда беседуешь с избранной правительницей, — вскинулась Плиона.

Элиза ощетинилась. Я прижала ладони ко лбу, силясь отогнать боль.

— Пейдж, ты как? — шепнул Ник.

— Нормально.

— Не придуривайся, — оскалился Цефей.

— Угомонись, — выдавила я. — Самому не надоело?

— А ну повтори, смертная!

— Хватит! — остановил перепалку Страж. — Сейчас не до грызни. Если срочно не найти решения, комендантский час и «Экстрасенс» существенно подорвут деятельность Синдиката. — Он плотно затворил дверь. — Каста мимов создавалась как союз Рантанов и Синдиката. Только вместе мы сумеем одолеть врага, поодиночке расправиться с нами не составит труда. Надо быть круглым дураком, чтобы не понимать очевидного.

Повисла напряженная пауза. У меня внутри все похолодело; никогда еще Страж не высказывался так пылко в присутствии прочих Рантанов. Ник опустил пистолет.

— Если все успокоились, предлагаю начать, — откашлялась я.

Сопровождаемая толпой рефаитов, Тирабелл вихрем влетела в гостиную.

— Подай нам вина, странница.

Краска бросилась мне в лицо.

— Пейдж, я принесу, — вмешался Ник, но я уже шла на кухню.

Напрасно Тирабелл надеялась меня спровоцировать, не на ту напала! Пошарив под раковиной, я достала бутылку, которую доверили мне на хранение, трясущимися руками наполнила пять бокалов и сделала пару больших глотков прямо из горлышка.

Алкоголь обжег внутренности. Ник в позе охранника застыл у входа в гостиную. Однако не успели мы сделать и шагу, как путь нам преградила Люсида Саргас:

— Вдвоем нельзя.

— Почему? — возмутился Ник.

— Избранная правительница желает беседовать с темной владычицей наедине.

Элиза приняла боевую стойку. Забавное зрелище, учитывая, что соперница превосходила ее ростом на целых тридцать сантиметров.

— Мы подельники Пейдж и тоже имеем право знать.

— Не лезь, если хочешь, чтобы мы и впредь финансировали вашу революцию.

— Вашу или нашу? — фыркнула Элиза.

Я тронула ее за плечо:

— Не спорь. Узнаешь все от меня.

Друзья с неудовольствием посторонились.

Я протянула Люсиде бокал.

— Не употребляю, — отказалась она с неким подобием улыбки. — На моей коже нет рубцов, а вино предназначено притуплять боль от шрамов. Без него у моих собратьев портится характер.

— По-моему, пакостный характер — это у них врожденное.

— Шутишь? — сощурилась Люсида.

— Не совсем.

Придерживая коленом поднос, я толкнула дверь. Голова по-прежнему раскалывалась, ноги подгибались. Обычно я разминалась перед проникновением в чужой лабиринт, но внезапная атака Тирабелл на мою ауру спровоцировала непроизвольный прыжок.

В гостиной Цефей привалился к подоконнику. Плиона полулежала на кушетке (она никогда не сидела, только полулежала!), Страж изваянием застыл в углу. Среди рефаитов была также незнакомка с серебристым сарксом и совершенно лысой, как у Цефея, головой.

Тирабелл, в царственной позе стоявшая у камина, взяла предложенный бокал и поднесла к губам.

— Арктур, тебе не помешает промочить горло.

— Потерплю.

Я с грохотом поставила поднос. Тирабелл залпом осушила полбокала.

— Познакомься с Мирой Сарин, единомышленницей Рантанов, лишь недавно возвратившейся из затяжной ссылки.

Незнакомка ответила на мой приветственный кивок. Ее огромные, широко расставленные глаза отливали желтым — по дороге кто-то неплохо подкрепился сенсором.

— Я вызвала тебя, чтобы сообщить: мы покидаем Лондон, — торжественно объявила Тирабелл.

— Надолго?

— Как получится.

— Но почему?

Под пристальными взглядами Рантанов Тирабелл шагнула к ближайшему окну.

— Отдельные группы рефаитов из внешнего и загробного миров готовы объединиться против Саргасов, если мы проявим решимость в заново вспыхнувшей войне. Для этого необходимо убедить влиятельного члена каждой из шести семей — в идеале, стража, бывшего или действующего — принять нашу сторону.

— Думаю, начать лучше с изгнанников, — заметила Люсида. — У них с Саргасами особые счеты. В ссылке они наверняка успели возненавидеть правящую династию. Перво-наперво разыщем Адару, опальную Хранительницу Сарина, якобы весьма расположенную к Рантанам. Мира знает, где ее найти в загробном мире.

Я тоже потянулась за вином.

— Думаете, затея выгорит?

— Должно получиться, — бросил реплику Страж.

Обнадеживает.

— Успех предприятия во многом зависит от вас, вашей преданности и талантов, — продолжала Тирабелл. — Для потенциальных союзников это будет весомым аргументом. Многие друзья обеспокоены нашим сотрудничеством с людьми, особенно в свете... прошлых событий, — мрачно добавила она.

— И как мне доказать свою преданность?

— Покажи, что готова на все ради общего дела. — Тирабелл вручила мне пустой бокал. — Если не ошибаюсь, ты наконец сместила архипредателя и, следуя моим указаниям, исключила из Синдиката оставшихся «Печатей».

— Джексон сбежал и не вернется, — затараторила я в надежде поскорее сменить тему. — Главное сейчас — нейтрализовать «Экстрасенс», в противном случае мы не сможем и шагу ступить, не говоря уже о революции. Страж считает, что сканеры работают на эфирных технологиях, места их установки известны, но нам нужно больше информации. — Однако рефаиты не спешили делиться сведениями. Я недовольно скривилась. — Люсида, ты ведь Саргас и наверняка в курсе дела. Не знаешь, откуда такая спешка с внедрением сканеров? От чего именно они подпитываются?

Люсида отвернулась, уязвленная напоминанием о родственных связях.

— Секретом «Экстрасенса» ведает лишь наследная правительница... ну и, возможно, верховный командор

Сайена. Касаемо увеличения числа сканеров могу предположить, что Сайен таким образом пытается усилить контроль над столицей, создав массовые препоны для Касты мимов.

— Как вариант, ядро питается от эфирной батареи — полтергейста, заключенного в материальный предмет, — безмятежно добавила Мира Сарин. — Батарея аккумулирует и распределяет энергию, вырабатываемую фантомом. Поразмышляй на досуге.

Эфирные батареи широко применялись в колонии. С их помощью рефаиты активировали электрические заборы, посылавшие смертельные разряды, и создавали замки́, открыть которые удавалось, только освободив полтергейста. Я старалась не думать о Себастиане Пирсе, чей фантом некогда стал пленником хитроумного устройства.

— Допустим, речь действительно идет об эфирной батарее. Как ее уничтожить? Вызволить дух или сломать физическую оболочку?

— Думаю, оба способа сгодятся.

— Какое кощунство, — проворчал Цефей. — Осквернять энергию эфира человеческими технологиями... Проклятые Саргасы, вечный позор нашего рода.

— Чем тебя не устраивают технологии? — изумилась я.

— Они загрязняют воздух и землю, большинство работает на топливе, полученном из гниющей субстанции. Их облик неказист, а природа разрушительна. Объединять подобное с эфиром — святотатство чистой воды.

С такими доводами не поспоришь.

— Цефей прав, — обратилась ко мне Тирабелл. — Мне нравится твое стремление нейтрализовать «Экстрасенс», однако попрошу не предпринимать никаких действий, предварительно не согласовав их со мной.

— Твои решения тоже будем согласовывать?

— Правила устанавливает тот, кто платит, — парировала Тирабелл, отворачиваясь к окну. — Люсида остается в городе, связь держим через нее. Остальные Рантаны последуют за мной в загробный мир.

— Но Страж — наш лучший тренер, — возразила я. — Его место здесь, рядом с Кастой мимов. Без него мне вряд ли удастся восстановить свой дар, а, чует мое сердце, он нам еще понадобится.

— Ваши тренировки с Арктуром закончены.

Я уставилась на Стража, потом на спину Тирабелл.

— Прости, не поняла?

— Ты меня слышала. Если тебе нужна помощь, обратись к Люсиде.

Страж не отрываясь смотрел в огонь. От стука сердца закладывало уши.

— Но у Люсиды нет опыта.

— Верно, — легко согласила та, — но надо же с чего-то начинать.

— Не берусь прогнозировать, как отреагируют новобранцы, а такие вещи необходимо знать наверняка. Стража рекруты чтят, это точно. Зачем доставлять им лишние неудобства, особенно сейчас, когда на нас столько всего свалилось: сканеры, комендантский час? Страж, останься. — Я старалась говорить буднично, однако в голосе звучала мольба.

Тирабелл обернулась и взглянула на Арктура в упор.

— Я исполняю волю избранной правительницы, — произнес он чуть погодя.

И эти его слова отняли у меня последние силы.

Один лишь взгляд, и он всецело на стороне Тирабелл.

«Для Тирабелл Шератан ты всего лишь пешка в затяжной игре. — Голос Джексона, до сих пор молчавший, снова звучал в голове. — Арктур Мезартим — не более чем приманка, на которую она ловит наивных дурочек. Покорный инструмент ее воли».

Нашла кому довериться! Стражу нравилось наблюдать за моим унижением, нравилось не подчиняться мне в присутствии Тирабелл, с которой мы планировали держаться на равных. А теперь он бросает Касту мимов на произвол судьбы и мчится улаживать дела рефаитов.

— Отъезд состоится в пятую луну, — сообщила Тирабелл, направляясь к выходу.

Цефей галантно распахнул перед правительницей дверь, и вся компания скрылась в коридоре. В гостиной повеяло холодом. Мира Сарин многозначительно покосилась на меня и исчезла за порогом.

Страж закрыл створку. Мы остались наедине, в окружении теней.

— У тебя кровь идет из носа.

— Знаю, — соврала я, только сейчас ощутив на губах солоноватый привкус.

— Цефей говорит, ты назначила нового главаря мимов I-4. Вот только церемония, по его словам, получилась довольно скомканной, а Пейдж Махоуни вела себя легкомысленно и... недопустимо. Твои возражения?

Естественно, Цефей всегда найдет, к чему придраться.

— При всем уважении, вы понятия не имеете о политике Синдиката, потому и заключили с нами союз.

— Как проводился отбор?

— Обыкновенно. Кто первый предложит свою кандидатуру Потустороннему совету, тот и победил. Том Перерosток показался мне достойным претендентом. — Я воинственно вздернула подбородок. — Насчет «недопустимого» поведения... Цефей просто взбесился, что Том флиртовал со мной.

Страж недобро сощурился:

— Я доверяю твоему суждению, а Цефей — нет.

— Прикажете устраивать каждому кандидату перекрестный допрос? Могли бы заранее предупредить. —

Я старалась говорить спокойно, хотя внутри все клокотало от ярости. — Я знаю Синдикат. Знаю, как он устроен.

— Это не единственная претензия Тирабелл. Если выяснится, что ты не избавилась от «Печатей»...

Мое терпение лопнуло.

— Надоело! Тирабелл просто помешалась на Джексоне. Ей мало моего публичного отречения на «Арене розы»? Мало, что я рисковала жизнью там, в колонии, лишь бы доказать свою преданность делу? В таком случае простите, что не оправдала надежд. — Я демонстративно подняла бокал. — Желаете вина, принц-консорт?

— Перестань, Пейдж.

— Тирабелл ты не смеешь и слова поперек сказать, верно? — Мой голос почти срывался на крик. — Трус несчастный! Она унижает меня, шпыняет как служанку, а ты молчишь! И вдобавок еще выставляешь идиоткой перед всеми Рантанами! Спасибо, что указал мне мое место!

Страж наклонился, и наши взгляды встретились. По телу забегали мурашки.

— Если начну слишком рьяно защищать тебя, — глухо отозвался он, — одной уязвленной гордостью ты не отделаешься. Думаешь, мне самому нравится играть в эти игры?

Судя по тону, Страж едва сдерживался.

— Понятия не имею, нравится тебе это или нет, — и не узнаю, если ты уедешь, особенно сейчас, когда враг так силен.

— Если я буду настаивать, то Тирабелл запретит нам видеться.

— Можно подумать, что тебе не все равно. Мне прекрасно известно, кто ты, Арктур Мезартим.

— И кто же? — нахмурился Страж, всем видом призывая меня объясниться, высказаться.

Заученные обвинения уже вертелись у меня на языке.

Приманка. Покорный инструмент.

— Если ты и впредь намерен расписываться в собственной несостоятельности, тогда уходи, — выдавила я. — Улаживай ваши рефаитские вопросы. Проваливай в загробный мир и не мешай мне руководить на свое усмотрение.

Арктур смотрел на меня в упор. Сердце болезненно екнуло, но я выдержала его взгляд.

— Не знаю, что у тебя на уме, Пейдж, — с расстановкой произнес он, — но запомни одно: Саргасы жаждут разобщить нас, посеять недоверие и смуту в Касте мимов. Не дай им победить, докажи, что люди и рефаиты могут сплотиться.

— Это был приказ, — отчеканила я, ощущая дикое напряжение во всем теле.

Повисла пауза.

— Как вам будет угодно, темная владычица, — нарушил молчание Страж.

Хлопнула дверь, наши ауры разъединились. Я упала в кресло и обхватила голову руками.

4

ВЭНС

29 ноября 2059 года
Ноябрьфест

Он отдалялся от меня. Постепенно ускользал. Наши отношения были связующим звеном между Синдикатом и Рантанами: если не сохранить их, то все, что мы воздвигли, рухнет. Каста мимов распадется.

В начале второго ночи Даника ввалилась в гостиную прямо в рабочем комбинезоне и принялась оббивать снег с подкованных сталью ботинок. Я сидела у камина, силясь унять головную боль; глаза у меня были на мокром месте.

— Ну, чем порадуешь?

— Кажется, я нашла ядро, — весело откликнулась Дани.

Я резко выпрямилась:

— Серьезно?

— Такими вещами не шутят. Но хорошие новости на этом закончились. Рассказывать плохие?

— Валяй, — согласилась я, все еще пребывая в эйфории от услышанного.

— Ядро прячут в подземном хранилище, охраны там столько, что и мышь не проскочит.

Я кинулась будить остальных. Вскоре мы вчетвером уже сидели в гостиной. Даника расшнуровала ботинки и распустила стянутые в пучок волосы.

— Значит, так. Мой придурок-начальник занимается непосредственно установкой крупногабаритных сканеров. И вдруг сегодня ему говорят: мол, в ядре впервые за год возникли какие-то неполадки, нужна бригада ремонтников. Меня в нее не включили, — опередила Даника мой вопрос, уже норовивший сорваться с губ, — но мне удалось подслушать адрес.

— Продолжай.

— Над хранилищем II-1 есть склад. — (Я плохо знала тот сектор, но найти сведущего человека не проблема.) — Люк из него ведет вниз, к ядру. На время ремонта сигнализацию отключат. Но вот в чем загвоздка: работы там всего на один день, и приступают незамедлительно. Сегодня.

— А насчет ядра ничего выяснить не удалось? — спросил Ник.

Даника пожала плечами:

— Думаю, эта штука требует крайне бережного обращения, поэтому его и хранят под землей. Зачем гадать, когда есть шанс увидеть все своими глазами? Пусть Пейдж вселится в кого-нибудь из инженеров и посмотрит.

— Дани, ты гений! — восхитилась я.

— Невелика мудрость: подслушивать олухов в нашем отделе. — Она вытерла перепачканные маслом ладони о комбинезон. — Ладно, мне пора на боковую. Завтра работаю в первую смену.

Жалобно скрипнули ступени — Даника ушла наверх, а мы напряженно обдумывали варианты.

— Решение нужно принимать быстро, — горячилась я. — Другой такой случай может еще долго не представиться. Это наш единственный шанс.

Ник потер подбородок:

— Даже не знаю. Слишком уж все гладко.

— Дани вне подозрений. Возникни у них хоть тень сомнений, «крот» давно бы уведомил Стража.

После томительного ожидания у нас наконец-то появилась зацепка. Необходимо отбросить страх, тщательно взвесить все за и против. Грех упускать возможность нанести удар по инфраструктуре Сайена. Риск, конечно, огромный, но успех сплотит ряды Касты мимов.

— Хочу посоветоваться с Марией и Светляком. — Я решительно поднялась. — А заодно с Джимми О'Гоблином, как-никак это его сектор. Если только он не напился в стельку.

Элиза вытащила из кармана мобильный. Я ринулась на кухню и достала подробную карту района.

— Пейдж, а разве мы не должны спросить разрешения у Рантанов? — забеспокоился Ник.

— Нет, — помешкав, ответила я. — Если хочу завоевать доверие Тирабелл и оправдать вложенные средства, надо учиться самой принимать решения. Она же со мной не советуется.

— Облажаемся, и нас лишат финансирования, — не унимался Ник.

— Пусть только попробуют. Кишка тонка, — фыркнула я, натягивая перчатки.

Мы отправились в портовые трущобы. Мария и Светляк ждали в пустом бараке. Компанию им составлял пепельно-серый, весь какой-то взлохмаченный Джимми О'Гоблин, главарь мимов Первого сектора Второй когорты. Несмотря на алкогольное амбре, на ногах он держался крепко.

— Добрый день, темная владычица, — просипел О'Гоблин.

— Сейчас два часа ночи, Джимми. — Вместе с дыханием изо рта вырывалось облачко белого пара. — Похоже, нам удалось отыскать ядро «Экстрасенса».

— Оперативно, — похвалила Мария.

Я вкратце изложила рассказ Даники. Светляк, нахмурившись, слушал.

— Действуем незамедлительно, — оживилась Мария. — Риск, конечно, есть, но кто не рискует, тот не пьет шампанского.

— Согласна, — подхватила я. — Джимми, это твой сектор. У склада не наблюдалось никакой возни?

— Обычно там тихо, но вчера вдруг нагрянули полчища легионеров.

Я расстелила на полу карту, и Джимми пустился в объяснения. Помимо охраны, склад огорожен забором, проникнуть на территорию можно лишь через ворота. Перелезть через стену нельзя — слишком высоко, плоскогубцами сетку не перекусишь, а если идти напрямую, сто процентов нарвешься на пулю.

— Впрочем, имеется запасной вариант. — О'Гоблин ухмыльнулся, демонстрируя потемневшие от вина зубы. — Надежный, комар носа не подточит. Правда, только безумец отважится на такое...

Я придвинулась к пьянице вплотную:

— Излагай.

— Как скажешь. Мороз сейчас дикий, верно? — Я растерянно кивнула. — К складу примыкает пожарная лестница, ведущая к Темзе. Обычно до нее не добраться, но из-за погоды воду на том участке сковало льдом. Улавливаешь?

Мои брови поползли вверх.

— Предлагаешь пройти по льду?

— И впрямь безумие, — ахнула Мария.

— Крохотный, но шанс! В нашем положении следует цепляться за любую соломинку, — философски заметила я и стиснула ладони, чувствуя, как в подушечках пальцев пульсирует кровь.

Темная владычица в честной борьбе завоевала право принимать решения, главное сейчас — не ошибиться.

— Лестница упирается в потайной лаз под забором, местные пьянчуги прорыли его пару лет назад. — Джимми ткнул заскорузлым пальцем в карту. — Пришлю к вам сведущего человечка, он все подробно растолкует. Затея, конечно, безумная, но так вас точно не засекут.

С каждой минутой идея увлекала меня все больше.

— Грядут празднования по случаю Ноябрьфеста; Уивер временно упразднит комендантский час. Для нас это уникальная возможность. — Присутствующие согласно закивали. — Сегодня же направим туда вооруженную команду. Сами проникнем в подвал, отыщем ядро, разбомбим его по мере сил, на худой конец выясним, что это вообще за дрянь, — и свалим.

— Под «мы» подразумевается... — начала Элиза.

— Я возглавлю операцию.

Собравшиеся переглянулись.

— Пейдж, мы ведь договорились: ты не лезешь на передовую, — возмутился Ник.

— Помнишь, что сказала Дани? Надо вселиться в кого-нибудь из инженеров и разведать обстановку изнутри.

— Ты с поединка не использовала свой дар. Если тебе так приспичило, потренируйся со Стражем.

— Не выйдет.

— Почему?

Я всем видом демонстрировала нежелание развивать эту тему. Ник недовольно поджал губы, но промолчал.

— Пусть народ убедится, что члены Синдиката для меня не пушечное мясо. Что я готова сама подставить голову под топор, а не командовать издалека, как Гектор.

Больше возражений не последовало.

Оставалось набрать команду. Первой вызвалась Мария. К ней решили добавить трех заклинателей, чтобы при необходимости воззвать к помощи фантомов, и троих паранормалов, прошедших интенсивную подготовку у Стража. Провидец из местных покажет нам маршрут.

— Я с вами, — тряхнул головой Ник.

— И я тоже, — не осталась в стороне Элиза. — Мы ведь твои подельники.

— А если нас схватят? Нельзя так рисковать. — Я ненадолго задумалась. — Пожалуй, с оракулом будет сподручнее. Ник, отправляешься с нами. Элиза, доверяю тебе координировать отступление.

Муза стиснула кулаки:

— Хорошо.

Бедняжка давно ждала повода блеснуть своими талантами, но сейчас не время тешить самолюбие.

— Попрошу Тома заглянуть в эфир, — вклинился Светляк. — На предмет дурных предзнаменований.

— А я попробую раздобыть взрывчатку. У меня перед Вэнс должок, — мечтательно протянула Мария.

С рассветом на город опустился туман. Сквозь облачную завесу серебряной монетой светило солнце; сгрудившись вокруг фортепьяно, лондонцы распевали салонные песни и желали друг другу счастливого Ноябрьфеста. На каждом шагу красовались портреты первого верховного инквизитора, Джеймса Рэмси Макдоналда. Верховный инквизитор Франции намеревался почтить Лондон визитом, но, если верить «Оку Сайена», внезапно заболел.

Странно, приезд Менара освещался с такой помпой, даже перелом обеих ног не удержал бы его на родине. Впрочем, над этим некогда ломать голову, есть дела поважнее.

Готовились мы на совесть. Светляк, ведавший рекрутами, собрал и проинструктировал группу захвата. Резерв при необходимости исполнит отвлекающий маневр. Опираясь на слова Джимми, я составила маршрут передвижения по льду.

Следовало признать, что Ник был прав: форма у меня и впрямь ни к черту. Отбросив гордость, я сосредоточилась на золотой пуповине — тишина.

Никак Страж задумал поиграть? Ну что ж, вперед и с песней. Вдобавок он мог донести Тирабелл о наших планах. Остаток дня я посвятила тренировкам на птичках и сразила Ника наповал, когда вселилась в сороку и устроилась у него на плече. Правда, за успех пришлось расплачиваться мучительной головной болью.

В сумерках вся команда собралась в заброшенном кислородном баре Воксхолла. Ник раздал нам поношенные комбинезоны с эмблемой Сайена.

— Чего только не найдешь на старом Спиталфилдсе, — пояснил он, перехватив мой вопросительный взгляд.

Не успела я застегнуть комбинезон, как в помещение вбежала Мария, злющая-презлющая.

— Проклятый ублюдок распродал всю взрывчатку! Видите ли, СайенМОП никогда не базировался в Лондоне, отсюда такой дефицит!

Я заправила штанины в сапоги.

— Вот как?

— Да, возможность достать оружие — единственное преимущество такого соседства. Воруют у кригов и перепродают мятежникам. На костях старой армии возникает новая.

— Кто такие криги?

Мария сделала неопределенный жест:

— Солдаты. Производное от шведского «krig» — «война». В Швеции их пруд пруди, Ник в курсе. — Она принялась натягивать комбинезон, бормоча: — Нам позарез нужен огонь.

Естественно, огонь — ее нума. Помимо Марии, в группе еще имелись вторая пиромантка — рыжая девчушка с Мукомольни, а также двое капномантов, способных создать дымовую завесу на случай бегства. Джимми приставил к нам парочку гадателей, пожелавших сохранить инкогнито, и тощую провидицу с пурпурными губами завзятой курильщицы астры. Еще трое заклинателей вызвались добровольцами; самый высокий представился Дрисколлом. С помощниками условились заранее: не раскрывать названия своих ячеек.

Оставалось дождаться вестей от Рифмача — тот с командой гадателей намеревался заглянуть в эфир на предмет дурных предзнаменований, — однако спустя час мы решили: дальше тянуть некуда. Группа захвата столпилась вокруг меня.

— Сегодня Каста мимов совершит первую атаку на Сайен. План действий строится на информации, добытой из предположительно надежного источника, но нет гарантий, что миссия увенчается успехом или не возникнет каких-либо накладок. — Я поочередно оглядела собравшихся. — Поэтому напоминаю: никто не заставляет вас участвовать. Если сомневаетесь, откажитесь прямо сейчас и возвращайтесь в ячейки.

Пауза затягивалась. Провидица грызла ногти, но молчала.

— Мы с тобой, темная владычица, — объявил капномант.

Остальные согласно закивали.

Выдвигались в сумерках.

Устроившись на пыльном табурете, Элиза пристально смотрела нам вслед.

— Скоро вернемся, — бросила я.

Она широко улыбнулась:

— Ни пуха!

С реки дул пронизывающий ветер. Луна скрылась за облаками, в кромешной тьме мы благополучно добрались до места, старательно заметая за собой следы.

Над Темзой вырисовывались очертания склада. С погодой нам несказанно повезло — река редко замерзала, последний раз такое случилось лет сто назад. Сейчас поверхность сковало тонким льдом, в середине плескались волны, доверие внушала лишь узкая обледенелая тропка, ведущая аккурат к пункту назначения. Под тяжестью моего сапога серебристая льдина покрылась трещинами. Под бдительным взором Ника я поставила вторую ногу.

— По шкале от «абсолютно безопасно» до «смертельно опасно», какая твоя оценка? — шепнула я.

— Нам доводилось делать и более безумные вещи. На этот раз у тебя хотя бы есть четкий план. — Ник ступил за мною на лед, осторожно распределяя вес тела.

Я повернулась к команде:

— Тронулись. Не спешим, соблюдаем максимальную дистанцию.

Мы гуськом засеменили к складу. С каждым шагом пульс стремительно учащался. Вот проломится лед — и все, пиши пропало: холод или быстрое течение нас прикончат. Маршрут пролегал по старинной лондонской артерии, издавна славившейся своей беспощадностью.

Время словно бы застыло. Никто не отваживался ускорить темп. Провидица, хорошо знавшая эти края, не спеша прокладывала дорогу, обходя ненадежные участки. Наконец, спустя целую вечность, я заметила выпиравшую из стены ржавую лестницу без нижних перекладин. Когда до цели уже оставалось рукой подать, раздался угрожающий треск: Дрисколл провалился одной ногой под воду и только благодаря расторопности товарища не сгинул в полынье. Ледяная твердь содрогнулась, вынудив всех застыть изваяниями. Убедившись, что смерть от переохлаждения нам не грозит, заклинатели помогли Дрисколлу подняться.

В тени склада Ник подсадил провидицу на ступеньку, отчего лед под ним покрылся трещинами. Я вскарабкалась следом. После зыбкого льда прикосновение к металлическим перекладинам успокаивало взвинченные нервы.

Поднявшись наверх, провидица присела у забора и, сдвинув гофрированную железяку, втиснулась в неглубокий лаз.

Не считая парочки охранников, стороживших запертые ворота, территория пустовала. Мой взгляд шарил по окрестностям. К складу примыкала бетонная площадка с припаркованным фургоном СайОРТа (Сайенского отдела робототехники), однако людей поблизости не наблюдалось, только на снегу виднелись многочисленные следы. Отрешившись от бренного мира, мое шестое чувство погрузилось в эфир.

— Под нами ничего, — констатировала я. — Ни лабиринтов, ни оборудования.

— Если ты ничего не почуяла, то, вероятно, внизу пусто. — Ник сглотнул. — Значит, информация — пустышка.

— Страж и Мира считают ядро эфирной технологией. Сайен мог выставить защитный барьер, чтобы сбить ясновидцев с толку.

— Тоже верно.

Спина вспотела под комбинезоном. Провидица поманила нас с обратной стороны забора. Перебирая коленями и ладонями по снегу, мы устремились в лаз. Стратегия вырисовывалась следующая: шатенка с каптомантами остаются караулить снаружи, а основная группа идет на разведку.

До склада добирались перебежками. Не добегая пары метров, я позвала шатенку и велела ей ждать сигнала. Если Ник мигнет фонариком один раз — путь свободен. Два — всем срочно возвращаться на лед и уносить ноги.

Провидица скрылась в глубине склада, и в тот же миг с неба повалили пушистые хлопья.

Наши шаги гулким эхом отдавались под сводами. Здание пустовало — ни людей, ни охраны, никого. Из щелей сквозило, нестерпимо пахло застарелым табаком и пурпурной астрой. Ник зажег фонарик. Оглушительный звон заставил нас подскочить: Мария в темноте наткнулась на пустую бутылку из-под настойки опия, и та с грохотом покатилась по бетонному полу, заваленному стебельками астры и полиэтиленовыми пакетами.

Провидица замерла у дальней стены, занятой огромным экраном.

— Ник, посвети!

Мой спутник направил луч вниз. Перед экраном, наполовину утопленный в бетон, виднелся люк.

— Пейдж, осторожнее, — предупредил Ник, однако я уже склонилась над крышкой и, не найдя щеколды или задвижки, рванула ее вверх.

Взгляд уперся в бетонный квадрат.

Пусто.

Я таращила глаза, силясь понять, куда подевалась лестница. Через минуту меня охватила паника. Ловушка! Я обернулась предупредить остальных, сказать им, чтобы бежали без оглядки, но не успела открыть рот, как над головой сомкнулась сеть, увлекая меня к потолку.

Адреналин в крови зашкаливал. Пульс колотился в висках, заглушая исступленные вопли товарищей. Меня буквально расплющило — локти вонзились в живот, колени сведены. Стиснув зубы, я попыталась вытащить из кармана нож, но малейшее движение сопровождалось мучительной агонией.

Внезапно исполинский экран ожил. В коридор хлынул яркий свет, удлинив наши тени.

С монитора смотрела женщина.

На вид глубоко за семьдесят. Опаленную солнцем кожу покрывают глубокие морщины. Вздернутый нос, тонкие губы; седые волосы зачесаны назад, открывая костлявое лицо. Но больше всего пугали глаза — черные, словно две бездонные ямы.

«Добро пожаловать, Пейдж Махоуни!» — бесстрастный, сухой, точно выглаженное белье, тон заставил меня содрогнуться. Никогда прежде я не испытывала ничего подобного. Растерянность, оцепенение сменились животным страхом. Настораживало, как незнакомка произнесла мое имя: тщательно, по слогам, не упуская не единого звука.

Мария как загипнотизированная уставилась на экран. Белки ее глаз таинственно мерцали вокруг радужной оболочки.

«Я — Хилдред Вэнс, верховный командор Республики Сайен. Как ты уже догадалась, ядра здесь нет. — Женщина смотрела немигающим взглядом. — Такая информация никогда не попадет в плохие руки. Никакого подземного хранилища не существует. — (Ник попятился и споткнулся о хлам на полу.) — Здание давно заброшено, однако сегодня мы основательно подготовились к вашему визиту».

Вэнс перехитрила меня, заманила, точно бычка на бойню. Пойманной рыбой я забилась в сетке.

«Пока мы беседуем, твой уникальный радиоэстетический сигнал обновляет базу данных „Экстрасенса“. Благодарим за сотрудничество».

Сверху ударил ослепительный луч.

Эфир задрожал, каждое колебание судорогой отзывалось в теле. Кто-то подбирался к моему лабиринту. Я беспомощно зависла под потолком; по спине градом струился пот, в кончиках пальцев и в коленях пульсировала кровь. Аура поочередно то съеживалась, словно сжатые в кулак пальцы, то распрямлялась. Я свернулась клубочком, прикрывая воображаемую наготу от чьего-то пристального взгляда.

Из недр помещения донеслось слабое пиканье. Влага сочилась у меня из носа, заливала лоб.

— Стреляй, Ник! — отмерла Мария. — Пейдж, не двигайся!

«Вы уже совершили огромную ошибку, явившись сюда. Сопротивляясь аресту, вы лишь ее усугубите. — Вэнс безжалостно взирала на нас с экрана. — Твоим союзникам обещают снисхождение, если ты добровольно сдашься инквизитору».

Рот наполнился кровью. Легким не хватало кислорода. Сознание стремительно угасало.

Даника... Вэнс прознала о ее принадлежности к Синдикату. Наверняка это Джексон постарался, без ведома Альсафи.

Пуля сбила крюк под потолком, и железный обруч, стискивавший голову, лопнул. Не успев опомниться, я рухнула вниз — прямо на руки Нику. Издав слабое «ох», он повалился навзничь, увлекая меня за собой. От удара я едва не лишилась чувств, но старые раны быстро помогли очухаться. Не мешкая, Мария схватила меня за шиворот и поволокла к выходу.

«Презревшим Якорь нет спасения! — неслось нам вдогонку. — Никакой пощады осквернителям естественного порядка!»

Преследуемые бесстрастным голосом, мы устремились к распахнутым дверям и замерли на снегу, озаряемые мощными лучами прожекторов. Спрятаться было негде, но поблизости хотя бы не ощущались ничьи лабиринты. Внезапно мое шестое чувство тревожно завибрировало. Я задрала голову. В небе прямо над нами зависли восемь силуэтов.

Мария опомнилась первой:

— Десант! Срочно на лед! Живее!

Провидица уже мчалась к забору. По ту сторону с воплями «Темная владычица!» металась шатенка. Едва Дрисколл с заклинателями рванули к заграждению, на крышу склада приземлился первый десантник. Мария пальнула в его напарника, метя в парашют.

— Пейдж, беги! — рявкнул Ник.

Сверху грянули выстрелы. Заклинатели один за другим повалились на землю. У меня вырвалось сдавленное «нет». Мария вытащила меня из-под обстрела и подтолкнула к Нику.

— Уходите! — скомандовала она и, прижавшись к стене, перезарядила обойму.

Я неслась во весь опор, стараясь не выпускать Ника из виду. Против солдат-невидцев арсеналы бессильны, но Марию они прикроют. В отличие от покойных, мой фантом умел проникать в любой разум.

Со спины повеяло теплом. Цепочка пылающих фантомов ринулась на десантника, приземлившегося возле Марии. Не успел он прицелиться, как пламя поглотило парашют. Мария юркнула за дверь. Стоя над телами погибших товарищей, Дрисколл палил во все стороны. Шатенка перемахнула через забор и бросилась на подмогу. У края бетонной площадки меня догнал Ник и схватил за руку.

Идеальная ловушка! Вэнс просчитала все до мелочей: устрой они засаду на складе, я бы наверняка заподозрила неладное, поэтому убийц подослали в самый последний момент.

На снегу алела кровь убитых заклинателей.

— Мария, отступай! — завопила я.

Пиромантка выпустила очередную пулю и рванула со всех ног.

Ник прицелился в солдата на крыше, но тот даже не покачнулся, защищенный бронежилетом.

Сдирая кожу на бедрах, я втиснулась в лаз. Внезапно Мария вскрикнула от боли. Мой фантом непроизвольно метнулся к десантникам, ворвался в чужой лабиринт, вытесняя законного владельца в эфир. Винтовка выпала из онемевших пальцев, я отчетливо различала буквы на прикладе, однако в следующую секунду серебряная пуповина потянула меня назад, в родное тело. От боли на глаза навернулись слезы. Тем временем какой-то десантник подкрался слева и взял на мушку шатенку, пытавшуюся отогнать снайпера от Марии. Мой фантом приготовился к прыжку. В голове словно бы провернулись ржавые шестерни — и застряли на месте.

Шатенка упала, изрешеченная пулями.

Ник протащил бледную как полотно Марию под забором и закинул ее руку себе на шею. Дрисколл почти добрался до сетки, когда солдаты снова открыли огонь. Мы кубарем скатились по лестнице.

В небе застрекотал вертолет, из прожектора хлынул поток света. Внутренний голос советовал сдаться. Мысль об убитых товарищах жгла огнем. В порыве ярости я обернулась, широко раскинув руки, и знаком велела Дрисколлу спрятаться мне за спину. С развевающимися на ветру волосами я стояла, живым заслоном ограждая друзей.

— Пейдж, какого дьявола ты творишь? — испугался Ник.

— Они не станут стрелять. — Я не отводила взгляда от вертолета. — Побоятся проломить лед.

— С чего бы это вдруг?

— Им нужно взять меня живой.

Мы угодили в западню. Над рекой кружил вертолет, готовый в любую секунду открыть огонь. Возможно, они поостерегутся стрелять прямо сейчас, но стоит нам выбраться на сушу, как меня захватят в плен, а остальных просто-напросто убьют. Пускай нам удалось выиграть время, но в конечном итоге Вэнс загнала нас в угол.

Повеяло чем-то едким. На лед, гонимый полчищем фантомов, стремительно наползал туман. Это капноманты обеспечивали нам прикрытие. Я попятилась, увлекая команду за собой, в облако. Вертолет, накренившись, скрылся из виду.

Дымовая завеса надолго не спасет. Обратный путь мы проделали быстро. Даже чересчур. У самой кромки лед подо мной хрустнул и лучами разбежался в разные стороны. Не мешкая, я оттолкнула Дрисколла подальше — и ухнула в прорубь.

На долю секунды я будто умерла.

Черные воды Темзы сомкнулись над головой. Меня камнем утянуло на дно. Острые ножи вонзились в ребра, полоснули по ногам, плоть от пупка до горла разверзлась, однако моими стараниями внутрь не проникло ни капли.

От нехватки кислорода саднило легкие. Незримый огонь пожирал внутренности. Ледяные иглы впивались в кожу, причиняя невыносимую боль. Голосовые связки зашлись в беззвучном крике. Я отчаянно боролась с водяной толщей, но конечности словно одеревенели.

«Лондон не прощает предательства, — нашептывал из недр памяти Джексон. — Он уничтожит тебя, лапушка, загонит глубоко под землю, в чумные ямы. В самые темные недра своего сердца, где гниют тела других предателей».

К дьяволу его! Если мне и суждено умереть, то не такой позорной смертью. Тепло разлилось у меня по венам, придавая сил. Я разорвала комбинезон и, избавившись от балласта, принялась лихорадочно грести в затхлой воде. Темнота дезориентировала, я билась, точно рыба об лед, не разбирая, куда плыть, пока не вынырнула наконец на поверхность. На морозе дыхание моментально превращалось в пар. Бурное течение несло меня вперед, оцепеневшие мышцы не слушались.

До берега не добраться — слишком далеко. На плаву не продержаться — слишком холодно.

Меня снова утянуло вниз. Алчная река не намеревалась отпускать добычу.

Внезапно — ощущение чужой ауры, чья-то рука вызволяет меня из водного плена.

Мои ладони уперлись в могучие плечи. Задыхаясь и кашляя, я очутилась лицом к лицу со Стражем.

— Ты?..

— Хватайся за меня.

Превозмогая слабость, я обняла его за шею, чувствуя, как подо мной перекатываются литые мускулы. Страж с легкостью преодолевал бурные потоки, Темза беспомощно отступила перед его напором.

В какой-то момент я потеряла сознание и очнулась уже на берегу. Ледяной воздух хлынул в легкие, проникая в каждую клеточку; все внутри словно подернулось инеем.

— Дыши, Пейдж, — раздался знакомый голос.

Арктур прижал меня к пылающей жаром груди и укутал в пальто, заслоняя от снега. Я тряслась как в лихорадке.

Перепоручив меня группе захвата, Страж удалился. На обратном пути Ник не давал мне заснуть, без умолку говорил, сыпал вопросами. Провалы сменялись яркими проблесками сознания — отчетливо помню, как Дрисколл залился слезами, — потом снова пустота, лишь безграничный холод и тщетные попытки согреться.

Водитель высадил нас у нелегальной квартиры в Центральной когорте. Едва переступив порог, Ник перевоплотился в доктора. Следуя его предписаниям, я разделась и приняла ванну. Проверив, нет ли открытых ран, Ник долго допытывался, как я себя чувствую («Не лихорадит? Ничего не болит?»), после чего меня укутали в три одеяла и оставили сохнуть. Завернувшись в уютный кокон, я затаилась в предвкушении того момента, когда по телу разольется блаженное тепло.

Постепенно меня сморил сон. Проснулась я как от толчка. В кресле напротив сидел рефаит и неотрывно смотрел на огонь. На какую-то кошмарную долю секунды мне почудилось, что мы снова в резиденции «Магдален» — настороженные, терзаемые сомнениями.

— Арктур.

— Пейдж. — Отблески пламени плясали на его влажных волосах.

По спине забегали мурашки. Приподнявшись на локтях, я прохрипела:

— Дани?..

— Ей ничего не грозит, — успокоил меня Страж. — Ложную информацию о складе запустили сразу в несколько подразделений Сайена. Им никогда не отыскать источник утечки.

Выходит, Вэнс лишь догадывается относительно шпионов. Повыше натянув одеяло, я с досадой отметила, что руки не дрожат. А лучше бы дрожали. Хотелось бы отреагировать на бесцельно загубленные жизни ясновидцев, но откуда взяться эмоциям, если тебя с детства пичкали смертью: она просачивалась к нам с экранов, проникала в дома, становилась неотъемлемой частью существования, пока окончательно не превратилась в явление столь же будничное, как и кофе по утрам. Вдобавок ужасы последних месяцев начисто лишили меня способности сопереживать и еще сильнее разожгли ненависть к Сайену.

— Ты спас меня.

— Да. Том рассказал о вашей затее. Отряд гадателей увидел дурное предзнаменование, Светляк пытался тебя предупредить, но по дороге угодил в сканер. Тогда подключились мы с Плионой.

— А Светляк? Где он?

— В безопасности. Ему удалось скрыться.

Мы были на волосок от смерти. Не появись Страж, темная владычица сгинула бы в Темзе.

— Спасибо, что выручил, — пролепетала я.

Страж коротко кивнул и, облокотившись на подлокотники, сплел пальцы перед собой — поза, хорошо знакомая мне еще по колонии. Оставалось смиренно ждать, когда топор опустится мне на голову.

— Тирабелл, наверное, рвет и мечет, — произнесла я, не выдержав гнетущего молчания. — Мы ведь провернули операцию без ее ведома.

Арктур взял со столика чашку с дымящимся напитком и протянул мне:

— Вот, выпей. Доктор Найгард говорит, твоя внутренняя температура по-прежнему ниже нормы.

— Плевать я хотела на температуру.

— Ну и очень глупо.

Я покорно взяла кружку и для видимости отхлебнула салепа.

— Скажи, Пейдж, ты целенаправленно провоцируешь Тирабелл? — Это прозвучало как вопрос, а не обвинение.

— Конечно нет.

— Ты не спросила ее дозволения. Затеяла рискованное предприятие, не посоветовавшись, хотя тебя просили согласовывать все свои действия.

— У нас появилась зацепка, а время поджимало.

Снова безучастный кивок.

— Пока ты спала, командующие получили донесение: через час после вашего посещения склада была схвачена ясновидица из числа полиглотов. По словам свидетелей, ее аура активировала крупногабаритный «Экстрасенс» на вокзале Паддингтон.

Внутри у меня все оборвалось. Полиглоты принадлежали к четвертой касте, до сих пор неуязвимой для сканеров.

— Возможно, это только сплетни. Но если информация подтвердится, значит потенциал «Экстрасенса» существенно вырос.

В желудке возник неприятный холодок. Мои пальцы крепче стиснули кружку.

— Нет, это не сплетни. Вэнс сказала, что нарочно заманила меня — с целью обновить базу данных «Экстрасенса». — Я облизала пересохшие губы. — Но странники относятся к седьмой касте, как они могут способствовать выявлению представителей четвертой?

— Не зная технологии, трудно судить.

— Она еще что-то говорила про какой-то... радиоэстетический сигнал. — Мое дыхание участилось. — Если Тирабелл выяснит, кто во всем виноват... — Кровь отхлынула у меня от лица. — Мы не можем лишиться вашей поддержки. Без нее Каста мимов распадется.

— Вряд ли Тирабелл лишит вас финансирования. Каста мимов нужна ей не меньше, чем тебе. — Звучало не очень убедительно. — Она воздержится от наказания, пока последствия твоего поступка не станут очевидными.

— По-моему, очевидней некуда! Я угодила в ловушку, помогла усовершенствовать «Экстрасенс», потеряла троих человек, хотя могла спасти по меньшей мере одного из них, не подведи меня дар. — От страха голос дрожал. —

А я ведь говорила, что нуждаюсь в тренировках. И пробовала вызвать тебя перед уходом.

— Прости, я был занят.

— Интересно, чем?

— Разбирались с эмитом в пригороде.

Мною овладел нечеловеческий ужас, не шедший ни в какое сравнение с заплывом по зимней реке. Пока мы зациклились на «Экстрасенсе», Рантаны боролись с чудовищами, пожирающими людей заживо. Враги обложили нас со всех сторон.

— Война требует риска. Ты допустила стратегическую ошибку, хотя предприняла все необходимые меры. Никто не предполагал, что Вэнс вызвали в столицу и она готовит для тебя ловушку. Даже Альсафи ничего не подозревал — как говорится, ни сном ни духом.

— Три ясновидца погибли зря.

— Они знали, на что идут. — Страж вдруг помрачнел. — Я спрашивал у Альсафи про ядро, но он не в курсе. А учитывая место его работы, архонт можно смело вычеркнуть из списка потенциальных локаций.

— Ядро нужно найти любой ценой, — пробормотала я, глядя в огонь.

Полено, догорев, вспыхнуло искрами.

— Зачем тебя понесло на склад? — укоризненно спросил Страж. — Темная владычица не вправе так рисковать. Без тебя Каста мимов обречена.

— Вы легко подберете мне замену.

— Синдикат примет не всякого, а времени устраивать поединки нет. — Он выдержал паузу. — А для меня ты и вовсе незаменима. Только тебе я могу довериться понастоящему.

Я всматривалась в Арктура, силясь понять, где правда, а где ложь. Сейчас мне недвусмысленно предлагали вернуть наши отношения, демонстрируя уязвимость, брешь в рефаитской броне. Страж словно вложил в мою руку ключ от двери, которую я уже и не чаяла открыть. Но вместе заветных слов с языка сорвалось иное:

— Мы обсудим ситуацию с Вэнс и позже уведомим тебя о решении. А сейчас тебе пора возвращаться к Тирабелл.

Страж выдержал мой взгляд и поднялся.

— Как пожелаешь. Доброй ночи, Пейдж.

5

ЭКСКУРС В ПРОШЛОЕ

Поспать так и не удалось, перед глазами упорно маячило бесстрастное лицо Вэнс. Я оделась и, прихватив одеяло, вышла из гостиной. От обратной поездки сохранились лишь смутные воспоминания. Если не ошибаюсь, группа захвата рассредоточилась по ячейкам, на явке остались Мария и Ник. С ними еще Том и Светляк, которых мы встретили по дороге. Вся компания обнаружилась в соседней комнате. Мария прихлебывала бульон. Ник вскочил и крепко прижал меня к груди.

— Пейдж, я с ног сбился, разыскивая тебя! Не вмешайся Страж...

— Но он вмешался. — Я похлопала приятеля по спине. — Со мной все в порядке, не переживай.

— Ты спасла Дрисколлу шкуру, — заметила Мария. — Не оттолкни ты его от проруби — и привет: одним утопленником больше.

— Сама-то как? — спросила я, с тревогой всматриваясь в собеседницу.

— Пустяки, царапина. Случалось и похуже.

Одолеваемая беспокойством, я набросила одеяло на плечи и села рядом с Ником.

— Страж рассказал мне новости. Значит, теперь сканеры научились распознавать и четвертую касту тоже.

— Не стоит паниковать раньше времени, — успокоил меня Светляк. — Главарь мимов, передавший нам информацию, не уверен на сто процентов, была ли ясновидица полиглотом. Вполне вероятно, что она принадлежала к более низкой касте.

— Надо срочно все выяснить. Если они добрались до четвертой категории...

— Доказательств пока нет, — перебил Рифмач. — Все это, конечно, не слишком весело...

— Не слишком весело?

— Согласен, я слишком мягко выразился, но Светляк прав. Скорее всего, нас нарочно дезинформируют или пытаются запугать.

— Сомневаюсь, — решительно возразила Мария. — Я хорошо знаю Вэнс, и, поверьте, не в ее правилах морочить людям голову. Она сама призналась Пейдж, что хочет с ее помощью усовершенствовать сканеры. — Пиромантка остановилась, чтобы перевести дух. — Пейдж, если версия подтвердится, нельзя допустить утечки в Синдикат.

Повисла напряженная пауза. Как ни горько осознавать, но Мария зрит в корень: если Синдикат пронюхает, что из-за моей ошибки над четвертой кастой нависла угроза, меня в мгновение ока лишат титула.

— Расскажи про Вэнс, — попросила я, нарушив затянувшееся молчание. — Хотелось бы побольше знать о противнике.

Мария сплела пальцы на животе.

— Да уж, сама она, похоже, знает о тебе все.

Судя по взгляду Вэнс, проникавшему в душу даже сквозь экран, сомневаться в этом не приходилось.

— Ладно, расскажу, что мне известно. Устроим небольшой экскурс в историю, — начала Мария. — Когда Хилдред Диане Вэнс исполнилось шестнадцать, она примкнула к СайенМОПу и пять лет оттрубила на территории Северо-Шотландского нагорья. За годы службы — вот Том не даст соврать — она подавила несколько восстаний в стране, некогда именовавшейся Шотландией.

Рифмач, до сих пор наблюдавший за пиромантком из-под полей шляпы, придвинулся к лампе. И добавил:

— Хотите верьте, хотите нет, но я лишь немногим старше Вэнс. Помню, во времена моей далекой молодости — дело было еще в Глазго — люди говорили о ней только шепотом, словно боялись, что их услышат. А ведь лет ей тогда было всего ничего.

— Молодая, да удалая, — резюмировала я.

— Прямо как ты, — вставила Мария.

Не самое лестное сравнение.

— Начальство оценило ее страсть к убийству паранормалов, и юная Вэнс стремительно взлетела по карьерной лестнице. Сейчас ей семьдесят пять, и она старейший представитель высшего эшелона Сайена.

Интересно, заодно ли Вэнс с Саргасами? По описанию они прямо родственные души.

— Задумав разделаться с мятежниками на Балканах, Вэнс выяснила всю подноготную наших лидеров, внедрила двойных агентов, причем проделала это буквально за пару дней. — На лицо Марии набежала тень. — Окольными путями она разведала, что люди особенно расположены к Розалии Юдиной, командиру моего отряда, и что у Розалии был младший брат, который умер еще до отъезда семьи из России. На долю Розалии выпало много испытаний, но брат был ее слабым местом, и Вэнс это почуяла.

Нас истребляли пачками. Когда повстанцев осталось раз-два и обчелся, Вэнс устроила ловушку. Она знала, что смерть Розалии подорвет дух мятежников, и ее приспешники разыскали мальчонку — точную копию брата Юдиной. В последней схватке ребенка вытурили на улицу и велели звать Розу на помощь. Та растерялась. — Мария судорожно стиснула кулаки. — Малышу дали плюшевого медведя, начиненного взрывчаткой.

Последние крохи тепла испарились из моего тела.

Сколько Вэнс известно обо мне? Многое она почерпнула из досье. А Джекс из ненависти мог снабдить ее исчерпывающими сведениями. Очевидно, она неплохо разбирается в природе моего дара и абсолютно точно знает про отца.

— Вэнс опасна хотя бы потому, что не имеет привычки недооценивать врага, — продолжала Мария. — Сегодня нам повезло. Она просто не ожидала от нас такого безрассудства — пройти по льду.

— Мы перехитрили ее благодаря собственной глупости, — вздохнула я.

— Вот именно. Но мысленную галочку она уже сделала. — Мария постучала себя по виску. — И в следующий раз будет начеку. Чем больше Вэнс узнаёт, тем меньше у тебя шансов ускользнуть.

Архонт мерк на фоне новой, грозной противницы. Хилдред Вэнс — марионетка с мозгами, а значит, она на порядок опаснее Уивера, привыкшего плясать под чужую дудку.

— Надо срочно выяснить, сколько десантников она привлекла на подмогу, — опомнилась я. — Неужто против нас грозят выставить целую армию?

Светляк скептически фыркнул.

— Нет, СайенМОП не явится в самое сердце империи, — авторитетно заявила Мария. — В Лондоне никогда не вводили и не введут военное положение. В столице будут до последнего поддерживать видимость мира, иначе вся империя развалится изнутри.

Ник привлек меня к себе.

— Тогда зачем Вэнс вообще сюда нагрянула?

— Скорее всего, чтобы разделаться с Пейдж, — заметил Светляк. — Без нее Синдикат вернется на круги своя, угроза исчезнет.

Как ни печально осознавать, но он прав. Синдикат в любом случае уцелеет, однако впредь уже никогда не станет колыбелью революции.

— Нужна новая зацепка, — пробормотала я, потирая покрытые мурашками плечи. — Ник, переговори с Дани. Светляк, отправляйся на вокзал Паддингтон и выясни, насколько правдиво донесение. Вэнс еще даст о себе знать, поэтому все участники Потустороннего совета должны быть как следует вооружены. Том, наладь мосты с торговцами оружием, пусть поскребут по сусекам.

— А ты куда собралась? — нахмурилась Мария.

— Хочу убедиться, что Переросток изгнал «Печатей» из сектора. — Я застегнула куртку. — Пока Тирабелл окончательно не рассвирепела.

— Хилдред Вэнс охотится за тобой, девочка. Лучше не высовывайся.

— Если залягу на дно — считай, победа у нее в кармане. Можно прямо сейчас бежать в архонт и падать рефаитам в ноги. — Я принялась зашнуровывать ботинки. — Про склад никому ни слова. Вечером на Мукомольне соберем новый отряд.

В родной сектор я не наведывалась с самого поединка. Одна мысль о Севен-Дайлс причиняла почти физическую боль.

Командующие намеревались приставить ко мне охрану, но, натолкнувшись на мой категорический отказ, согласились, что хватит одной Элизы. Пока мы в ожидании рикши топтались под фонарем, спрятав руки в карманы, из конспиративной квартиры выскочил Ник.

— Поедем вместе.

— Мы ведь договорились: ты беседуешь с Дани. Вдруг ей удалось разведать что-нибудь про «Экстрасенс», даже если...

— Пожалуйста, Пейдж. — Его хриплый голос заметно дрогнул.

Мгновение спустя меня осенило. Достаточно было взглянуть на темные круги у него под глазами.

— Понимаю твои мотивы, — уже мягче заговорила я, — но Вэнс обложила нас со всех сторон. Нельзя расслабляться.

— Считаешь, меня отвлечет встреча с Зиком? — Ник покачал головой. — Получается, ты тоже расслабилась?

Нетрудно угадать, к чему он клонит. Да как у него язык повернулся, тем более в присутствии Элизы! На скулах у меня заиграли желваки. Ник спохватился, но было уже поздно: Муза навострила уши.

Круто развернувшись, я зашагала к перекрестку. Ник с воплем «Погоди!» ринулся следом.

— Пейдж, умоляю, прости! Я погорячился!

— Никто не должен узнать, — прошипела я. — Я доверилась тебе, единственному. Если ты меня подведешь...

— Не подведу. — Он судорожно стиснул мою ладонь. — Я уже потерял Зика и едва не потерял тебя. Чувствую себя таким... даже не знаю, как выразиться. Наверное, беспомощным. — Ник вздохнул. — Конечно, это не оправдывает мой поступок.

«Беспомощный» — другого слова и не подберешь. Нечто подобное я испытала в реке и на складе, когда поняла, что угодила прямиком в лапы Вэнс. Королева, очутившаяся во власти пешек.

В конце улицы возник рикша. Ник уныло ссутулился. Мы не ссорились прежде, не поссоримся и сейчас.

— Все нормально. — Я ласково похлопала друга по руке. — Если увижу Зика, обещаю быть паинькой и постараюсь убедить его присоединиться к нам.

Ник заключил меня в объятия.

— Не сомневаюсь. Вот, возьми. — Он сунул мне в карман согревающий пакет. — Пойду побеседую с Дани.

Устроившись на сиденье, я сжала пакет, но, казалось, холод проник мне в самое сердце. Пушистые хлопья снега ложились на ресницы и завитки у висков.

— Пейдж, о чем это вы там болтали с Ником? — нарушила молчание Элиза. — В каком смысле ты тоже расслабилась?

Как назло, ничего убедительного в голову не лезло. Не дождавшись ответа, Муза шутливо ткнула меня кулаком в бок:

— Не вздумай переспать за моей спиной с Переростком.

— Куда уж мне.

Элиза улыбнулась, но глаза ее оставались серьезными. Я темнила, и она это чувствовала.

Над Ковент-Гарденом раскинулось багряное небо. В преддверии послепраздничной распродажи ранние пташки топтались перед закрытыми лавками. Укутавшись в шарф, я настороженно высматривала военных, опасаясь, что порывы ветра донесут мой запах до Вэнс.

Мы переходили дорогу, как вдруг сработала сигнализация. Легионеры волокли из кислородного бара рыдающую гадалку со скованными наручниками руками. Стараясь не привлекать внимания, мы ускорили шаг и, не сговариваясь, двинулись в одном направлении. В конце концов, есть лишь единственное место, где мог обосноваться Переросток, если хотел, чтобы нового главаря мимов восприняли всерьез.

В Севен-Дайлс демонтировали красно-белые гирлянды, развешанные накануне в честь Ноябрьфеста. Мы по умолчанию миновали вход в логово и направились к колонне с солнечными часами.

Я прикоснулась к светлому камню, незыблемому столпу нашего безумного мира, центру первозданного Синдиката. Здесь Джекс объявил меня подельницей. Элиза тоже обошла колонну со всех сторон, точно не верила своим глазам. На соседнем здании виднелось поблекшее граффити:

ДОЛОЙ ПРЕДАТЕЛЕЙ!

Рабочие и покупатели из числа невидцев нервно косились на полустертую надпись. Деятельность Синдиката протекала вдали от посторонних глаз, но дольше тут оставаться опасно. Переведя дух, Элиза вытащила из кармана ключ с биркой «черный ход», выполненной каллиграфическим почерком Джексона.

Мы прошмыгнули в калитку, обогнули дерево с голыми обледенелыми ветвями и, очутившись в коридоре, принялись стряхивать налипший снег с подошв. На лестничной площадке первого этажа вокруг ауры Элизы запорхали радостные музы. Особенно усердствовал Питер, его фантом сияющей кометой рассекал эфир.

Счастливое воссоединение.

— Привет, Фил, — улыбнулась я, когда другой фантом исполнил над моей головой круг почета.

Питер угрюмо подтолкнул меня локтем и поспешил к своему обожаемому медиуму.

Прикованные мощным заклинанием к логову, музы не могли покинуть пределы дома. Если не отыскать и не стереть кровь, которой Джексон воспользовался для обряда, они обречены навеки томиться под кровлей логова I-4.

Поднявшись на второй этаж, я замерла перед дверью в свою прежнюю комнату. Наконец, собравшись с духом, толкнула створку. Все дорогие сердцу вещи, накопленные за три года в роли подельницы, исчезли: и прелестный резной сундучок со старинными безделушками и диковинками, купленный на черном рынке; и книжная полка, недавно еще ломившаяся от запрещенной литературы и грампластинок. Даже кровать испарилась без следа. Лишь разрисованный звездами потолок напоминал о бывшей обитательнице.

Лабиринт уловил присутствие чужой ауры. Я резко обернулась. На пороге, облаченный в расстегнутую до пояса блузу, стоял Переросток. При виде меня он убрал ладонь с рукояти ножа.

— Темная владычица. — Том отвесил мне глубокий поклон. — Мои извинения. Думал, в дом нагрянули посторонние.

— В принципе, недалеко от истины. Именно таковой я здесь себя и ощущаю.

— Понимаю. Неловкое чувство. — Он пошире распахнул дверь. — Прошу.

Переросток повел меня в соседнюю комнату, где прежде помещался кабинет Джексона. Здесь ничего не изменилось. Я примостилась на краешек шезлонга, Том устроился на кушетке, оставив кресло главаря мимов пустовать.

— Внизу, если не ошибаюсь, тоже гости?

Не успел он договорить, как в кабинет, окруженная музами, впорхнула Элиза.

— А, знаменитая Страдающая Муза. — Переросток галантно поцеловал ей руку. — Позвольте предложить вам выпить. В Гардене мне попался отменный бренди.

— Звучит многообещающе. — Элиза села рядом с Томом и лучезарно улыбнулась.

Он вопросительно глянул на меня, но я отрицательно покачала головой. С интересом рассматривая Элизу, Переросток потянулся за бутылкой.

— Итак, моя королева, чем могу быть полезен?

— Не просветишь, как продвигаются дела в секторе?

— С превеликим удовольствием.

— В частности, меня заботит, не проявлялся ли Белый Сборщик?

— Нет, не враг же он себе. Если у Джексона осталась хоть крупица здравого смысла, он сюда не сунется.

Я откашлялась.

— А двое «Печатей»?

При упоминании «Печатей» Том скривился и плеснул Элизе щедрую порцию бренди.

— К моему появлению они оба укрывались в здании. По твоей просьбе я предложил им кров, однако Надин отказалась, и Зику пришлось последовать за сестрой. К счастью, он убедил ее не устраивать склок. Она заявила, что отправляется на поиски Сборщика. — Переросток вручил Элизе бокал. — Уверен, именно Надин, по наущению тех, кто считает ее законной преемницей, взорвала склеп Юдифи. Этим они надеялись привлечь внимание Джексона, показать, что у него есть преданные сторонники в цитадели.

Вот почему мишенями выбрали нас с Дидьеном. Ключевые фигуры в Синдикате, мы служили живым воплощением фиаско, которое потерпел Джексон.

— Очевидно, их отчаянная попытка выманить Сборщика не увенчалась успехом. — Том кивнул на пустующее кресло. — Если верить моим каналам в Ковент-Гардене, кучка мятежников распалась. «Печати» изгнаны, бояться нечего.

Стало быть, можно не бояться сторонников Джексона и меньше опасаться Тирабелл.

— Спасибо, Том. Приятно видеть, что у тебя всё — и все — под контролем.

Мы с Элизой встали. Переросток снова поцеловал гостье руку, задержав ее дольше, чем позволяют приличия.

— Был счастлив познакомиться, — пропел он.

Элиза с победоносной улыбкой выплыла в коридор.

Одной заботой меньше. Теперь Тирабелл успокоится, хотя бы два ее приказа выполнены — союзники Белого Сборщика разгромлены, а «Печати» изгнаны. Однако особо радоваться нечему: если Зик и Надин отыскали Джексона, рефаиты наверняка прибрали их к рукам.

Я уже собралась уходить, но Том вдруг щелкнул пальцами и достал из кармана свиток.

— Чуть не забыл. Зик просил передать это Алому Взору. Лучше не читай. Здесь любовное послание, очень трогательное, но с намеком на расставание и разбитое сердце.

— Невежливо читать чужие письма.

Переросток лучезарно улыбнулся:

— Главарь мимов обязан следить за всем, что происходит в его секторе.

Я спрятала свиток во внутренний карман, не забыв застегнуть его. Может, Ник хоть немного утешится.

— Темная владычица, не сочти за дерзость, но... — (Натолкнувшись на пылкий взгляд, я вопросительно подняла брови.) — Всякий лидер Синдиката нуждается в верном подручном. — Ладонь Переростка легла мне на талию. — Если захочешь... э-э-э... частной аудиенции, ты всегда знаешь, где меня найти. — Он приблизился почти вплотную, я ощущала аромат пряного масла, различала каждую черточку его лица.

Но сердце мое даже не екнуло.

— Том, — мягко проговорила я, пятясь к двери, — мы ведь едва знакомы. Честное слово, я польщена, но...

— Ясно, — мрачно перебил он, — у тебя уже есть возлюбленный.

— Да. В смысле, нет. — (Черт бы его побрал!) — При любом раскладе я не могу принять твое предложение. Однако твоя преданность достойна восхищения. И кстати, спасибо.

На хмуром лице промелькнула улыбка.

— За что?

Я легонько поцеловала его в щеку.

— За то, что спас мою шкуру на «Арене розы».

— Приглашается Рыцарь Лебедь, повелительница мимов IV-4. Какое дело привело тебя к темной владычице?

Миновала половина аудиенции, а визитеров не убавлялось. Ясновидцы расступились, пропуская Рыцаря Лебедь. В поединке ей здорово досталось от Красной Шапочки, и теперь бедняжка шла, опираясь на трость. Повелительница просила денег на починку разрушенного здания в ее секторе.

Вспотевшая, я сидела между Светляком и Винн и проклинала себя за то, что поддалась на уговоры командующих. Устроить аудиенцию — их инициатива. Мне же хотелось рвануть на улицу: собирать информацию, выяснить наконец, правдиво ли донесение. А главное — переговорить с Даникой, самой надежной и единственной нашей ниточкой к «Экстрасенсу». Ядро нужно разыскать, чего бы это ни стоило.

Вперед выступила прорицательница с мольбой о продовольствии. Винн пообещала связаться с Жемчужной Королевой и уладить вопрос. Очередной проситель интересовался, нельзя ли перенести его ячейку в другое место, поскольку в их районе установили сканер и такое соседство изрядно действовало на нервы.

— Конечно, мне как сенсору ничего не грозит, — произнес он, заставив меня содрогнуться, — но мало радости ходить туда-сюда мимо этой штуковины. Мои товарищи тоже вне себя, а низшие касты вообще не могут и носа на улицу высунуть.

Я сказала, что подумаю о переводе ячейки в соседний квартал.

Аналогичные прошения посыпались со всех сторон.

Страшно представить, как обернется ситуация, если четвертая каста и впрямь попала под удар.

Последним в списке визитеров значился Грош, главарь мимов Пятого сектора Второй когорты. Подобно Рыцарю Лебеди и Переростку, он служил подельником у поставщика серого рынка, а после смерти своего покровителя на «Арене розы» по праву занял его место. Тело Гроша покрывали татуировки, брови были выкрашены в пронзительно-оранжевый цвет. До сих пор мы с ним еще не обменялись и парой слов.

— Темная владычица, накануне Светляк наведался в мою ячейку — набрать добровольцев для некоего предприятия, осуществлявшегося под твоим, смею заметить, руководством. Наш заклинатель вызвался поучаствовать, и до сегодняшнего дня о нем ни слуху ни духу. Я желаю знать, где он.

Светляк покосился на меня.

— Боюсь, твой заклинатель не вернется. Мне очень жаль, Грош. Его убили десантники.

По залу пробежал ропот. Десантники. Военный термин, прежде неслыханный в цитадели.

Грош скрестил костлявые руки на груди:

— Как это случилось?

Видя, что я колеблюсь с ответом, он разразился негодующей речью:

— Ты критиковала Гектора, а сама, получается, ничуть не лучше него! Довольно уже тайн! Выкладывай, что произошло!

Впервые меня посмели упрекнуть публично. Однако справедливое требование подействовало на меня, как красная тряпка на быка.

— Я не обязана разглашать свои планы, Грош. Мы боремся против империи, вооруженной империи. В случае утечки...

— Сначала ты отпускаешь на волю Якобит, — перебил Грош, вызвав одобрительное шушуканье, — а теперь подставляешь нас под удар, именно сейчас, когда мы особенно уязвимы из-за сканеров. Откуда, спрашивается, в Лондоне взяться десантникам, если только они пришли не по твою душу?

— Ничего не перепутал, дружок? — вмешалась Винн. — По какому праву ты взялся судить темную владычицу? Она не обвиняемая и не обязана оправдываться. Сенному Гектору вы и слова поперек не смели сказать, но стоило Пейдж взойти на престол, только и слышно: нытье да претензии. Держи свое непочтительное мнение при себе.

Группка ясновидцев согласно загудела, однако большинство с интересом наблюдало, как примитивщик нападает на темную владычицу, явно разделяя его возмущение.

— При Гекторе я старался изменить ситуацию к лучшему. По крайней мере, в своем секторе, — парировал Грош.

Винн громко фыркнула.

— Сборщик не подверг бы нас такому риску! — выкрикнул кто-то из угла. — А ты его предала! Где гарантия, что не предашь и других?

В подвале Мукомольни воцарилось напряженное молчание, лишь единожды нарушенное чьим-то сдавленным вздохом.

Выждав пару минут, я решительно поднялась с кресла.

— Синдикат ясновидцев зиждется на режиме монархии. Корона передается не от родителей детям, а от одного темного владыки другому. Наша власть строится не на кровном родстве, а на крови, которую мы проливаем среди праха «Арены розы». Именно ею мы и ручаемся за свое правление. Я кровью поклялась служить верой и правдой своему народу — и торжественно обещаю биться до последней ее капли за каждого из вас. — Повисла пауза. — Аудиенция окончена.

С пылающими ушами я покинула подвал. Трудно упрекнуть Гроша в предвзятости, учитывая, кто сломал ему нос в поединке.

Все командование, за исключением Минти, занятой на Граб-стрит, собралось в пункте наблюдения. Вид союзников не предвещал ничего хорошего. Я тихонько прикрыла за Минти дверь и села, стараясь побороть нарастающий страх.

— Пейдж, донесение подтвердилось. — Слова Марии убили теплящиеся во мне крупицы уверенности.

— Откуда известно?

Рифмач тяжело вздохнул.

— Утром замели моего знакомого заклинателя. Аура у него желтее лимона.

Меня словно бы ударили под дых. Разум отказывался верить в услышанное, но против фактов не попрешь. Четыре самые многолюдные касты раскрыты, и представители их впредь уже не смогут вольготно передвигаться по улицам. Осталась лишь горстка тех, кому не грозит разоблачение.

А все потому, что я полезла на склад, не проверив толком информацию.

— Вэнс использовала мою ауру, чтобы усовершенствовать «Экстрасенс», — шепотом проговорила я. — Надо срочно исправлять положение.

Присутствующие молчали.

Ну и ситуация! Скажу Синдикату правду — и все шишки посыплются на меня. Совру — они все равно узнают, и тогда мне точно несдобровать. Главное, люди должны разделять мою уверенность в том, что без революции Синдикат обречен. Вера особенно необходима теперь, когда над четырьмя кастами из семи нависла страшная угроза.

— Нужно поставить в известность Потусторонний совет. Предупредить его членов. — Я помешкала. — Объясню им, как все случилось. Не хочу начинать свое правление со лжи.

— Не советую, владычица, — проворчал Том.

— Люди должны доверять мне. Если я их обману...

— Не обманешь, а просто утаишь информацию, ради общего блага, — поправил Рифмач.

— Утро вечера мудренее. Подумай хорошенько, — наставительно произнес Светляк. — Все равно из-за комендантского часа Совет немедленно не собрать. Подождем до рассвета.

С этим не поспоришь. Созывать членов Потустороннего совета прямо сейчас означает подвергнуть их еще большей опасности.

— Ладно, встречаемся в пять утра в церкви Святого Дунстана-на-Востоке. Лучше поторопиться, пока Уивер не сделал спозаранку официального заявления. Я сама оглашу новость о том, что четвертая каста в опасности, и вынесу на голосование альтернативу: либо залечь на дно, либо продолжать деятельность на свой страх и риск. А потом, вне зависимости от исхода, попробую убедить Рантанов дать добро.

— Какой прок в голосовании? Те, кто попал под удар, должны прятаться, — возразила Жемчужная Королева. Мария скрипнула зубами. — Какие еще могут быть варианты? «Экстрасенс» с каждым днем все глубже проникает в нашу структуру. Лично мне совершенно не улыбается вздрагивать всякий раз при виде почтового ящика или банкомата. Нельзя жертвовать здравым смыслом во имя гордости.

— Это решать Касте мимов. Сообща, — спокойно парировала я, мысленно содрогаясь от страха. — Увидимся завтра в пять утра, и ни секундой позже.

Попрощавшись, командующие разбрелись кто куда; Мария напоследок похлопала меня по плечу. С непроницаемым видом я спустилась на первый этаж и в дверях столкнулась с Ником. Сведенные от напряжения мышцы спружинили, меня буквально отбросило в сторону.

— Пейдж?

— Прости, не заметила тебя. Тут такое дело... — Увидев выражение его лица, я резко осеклась. — Что случилось?

— Даника исчезла.

Я не верила своим ушам:

— Исчезла?

— А вместе с ней ее одежда, оборудование. И никаких следов борьбы.

— Выводы делать рано. Ее могли вычислить...

— Вряд ли. Легионеры как пить дать устроили бы засаду, чтобы взять остальных.

Если Данику не похитили, значит она ушла добровольно. По злой иронии первым дезертиром стала Даника, отважная Даника Панич, никогда не боявшаяся трудностей.

Определенно, она не переметнулась к Джексону.

— Элиза общалась с Дани, но ничего не заподозрила. Думаю, это история со складом ее доконала.

В груди у меня помертвело.

— Последняя ниточка к «Экстрасенсу» оборвана. — Мое отчаяние постепенно передалось Нику. — Возможно, настало время обратиться к легионерам. Страж прав, устранить сканер в их интересах. Нельзя прекращать поиски. Уничтожить ядро — наш единственный шанс.

— Только действовать надо предельно осторожно.

— Можешь не напоминать. — Я плотнее запахнула пальто. — Донесение подтвердилось.

— Да, Том говорил. — Ник коснулся моего плеча. — Собираешься рассказать им всю правду?

— Пока еще не определилась. — Я бросила взгляд по сторонам и понизила голос. — Новости озвучу завтра на Совете. Хотела сегодня, но...

— Не спеши, Пейдж. Тщательно продумай свою речь. И выспись хорошенько. Неважно выглядишь, — ласково добавил Ник.

— Со мной все отлично, — отмахнулась я.

— Пейдж, ты не робот. Отдохни пару часиков, поразмысли обо всем на досуге.

Я подавила желание возразить. Вообще-то, Ник абсолютно прав. Тело ломило после купания в ледяной воде. За последние несколько дней мне так и не удалось толком вымыться и поесть. Необработанные в спешке раны саднили.

А еще мне предстояла важная встреча.

Неоконченное дело, которое необходимо уладить. И не только ради собственного спокойствия.

— Ладно, до завтра. — Я порылась в карманах жакета. — Зик просил Переростка передать тебе вот это. Сама я не читала. Они с Надин покинули Севен-Дайлс. Сочувствую.

Ник бережно взял свиток и спрятал его в нагрудный карман, поближе к сердцу.

— Спасибо, sötnos. — Прищурившись, Ник вглядывался в метель. — Будем надеяться, они не нарвутся на сканер и обретут теплый приют.

«Или побегут к Джексону», — чуть не вырвалось у меня. Но я прикусила язык: на беднягу и без того больно было смотреть.

— Так или иначе, завтра они обо всем узнают.

Ник вздохнул.

— Я обещал Винн освежить ее медицинские навыки. А ты отдыхай. Это врачебное предписание.

Он растворился в тени Мукомольни. Я подняла капюшон и зашагала сквозь пургу.

6

ПЕСОЧНЫЕ ЧАСЫ

Продрогшая, буквально окоченевшая от холода, до укрытия в Ламбете я добралась только к девяти вечера. Сняла пальто, ботинки и сосредоточилась на золотой пуповине.

Тишина.

Надо перехватить Стража до того, как он отправится в загробный мир. Кто знает, когда нам снова доведется свидеться. Чтобы отвлечься, я зажгла конфорку и соорудила из скудных запасов более или менее сносный обед, а потом нагрела воду для ванны и лежала в ней, пока кожа на пальцах не сморщилась.

Вдруг Даника решила преподнести Джексу наши секреты на блюдечке? А может, она и вовсе изначально работала на два фронта и специально заманила нас в ловушку? Когда тебя предают самые близкие люди, невольно начинаешь сомневаться во всем.

Не исключено, что у нее просто сдали нервы. Кто в здравом уме захочет иметь дело с Вэнс? Дани была ребенком, когда их страну захватил Сайен, отсюда ее панический страх перед армией.

Я почистила зубы и нанесла на раны целебный бальзам. Ник не соврал, выглядела я и впрямь неважно. Лицо пепельно-серое. Впрочем, врачебные рекомендации не подвели: обильная еда и горячая ванна придали мне заряд бодрости, какой я не испытывала уже давно. Правда, для полного исцеления пары часиков сна не хватит.

Мой фантом вновь устремился к золотой пуповине. Тщетно. Страж не придет.

Я устроилась на кушетке в гостиной и блаженно вытянула ноги под одеялом. Посплю здесь, подниматься по лестнице выше моих сил. Однако, несмотря на усталость, меня одолевало чувство, возникающее всякий раз при мысли о Джексоне или при виде легионера. «Бей или беги» — вот как я бы это назвала.

Стук входной двери заставил меня подскочить. Шаги в коридоре сопровождались знакомым лабиринтом. Страж пересек гостиную и опустился в кресло.

Первое время мы избегали встречаться глазами. Я первой нарушила гнетущее молчание:

— А Тирабелл не возражает против твоего визита?

— Я не спрашивал ее дозволения. — Снег таял у него на волосах. — Зачем ты хотела меня видеть, Пейдж?

Даже сейчас мое имя из его уст ласкало слух. Арктур произносил его по-особенному, подчеркивая мою исключительность, словно на свете нет и не может быть другой Пейдж.

— Донесение подтвердилось. Сканеры научились распознавать четвертую касту. Большинству наших рекрутов грозит разоблачение. — Я сглотнула. — Завтра объявлю об этом Потустороннему совету.

Страж отреагировал не сразу.

— Пока «Экстрасенс» не сделали портативным и не увеличили его эффективность до максимума, у Касты мимов есть шанс. Сосредоточься на вербовке и боевой подготовке новобранцев. Попробуй переманить на свою сторону легионеров. Затем мы выступим против Якоря. Под твоим руководством движение обречено на успех.

— Ты и правда в это веришь?

— Всегда верил.

На столике тускло мерцала наполовину опорожненная бутылка вина — очевидно, Ник постарался. Самое время выпить.

Доводы Стража внушали доверие. Хотя Вэнс нанесла Синдикату сокрушительный удар, у нас еще есть фора. Сканеры, ограничивающие нашу свободу, наводнят цитадель не раньше чем через месяц.

— Надеюсь, до Синдиката не дойдет, кто способствовал усовершенствованию «Экстрасенса», — пробормотала я.

— Выходит, ты решила не говорить всей правды?

— А смысл? Это лишь вызовет дополнительные разногласия.

Страж промолчал. Я встала, взяла из шкафчика бокал и снова вернулась на кушетку.

— Арктур, пока ты здесь, я должна объясниться.

— Ты ничего мне не должна.

— Ошибаешься.

Я протянула ему наполненный бокал. Глаза Стража потемнели и приобрели почти человеческое выражение.

Признание давалось нелегко. После пары безуспешных попыток я облизала губы, потупилась и вновь подняла взгляд.

— В нашу последнюю встречу Джексон назвал тебя... приманкой. Якобы в колонии ты выбрал меня по наущению Тирабелл, а не по собственной воле. И я усомнилась, решила, что все обман, а случившееся в «Гилдхолле»... — Мои щеки залила краска стыда. — Ты устроил это специально, чтобы привязать меня к себе, а сам вел свою игру.

— Приманка, — эхом повторил Страж.

— Джексон говорит, Тирабелл велела тебе соблазнить меня из корыстных побуждений.

В его глазах вспыхнул злой огонек.

— И ты поверила.

— Я подумала... сочла твои поступки хитрой уловкой. Якобы ты нарочно убедил меня в своих чувствах, внушал, как дорожишь мною, в расчете, что я пойду за тобой в огонь и в воду.

От моих откровений воздух словно бы наэлектризовался. Страж рассеянно поигрывал бокалом.

— И что, коварный план удался? Ты и впрямь в меня влюбилась? — внезапно спросил он.

В натопленной гостиной его волосы высохли и в отблесках пламени приобрели невиданный доселе каштановый отлив.

— Сама не пойму.

Мы пристально всматривались друг в друга.

— Ты наверняка сочтешь меня параноиком, но я три года жила под одной крышей с Джексоном и даже не подозревала, каков он на самом деле. Представляю, как Белый Сборщик веселился, слушая мои рассказы про рефаим. — Я поставила бутылку на место. — Даже не знаю теперь, кому верить. Не хочется снова оказаться в дураках.

— Ты ведь слышала, как другие рефаиты называют меня плотеотступником, и, скорее всего, не раз задавалась вопросом, что сподвигло меня встать на этот путь. Естественно, после разоблачения Джексона ты вправе усомниться в ближайшем окружении.

— Тогда ответь: почему?

— Хочешь знать, почему я выбрал тебя в колонии? Или почему поцеловал на Двухсотлетнем юбилее?

Я выдержала его взгляд.

— И то и другое.

— Ответ на первый вопрос тебе не понравится.

Рефаитам несвойственно демонстрировать свои чувства. Страж четко обозначил, какие эмоции испытывает по отношению ко мне, но вот информацией решил поделиться впервые.

— Двадцать лет назад на слушаниях очутился юноша с рыжими волосами и черными глазами, полными презрения. Пока другие отводили взгляд, он с вызовом смотрел на собеседника.

— Джексон, — пробормотала я.

— Он стал подопечным Наширы. Первым и последним.

— Нашира была его куратором? — Почему-то я совершенно не удивилась.

— Да. — Страж ненадолго замолчал. — Двадцать лет спустя ты посмотрела на меня тем же взглядом, как на равного.

В памяти до малейших подробностей всплыл тот вечер.

— С годами я заподозрил, что любимчик Наширы и был предателем, и это подорвало мою веру в людей. Но ты так походила на него — отважная, смелая, исполненная бунтарского духа. Нельзя было допустить, чтобы ты попала не в те руки. Тирабелл и впрямь заинтересовалась странницей, но вовсе не приказывала взять тебя под опеку. Напротив. Она отговаривала меня связываться с тобой и уж тем более подпускать так близко. — Его пальцы забарабанили по подлокотнику кресла. — Исключительно по собственному разумению я забрал тебя в «Магдален» и скрывал твои успехи от Наширы. Заметив алую ауру, она попыталась бы присвоить твой дар.

— Выходит, ты оберегал меня.

— Да, но отнюдь не из чистого альтруизма. Освой Нашира искусство призрачных странствий, ее власть сделалась бы безграничной — и тогда нам бы уже вряд ли удалось возродить Рантанов.

Упоминание Наширы коробило слух.

– Значит, ты выбрал меня из-за сходства с Джексоном?

Страж не ответил. Я постаралась ничем не выдать, как больно меня ранили его слова.

– Вы были очень близки? – сменил он тему.

Я на секунду задумалась.

– Не особо, если сравнивать с другими подельницами. Зачастую они становятся любовницами главарей мимов, но Джексона никогда не интересовал секс. Меня он воспринимал как протеже, некий проект, созданный по своему образу и подобию.

Страж слушал, не перебивая – наверное, кое-что человеческое ему все-таки было не чуждо, – однако ни на мгновение не отводил от меня взгляда.

– Пейдж, а Джексон знал о твоих чувствах к Нику?

– Вероятно, догадывался, хотя я не изливала ему душу. А что?

– Судя по выступлению в архонте, Джексон неплохо осведомлен о твоем характере, о прошлом и специально бьет по больному месту. Ему известно, что ты не прощаешь обмана, а твоя первая любовь не встретила взаимности. Он знает, как ты боишься обжечься, потому и выставил меня обманщиком, которому нужен только твой дар, а вовсе не ты сама.

Арктур читал меня, будто открытую книгу, мне же с трудом удавалось заглянуть под обложку.

– Джексон – само воплощение вероломности и коварства. Уверен, Нашира рада его возвращению. – Страж помрачнел. – Увы, не в моих силах опровергнуть его слова. Единственный способ – отвернуться от Тирабелл, однако мое отчуждение внесет разлад в ряды Рантанов. Думаю, на это и был расчет. Завоевать твое доверие ценой союзничества. – Он устремил взгляд на огонь. – Одна маленькая ложь, уязвившая твое самолюбие, и ты готова разрушить все то, что мы возвели за долгих девять месяцев.

Допустим, Страж не врет. Получается, Джексон все предусмотрел, затеяв психологическую войну на поражение, но победить можно, если не плясать под его дудку. Надо отбросить сомнения в искренности Арктура.

— Я не раскаиваюсь, что отверг твою просьбу в присутствии Рантанов. Сожалею лишь о боли, которую причинил своим поступком. Если потребуется, я снова предпочту тебя, ради сохранения Касты мимов. Скрывать мое отношение к тебе, лишить тебя своей прилюдной поддержки — вот цена перемен. Цена, заплатить которую должен каждый. — Он откинулся на спинку кресла. — Предательство Джексона осквернило шрамами мое тело, но я не позволю ему осквернить наш союз.

Похоже, моя судьба — марионеткой кочевать от кукловода к кукловоду и вечно барахтаться в паутине лжи.

Однако внутренний голос подсказывал довериться Стражу. Голос шел не от разума, а из другого таинственного источника, какому трудно подобрать название.

— Надо было открыться тебе раньше, — произнесла я чуть погодя. — Зря я так долго мучилась... зато, в конечном итоге, все-таки сказала. Джексон, конечно, хитер, но впредь ни одна ложь не подорвет мое доверие.

Страж поднял голову.

— Значит, мир?

— Мир.

После недель душевных терзаний наступила долгожданная развязка.

В груди возникло приятное покалывание. Арктур отставил бокал и посмотрел на меня пристальным, пронизывающим взглядом. Всего лишь шаг отделял нас друг от друга.

Я машинально покосилась на дверь. Едва переступив порог, Страж повернул в замке ключ, накинул цепочку — словом, принял все обычные меры предосторожности.

Под треск поленьев он заключил меня в объятия. Загипнотизированная его бездонными зрачками, я млела от прикосновения сильных рук. Арктур знал каждую черточку моего лица, но всякий раз проводил по нему пальцами, словно разгадывал замысловатый ребус.

— Лучше не начинай, — пробормотала я, кладя голову ему на грудь. — Давай оставим все как есть.

Он даже не думал возразить или утешить меня.

Не пытался с помощью белой лжи сгладить неловкость. Действительно, так будет лучше для всех.

— Представь, чем мы рискуем. Если Рантаны узнают, Каста мимов обречена. Все наши усилия пойдут прахом... — Он терпеливо ждал, однако мой язык словно прилип к нёбу.

— Ради твоего общества не грех и рискнуть. — Горячее дыхание рефаита обжигало затылок. — Но выбор за тобой.

Я отстранилась и в последний раз посмотрела на него. Хватит уже вопросов, довольно домыслов. Джексон отъявленный лгун, змея, затаившаяся в траве. Страж оправдал мое доверие. Пора выбросить из головы сомнения — по крайней мере, на время.

Я первой потянулась к его губам. Сделала свой выбор.

Мы слились в поцелуе. Потом его ладони скользнули мне под блузку. Чуть отстранившись, Арктур принялся расстегивать пуговицы. По животу и груди пробежал холодок.

Страж буквально пожирал меня взглядом. Я не шелохнулась, силясь проникнуть в его мысли. Наконец он поднял голову и, встретив мой кивок, погладил тыльной стороной ладони ключицы, плечи, подбородок.

Убаюканная вожделенной аурой, я обняла его за шею. Другая рука исследовала затянувшийся шрам у меня на боку.

В условиях войны перемирие не может длиться вечно. Пока Арктур мой, надо пользоваться моментом и насладиться по максимуму.

Западня на складе напомнила, что я смертная. Мне надоело сторониться Стража. Надоело изнемогать от страсти. Надоело врать самой себе. На ласки я ответила глубоким поцелуем, чего никогда не случалось прежде. Словно почувствовав мое вожделение, он привлек меня к себе. Внизу живота разлилась сладкая боль. Губы у меня дрожали, кровь стучала в висках, когда Арктур, робея перед моей наготой, наклонился поцеловать тонкую кожу на рубце. Сгорая от желания, я скрестила ноги у него на талии.

Его губы заскользили вниз, задержались на моем животе, отчего по телу разлилась истома — однако дальше он не пошел. Еще не время. Прибережем удовольствие до следующей ночи. Голова Стража опустилась мне на грудь, я перебирала его густые волосы.

Наивные фантазии? Не знаю, но мне очень хотелось верить ему.

— Страж?

— Да?

— Ты так и не сказал, почему поцеловал меня на Двухсотлетнем юбилее. Не ответил на второй вопрос.

Он не шелохнулся.

— Верно, не ответил.

Я не стала допытываться. Главное, он здесь, со мной, а остальное не важно.

Следующий поцелуй получился нежнее. Устроившись поудобнее, я прижалась спиной к его груди; мы молча лежали, глядя друг на друга.

Комната превратилась в песочные часы, еще не начавшие отсчитывать время. Мое дыхание и пульс замедлились в такт. Глаза понемногу слипались. Страж стиснул меня в объятиях и прислонился щекой к моей щеке. От прикосновения его губ к порезу на скуле моя кожа покрылась мурашками. Наши пальцы переплелись.

— Есть лишь одно доказательство моей преданности, нечто, что выдает меня с головой. Ты единственная способна его увидеть, — гортанно пробормотал Арктур.

Разомлевшая, полусонная, я никак не могла взять в толк, о чем речь.

— Что увидеть?

Вместо ответа Страж придвинулся ближе. Упираясь макушкой ему в подбородок, я отчаянно боролась со сном. Счастье так скоротечно, жаль упускать драгоценные минуты. В умиротворении, предшествовавшем забытью, мне чудилось, будто этот миг, как и Страж, неподвластен времени. Чудилось, будто рассвет никогда не наступит.

«Граждане цитадели, говорит...»

Я с трудом разлепила веки. Огонь в камине давно погас, гостиная выстудилась. Интересно, что меня разбудило ни свет ни заря?

Страж обнимал меня за талию, ладонь покоилась на спине. Тело отяжелело от сна. Я тесно прижалась к его груди, там, где теплее, и повыше натянула одеяло.

«...Является подрывом внутренней безопасности...»

Я моментально села и напряглась: все мышцы как натянутая струна. Никакого лязганья замка или шагов в вестибюле. Никаких чужих лабиринтов поблизости.

Секунду спустя меня осенило — бесстрастный голос звучал из датапэда Ника, завалившегося за подушку. Плохо соображая спросонья, я нащупала источник шума. Рядом заворочался Страж.

«Не прельщайтесь переменами, ибо любая перемена по своей природе есть акт разрушения, — вещал Уивер. — В соответствии с законодательством Сайена группировка Пейдж Махоуни, именуемая „Кастой мимов", официально объявлена террористической организацией. На ее счету кровь невинных граждан Сайена и покушение на инквизитора».

Я слушала, затаив дыхание.

«Однако не все потеряно. Благодаря передовым технологиям радиоэстетического обнаружения мы обратили паранормальность Махоуни против нее самой, усовершенствовав с ее помощью сканеры „Экстрасенс". — Нет, только не это! — Отныне уже четыре касты из семи подлежат обнаружению».

— Вэнс, — прошептала я.

Конечно, это она. За ширмой инквизитора угадывался ее стиль. Ее пальцы дергали Уивера за ниточки.

Меня обвинили во всех грехах, не дав шанса оправдаться. Если Синдикат поверит, пощады не жди.

Надо было настоять на своем, собрать Потусторонний совет, невзирая на комендантский час...

«Для максимально эффективной работы „Экстрасенса", а также в целях повышения внутренней безопасности я вынужден ввести военное положение», — продолжал Уивер.

Страж приподнялся на локтях.

«Для охраны цитадели в столицу в качестве подкрепления прибыл особый отряд СайенМОПа, возглавляемый верховным командором Хилдред Вэнс, намеревающейся еще до конца года вернуть цитадели первозданный вид, превратить ее в оплот безопасности. Военное положение сохранится в Лондонской цитадели Сайена до тех пор, пока Пейдж Махоуни не будет заключена под стражу. Населению запрещается покидать свои дома вплоть до особого уведомления. И помните: Сайен был и остается самым безопасным местом на свете!»

Трансляция закончилась, на экране завертелся якорь. Военное положение, как мы и опасались. А Уивер воплотил мой кошмар в реальность.

Последние остатки тепла выветрились, точно сигаретный дым из легких. Я схватила с пола блузку и бросилась из натопленной комнаты на воздух, к отрезвляющему холоду. Мороз с порога пронзил тело, как истошный вопль пронзает барабанные перепонки. Судорожно комкая блузку, я привалилась к дверному косяку. Ветер хлестал по ногам, бил в лицо.

Нечто страшное назревало внутри лабиринта. Накатили звуки, каких я не слышала с шести лет. Оружейные залпы, крики. Дробный стук копыт. Предсмертные стоны брата.

Страж ждал у входа в гостиную. Я перевела дух.

— Необходимо срочно созвать командующих. Введение военного положения убьет Синдикат. — Я жадно втягивала холодный воздух в надежде остудить страх. Мороз проникал в каждую клеточку тела, все внутренности сковало льдом. — Свяжись с Рантанами. И сразу разыщи меня.

Стараясь не встречаться с Арктуром взглядом, я вихрем промчалась в гостиную и занялась поисками телефона. Выудив мобильный из-под кушетки, на которой еще оставались вмятины от наших тел, я наспех застегнула пальто и сунула ноги в ботинки, а Страж тем временем готовился к сеансу.

Вплоть до моего ухода мы не обменялись ни единым словом.

В случае ЧП мы всегда собирались на электростанции «Баттерси» — от нелегальной квартиры рукой подать, можно быстро дойти пешком. Забыв об осторожности, я мчалась мимо патрулей, пробиралась через наметенные за ночь сугробы и вскоре уже подныривала под забор, который окружал полуразвалившееся, давно покинутое здание угольной электростанции. Над четырьмя блеклыми трубами мерцали звезды.

На снегу отпечаталась цепочка следов. Под кровлей меня с траурным выражением лиц ждали Светляк, Элиза и Жемчужная Королева. Чуть поодаль склонилась над приборной панелью Мария. Ее огненная шевелюра пламенела на фоне мраморной кожи, в руках была зажата бутылка.

Воспоминания вороньем слетались в лабиринт. Туманные образы душили, порождали ощущение безысходности.

Помещение заполнялось народом. Появились Ник с Рифмачом. За ними — перепачканная чернилами Минти Вулфсон.

— Где, черт возьми, Винн? — рявкнула Мария.

— Скоро будет, — успокоила я ее.

Пришла Винн и встала отдельно от остальных. Впервые с момента нашего знакомства я увидела ее с оружием. Из-под полы пальто торчала кожаная кобура.

— Все ячейки получили приказ не высовываться? — спросила я. Командующие дружно кивнули. — Чтобы обезопасить ясновидцев, действовать надо быстро. СайенМОП грозит уничтожить Касту мимов. С помощью «Экстрасенса» нас вычислят за считаные дни, эта дрянь пострашнее легионеров, от нее просто так не спрячешься.

— Шанс уцелеть есть, если подсуетимся или заляжем на дно. — Мария снова отпила из бутылки. — Первая инквизиторская дивизия годами базировалась на острове Уайт. Мы знаем эти улицы, а они нет. — Дрожащей рукой она вытерла губы. — Может, еще и обойдется. — Однако в голосе ее не было уверенности.

— Не получится, — тихо возразила я. — Нам больше не удастся прятаться у всех на виду. «Экстрасенс» окончательно загонит нас по домам. Пора уже... прибегнуть к крайним мерам.

Воцарилось молчание, пронизанное почти физической болью, отчаянием, недоверием. Никогда еще в истории Синдиката ясновидцев не принуждали покинуть родные кварталы, сектора, улицы. Мое предложение — точнее, приказ — означало эвакуацию.

Эфир вдруг завибрировал, мое шестое чувство затмило прочие. Ник коснулся моего плеча, вынудив меня отпрянуть:

— Пейдж?

— Оставайтесь здесь, — велела я и бегом рванула из аппаратной.

У наружной стены высились полусгнившие леса, забытые застройщиками, тщетно пытавшимися в свое время отреставрировать ветхое здание. Я принялась взбираться по хлипкой конструкции, игнорируя просьбы соратников подождать. С юга стройным шагом надвигалось упорядоченное полчище фантомов.

Ник карабкался за мной по вертикальному лабиринту. Поднявшись на крышу, я бросилась к ближайшей трубе и уцепилась за лестничную перекладину.

— Эй, ты куда? — крикнул Ник, спрыгивая с лесов.

— Хочу посмотреть. — Я опробовала лестницу, выдержит или нет. Вроде крепкая. — Что-то приближается.

— Пейдж, но там очень высоко — метров сто!

— Знаю. Одолжишь бинокль?

Поджав губы, Ник нехотя снял ремешок. С биноклем на шее я продолжила подъем, двигаясь на автомате вдоль бетонной трубы со следами облупившейся краски. Взобравшись на достаточную для обзора высоту, я обернулась к морю голубых фонарных огней. Внизу простирался ночной Лондон: переливались иллюминацией небоскребы Первой когорты, неподалеку от станции виднелись два моста через Темзу: железнодорожный и автомобильный, где даже в ночные часы не ослабевал транспортный поток. Покрепче ухватившись за перекладину, я свободной рукой поднесла к глазам бинокль.

С главной магистрали на мост вползала вереница черных бронированных машин, при виде которых у меня перехватило дыхание: танки. По бокам транспортные средства сопровождали пехотинцы. Казалось, этой зловещей колонне нет ни конца, ни края; тысячи боевых единиц надвигались на столицу.

Сердце ушло в пятки, я машинально вжалась в лестницу, заслышав треск вертолета с эмблемой «СайенМОПа» на борту.

А затем опрометью бросилась вниз. Глядя на мою перекошенную физиономию, Ник все понял без слов. Мы молча спустились по лесам. Остальные ждали нас у подножия лестницы.

— Они здесь, — выпалила я. Минти испуганно прижала ладонь ко рту. — Целая армия. Нужно срочно эвакуировать первые четыре касты: распределите их по нелегальным квартирам, проверьте заброшенные станции...

— Джексону известно обо всех этих убежищах не хуже нашего. — Элиза зябко поежилась. — Если и прятаться, то там, где он нас не найдет.

— Шевелите мозгами! — рявкнула Мария. — Какие еще варианты?

— Всегда есть Подполье, — раздался голос Винн.

Она стояла у окна, сунув руки в карманы. Мы как по команде уставились на нее.

— Подземные реки. Глубокие туннели. Ливневые коллекторы, канализация, — перечисляла она. — Затерянные участки Лондона.

— Ты совсем рехнулась? — набросилась на нее Мария. Винн вопросительно выгнула бровь. — Сунуться в Подполье, на территорию водосточников и каналий? Они не якшаются с Синдикатом, а свое королевство дерьма берегут как зеницу ока. Сколько раз мы уже пытались освоить те места, однако всякий раз нарывались на вооруженный отпор.

— Сущие разбойники, — поддакнула Жемчужная Королева.

— А если попробовать силой? — вклинился Рифмач.

— Любая схватка закончится кровопролитием. Убивать одно сообщество ради защиты другого просто неприемлемо, — отрезала я, хотя умом понимала: Подполье спасет нас и от сканеров, и от Вэнс.

Минти вскинула дрожащую руку:

— Боюсь, силу применить не удастся. Подполье официально принадлежит водосточникам и канальям. Право на территорию закреплено за ними еще с одна тысяча девятьсот семьдесят восьмого года, о чем имеется соответствующая запись в Своде законов Синдиката. И, как верно подметила Мария, они крайне ревностно охраняют свои владения.

— Наверняка их можно как-то убедить! — воскликнула я. — Подземная инфраструктура — наш единственный шанс передвигаться по цитадели без риска наскочить на сканеры. Если Каста мимов скроется там, где до нас не доберутся солдаты Вэнс...

Винн многозначительно кашлянула:

— Если не возражаете, я закончу. Так случилось, что мне известно, как беспрепятственно проникнуть в Подполье, причем с разрешения каналий.

Все взгляды устремились на нее. Мария даже притворилась смущенной.

— Лет пять тому назад водосточники обратились к нам, примитивным прорицателям, с просьбой. Им кровь из носу понадобился доступ к затерянной реке Некингер: якобы там спрятано какое-то сокровище, а попасть к руслу можно лишь через Джейкобс-Айленд. Мы любезно пустили их на свою территорию и даже позволили унести клад. В благодарность подземный правитель пообещал выполнить просьбу каждого примитивщика, и я до сих пор еще не воспользовалась его предложением.

Неужели спасение?

— Хочешь сказать, ты проведешь нас в Подполье? — осторожно уточнил Ник.

Винн поочередно осмотрела командующих, а под конец надолго задержала взгляд на мне.

— Пейдж Махоуни, слушай и запоминай, — отчеканила она. — Приговори ты Иви к смерти, упади хоть один волос с ее головы, я бы оставила вас гнить, причем сделала бы это с превеликим удовольствием.

Повисло гробовое молчание. Мало-помалу ко мне вернулся дар речи.

— Передайте послание Синдикату. Мы отправляемся в Подполье.

7

ЭПОХАЛЬНЫЙ СПУСК

1 декабря 2059 года

Потусторонний совет получил срочное уведомление: «Приготовиться к немедленной эвакуации. Соблюдать инструкции. Никакой дискриминации — эвакуируются все, начиная от главарей мимов, заканчивая балаганщиками и попрошайками. С собой брать только самое необходимое, плюс запас еды как минимум на неделю».

А тем временем верховная вещательница Скарлет Берниш успокаивала нацию с экрана. Несмотря на запрет покидать жилища, люди слонялись по улицам, забрасывали вооруженных до зубов легионеров вопросами, но те уклонялись от ответов. Берниш была на всех экранах: овальное лицо с мраморной кожей и совершенными чертами в обрамлении светлых, с рыжеватым отливом волос — эта женщина, прежде не скупившаяся на новости и объявления, теперь уговаривала жителей оставаться дома вплоть до соответствующего распоряжения. Однако мало кто слушал ее. Коренные лондонцы еще не познали на своей шкуре жестокость СайенМОПа. Привыкшие существовать под тонким панцирем фальшивой свободы, они не догадывались, что любой, даже мирный протест расценивается солдатами как государственная измена.

Пока мои командующие координировали эвакуацию, Винн привела нас с Ником к мосту Блэкфрайерс. От основной дороги вниз тянулась вереница ступенек.

— Куда мы идем? — поинтересовался Ник, спускаясь за провожатой.

— К устью реки Флит.

— Что это еще за Флит такая?

Винн прищелкнула языком.

— Давно забытая река, скрытая в недрах Лондона. Сайен не додумается искать там беглых преступников. По крайней мере, в ближайшее время. — Она покосилась на низкий парапет, где волны бились об лед. — Отлив. Как по заказу, — констатировала Винн и, подобрав подол, ухватилась за пожарную лестницу. — Пейдж, стойте здесь. Когда свистну, спускайтесь.

— Совсем ополоумела? Интересно, куда?

Винн сгребла меня за шиворот и буквально перевесила через парапет:

— Присмотрись хорошенько.

Ник зажег фонарик, однако глаза не сразу различили под мостом туннель.

У меня перехватило дыхание.

— Винн, нельзя запирать ясновидцев в реке. Долго они там не протянут.

— Это лишь часть инфраструктуры каналий. Через Флит и коллекторы они перемещаются по цитадели: если хотим спрятаться от Вэнс, придется воспользоваться их маршрутом. — Винн стала спускаться, бросив напоследок: — Ждите.

В считаные минуты она миновала усыпанный галькой берег и скрылась в туннеле.

Тьма. Вот чем ознаменовалось мое правление. Синдикат обречен коротать дни, недели, а возможно и месяцы, в зловещих, неизведанных катакомбах. С внедрением первого сканера, еще в бытность подельницей Джексона, я предчувствовала подобный исход, но даже не предполагала, что все случится так быстро.

— Должно сработать, — пробормотал Ник. — Если водосточники и канальи тут выжили, то мы и подавно сумеем.

Ветер хлестал меня по лицу.

— Так или иначе, других вариантов все равно нет.

За рекой высился потухший экран. Вэнс старалась соблюдать инкогнито и редко появлялась перед камерами. Многие в Сайене понятия не имели, как она выглядит. Вэнс серым кардиналом пряталась за спины Уивера и Берниш — особенно Берниш с ее мелодичным голосом и ласковой улыбкой.

Вероятно, это такая тактика, способ запугать население. Если верховный командор останется безликой фигурой, известной лишь по зверствам солдат, то в скором времени сумеет снискать славу сверхчеловека.

Свист раздался на удивление быстро. Мы спустились на берег и, осторожно шагая по хрупкому льду, двинулись под мост.

Под сводами царила кромешная тьма. Мраморные волны плескались у ног.

В туннеле ощущались два лабиринта. Первый принадлежал Винн, а второй — невидцу. Луч фонаря высветил кирпичную кладку, герметичные железные створки в глубине помещения. Страшно представить, какая огромная часть Лондона прозябает в катакомбах истории, вдали от людских глаз.

Свет фонаря отражался в зрачках Винн. Рядом с ней стоял бородатый невидец с запекшейся коркой грязи на лице. На нем были клеенчатый плащ, шлем, перчатки и высокие, до бедер сапоги, крепившиеся металлическими зажимами к поясу. В руках он держал палку, служившую по совместительству шестом и копьем.

— Мы находимся в водосливном канале Флита, — объявила Винн. — Пейдж, познакомься со Стиксом, избранным правителем каналий. Стикс, это Пейдж Махоуни, темная владычица Сайенской цитадели Лондон.

Мы изучающе уставились друг на друга. Стикс едва ли походил на короля; впрочем, худенькая девятнадцатилетняя девушка тоже не тянула на особу голубых кровей.

— Значит, ты хочешь эвакуировать Синдикат в Подполье, — гортанно произнес Стикс. — Не вижу оснований удовлетворить твою просьбу. Если бы не Винн, наша встреча в принципе не состоялась бы.

Я покосилась на провожатую. В ответ она картинно подняла брови.

— Цитадель наводнили солдаты. Если откажешь, кровь моих ясновидцев вот-вот обагрит улицы.

— Невелика потеря, — скривился Стикс. — После смерти первого темного владыки Синдикат превратился в гнойный нарыв на теле Лондона. Говоря начистоту, вы сами спровоцировали введение военного положения.

Ник хотел было возразить, но я наступила ему на ногу.

— За оказанное нам благодеяние я обещал Винн исполнить любую ее просьбу, однако я не могу допустить, чтобы пострадали мои люди, — продолжал Стикс. — Синдикат и в лучшие дни не питал к нам теплых чувств. А ведь подводные обитатели живут здесь с незапамятных времен. Водосточники прочесывали Темзу еще при королеве Виктории. Канальи обосновались под землей раньше, чем возникло слово «паранормал». Ваша преступная прослойка появилась относительно недавно, однако вы успели причинить нам немало бед.

— Наши злодеяния не заслуживают снисхождения, — покаянно заметила я. — Могу лишь заверить, что при мне ничего подобного не повторится. Мы будем очень признательны за помощь, поскольку совершенно не ориентируемся в Подполье.

— Верно, не ориентируетесь. А без проводника тут недолго и сгинуть. — Стикс облокотился на копье. — Впрочем, ты внушаешь доверие, твоими стараниями вызволили примитивных прорицателей. Наших друзей. Каких только отверженных не встретишь в Подполье... однако риск очень велик.

— Мы не станем злоупотреблять твоим гостеприимством. Ясновидцам нужно временное пристанище, пока я не разберусь с СайенМОПом.

— Уже есть план? — В тоне Стикса чудился вполне обоснованный скепсис.

— Да.

Я не кривила душой. Разрозненные ходы обозначились, осталось лишь свести их воедино.

— Стикс, — начала я, придвигаясь к оборванцу вплотную, — мне некогда спорить или торговаться. С каждой минутой СайенМОП подбирается все ближе. — Спокойствие давалось нелегко, в какой-то момент голос дрогнул от напряжения. — Ясновидцев необходимо переправить в безопасное место — не завтра, а сегодня, прямо сейчас. Прошу тебя как отверженный отверженного: позволь спрятать моих людей, уберечь их от того, что творится на поверхности. На каждого негодяя среди них найдется с десяток порядочных. Если проблема в деньгах...

— Деньги мне ни к чему. Нам хватает щедрот матушки-Темзы.

— Тогда скажи, чего ты хочешь взамен.

— Жизнь.

Я нахмурилась. Ввалившиеся глаза смотрели на меня в упор.

— В одна тысяча девятьсот семьдесят седьмом году группировка Синдиката убила водосточника. Его убили жестоко, предварительно подвергнув чудовищным пыткам. Мы требуем жизнь за жизнь.

— Предлагаешь казнить моего человека за преступление, совершенное почти сто лет назад? — Вопреки всем стараниям, голос предательски дрогнул. — Надеюсь, это шутка?

Впервые за всю беседу Стикс улыбнулся, обнажив гнилые зубы:

— Зрелище, конечно, заманчивое, но я не садист, в отличие от большинства ваших лидеров. Нет, просто один участник Синдиката навсегда останется в Подполье.

— Зачем?

— Это уже мое дело.

Чем бы ни руководствовался Стикс, согласиться — значит обречь кого-то прозябать в беспросветной тьме, среди грязных туннелей. Но придется пожертвовать одним ради спасения многих.

— Договорились, — прошептала я. — Ты получишь человека, но за это спрячешь всех ясновидцев в Подполье, пока ситуация не уляжется.

Король каналий достал из кармана длинный нож и вытянул руку. Помедлив, я протянула свою. Лезвие рассекло кожу, и Стикс опустил обе наших руки в мутную воду. Порез немилосердно саднил. Под давлением заскорузлой ладони в реку хлынула кровь.

— Река скрепила наш уговор, — объявил правитель каналий. — Спустя многие годы наши группировки воссоединились. Если нарушишь слово, если твои люди навредят моим, я вышвырну вас обратно, без оглядки на Якорь.

— Справедливо.

— Вот и славно. — Мы поднялись, и Стикс выпустил мою ладонь. — В Подполье ведет множество дверей, неведомых и недоступных Сайену. Следуйте нашим указаниям — и будете в безопасности.

— Говори, что делать.

Мария и Элиза ждали на рынке Спиталфилдс. В торговых рядах было не протолкнуться: сотни невидцев закупались провизией, пока СайенМОП не загнал их по домам. Элиза волокла неподъемный рюкзак, Мария раздавала непромокаемую одежду ясновидцам из своего сектора.

— Владыка каналий дал добро, — сообщила я. — Можно выдвигаться.

— Отлично. — Мария бросила мне дождевик. — Пора делать ноги. Куда идти?

— В I-4, — доложила Винн.

Рикши из числа наиболее отчаянных по-прежнему предлагали свои услуги, правда, по заоблачным ценам. Мы всем составом загрузились в две повозки. Система оповещения повторяла послание Уивера, а в перерывах жителям под завывания сирены в срочном порядке приказывали очистить дорогу для военной техники. Народ валом валил в немногочисленные еще открытые магазины, автоматические двери не справлялись с наплывом покупателей. Улицы запрудили белые сайеновские такси — люди спешили по домам, — однако наш водитель ухитрялся находить лазейки в транспортном потоке.

Шестым чувством я улавливала лабиринты марширующих солдат. Их приближение действовало на нервы. Вряд ли они устроят пальбу в центре столицы, однако расслабляться не стоит.

Рикша высадил нас у Холборнского виадука, путепровода, пересекавшего основную магистраль, откуда нам предстояло спуститься в Подполье. Подгоняемые сиренами пешеходы лавировали среди плотных рядов машин. Винн собрала нас под мостом и сняла с пояса диковинный ключ.

— В Подполье проникнем через канализационный люк на тротуаре. Главное, не попасться на глаза. Элиза поможет мне поднять крышку. Ник, Пейдж, спускаетесь по моему сигналу.

— Нет, — возразила я. — Сначала Джо с Иви.

Помешкав, она кивнула:

— Как скажешь.

Мой взгляд шарил по сторонам в поисках камер наблюдения и сканеров. Вроде все чисто. Винн с Элизой метнулись через дорогу и, присев возле люка, скрылись из виду. Чуть погодя Винн выпрямилась и махнула рукой, Мария подтолкнула первую партию вперед.

Джо путался в громоздком дождевике и варежках. Иви нахлобучила на него капюшон, и Джо, состроив нарочито непринужденную гримасу, засеменил вслед за спутницей. Сайен гонялся за ними не меньше, чем за мной. Едва беглецы скрылись в шахте, Винн спустилась сама.

Шестое чувство тревожно завибрировало. Не успела голова Винн исчезнуть в люке, как автомобили вдруг начали разворачиваться на сто восемьдесят градусов, заползая колесами на тротуар. Те, кому не хватило места для маневра, прижались к обочине, словно готовились пропустить «скорую помощь» или пожарных. И без лабиринтов нетрудно угадать: вражеские силы совсем близко.

— Давай шевелись! — гаркнул Ник.

Я помчалась в гущу трафика — и только чудом не угодила под колеса такси. Скрипнули шины: водитель врезался в грузовик. Возмущенно гудели клаксоны. Наши сапоги громыхали по мостовой. Впереди замаячил открытый люк, в проеме виднелась лестница. Я хотела сперва пропустить Ника, однако ноги сами несли меня в шахту. Пальцы нащупали лестницу, подошвы скользнули по воздуху, но быстро обнаружили опору. Перебирая руками, я миновала лестницу и вскоре очутилась на твердой земле.

Элиза не отставала ни на шаг, отдуваясь под тяжестью ноши. Следом, кряхтя, спускался Ник.

— Мария, поторопись! — позвала я.

Ее силуэт вырисовывался в круге света, ноги уже стояли на верхней перекладине.

— Добрев, живей! — Она сгребла ясновидца за шиворот и чуть ли не силком затащила в шахту.

Зазвучала болгарская речь: в ответ Добрев выдавил что-то невнятное. Мария решительно захлопнула крышку люка.

Шестеро ясновидцев остались на поверхности, без ключа. В кромешной тьме отчетливо слышались их шаги, ощущались пропитанные тревогой лабиринты.

— Стойте, подождите нас! — Голос наверху звенел от страха.

— Темная владычица! Мария! Заклинаю, вернитесь! — завопил кто-то.

— Чего застыли? Топайте! — рявкнула Мария.

Я уцепилась за перекладину.

— Какого хрена ты творишь?

— Они слишком близко.

От люка до колонны и впрямь было рукой подать.

Меня прошиб холодный пот. Как поступить: отдать ясновидцев на растерзание солдатам или поднять крышку, рискуя упустить единственный шанс спастись?

— Придется бросить остальных.

Мои слова эхом прокатились по гулкому туннелю. Сверху раздались удаляющиеся шаги. Опоздавшие спешили скрыться.

В следующий миг над головой загромыхали колеса и гусеницы бронетехники. Мы словно очутились в желудке хтонического монстра. Привалившись к сырой стене, я снова перенеслась в тот страшный день, когда ребенком пыталась укрыться от солдат под статуей Молли Мэллоун. Скоплению машин почти не уступали в скорости отдельные лабиринты. Пехотинцы. Кто-то из них замешкался возле люка. Мария застыла изваянием. С моих губ норовил сорваться приказ «Бежим!», однако малейший всплеск, неудачное падение грозили выдать наше убежище. Спустя без малого минуту солдат снова примкнул к шествию.

Мы долго стояли, не шелохнувшись. Ник зажег фонарь, озарив страдальческие лица моих спутников. Джо чуть не плакал, Иви со странным выражением косилась на меня, Элиза прижала ладонь ко рту. Когда грохот затих, болгарский ясновидец соскочил с лестницы. Мария прыжком преодолела оставшееся расстояние и щелкнула фонариком. Оба луча высветили тесный проход, сложенный из кирпича. В нос ударил сладковатый запах гниения с примесью чудовищного зловония.

— Добро пожаловать в Подполье, — ухмыльнулась Мария. — Дом, милый дом.

Казалось, пиромантка нисколько не скорбит о несчастных ясновидцах.

— Почему вы их бросили? — срывающимся голосом спросил Джо. — Они же успевали.

Его смятение ножом резануло по сердцу. Мария всучила фонарь Добреву и порылась в кармане дождевика.

— Прости, Джо. Им не хватило расторопности, — пробормотала я. — Они бы вывели солдат на наш след.

— Нерасторопность — не повод предавать друзей.

— Извини, малыш, у нас не было выбора, — парировала Мария. — Поступи мы иначе, все, кто находится здесь, погибли бы, включая и темную владычицу. — Дрожащими руками она сунула сигарету в зубы. — Наши друзья знают: будь у меня хоть малейший шанс, я бы поступила по-другому.

Сомневаться не приходилось. Мария одна из немногих в Потустороннем совете из кожи вон лезла ради своих подопечных.

По щекам Джо струились слезы. Мария потянулась к зажигалке, но Винн проворно ухватила ее за запястье.

— Потерпи! Канализационный газ!

— Прелестно. — Пиромантка спрятала сигарету. — Мои ребята воспользуются другим путем.

Если скоординируются со сторонней ячейкой, то вполне вероятно. Джо воспрянул духом.

— А вот и река. — Мария направила фонарь на зеленоватую воду. — Дерьма не видно. Пока.

— Связной Стикса ждет нас в коллекторе, — сообщила Винн. — За мной.

Прихватив скудные пожитки, мы устремились в непроглядный мрак. Река Флит, эта таинственная сестра Темзы, петляла среди стен. Винн периодически отмечала мелом маршрут.

Каждый шаг знаменовал начало конца. Нашира, как и обещала, нанесла ответный удар.

Тревожная мысль, зревшая несколько дней, сейчас вдруг выплыла на поверхность.

— «Экстрасенс» не разрабатывали автономно, — рассуждала я вслух. — Он с самого начала предназначался для СайенМОПа. В армию набирают сплошь невидцев, без специальных технологий им нас не вычислить. Массовое внедрение сканеров планировалось аккурат к прибытию солдат.

— «Экстрасенс» устанавливает, СайенМОП устраняет. — Ник держался за стену, чтобы не упасть. — Страж не ошибся, скоро надобность в легионерах отпадет.

— Отпадет, когда появятся портативные сканеры. Думаю, ждать уже недолго. — Мария осветила сгусток слизи, куда вляпался Ник. Тот сморщился и отдернул руку. — Если наши домыслы подтвердятся... в таком случае зрячие легионеры и впрямь обречены. Криги не сотрудничают с паранормалами.

Военное шествие наверху продолжалось. Какой процент ясновидцев сумеет укрыться в Подполье? Сколько их погибнет, выполняя мой приказ?

А самое страшное, жертвы могут оказаться напрасными. Обнаружь Сайен один-единственный маршрут, и нас всех выкурят, точно крыс.

К слову, крыс тут обитали полчища. Луч фонаря то и дело натыкался на копошащиеся серые тельца.

Мы двигались вверх по течению, преодолевая незначительное сопротивление воды. Глубина была небольшой, однако из-за веса поклажи наши темпы оставляли желать лучшего. Джексон лопнул бы от смеха. Картина маслом: темная владычица со свитой торжественно переселяется в канализацию.

Вслед за Винн мы спустились по лестнице в относительно сухой коллектор.

— Отсюда связной проводит нас в кризисный центр, — сообщила она, устраиваясь на возвышении так, что в воде остались только сапоги. — Раньше Сайен строил их пачками на случай войны или вторжения, но со временем возникли усовершенствованные конструкции, а про старые вроде как забыли.

Хотелось бы верить.

Иви пригладила коротко стриженные волосы.

— Интересно, там сухо?

Винн отжала подол.

— Теоретически, да.

Ник сидел, упершись лбом в скрещенные ладони. Нетрудно было угадать, о ком он думает.

Порывшись в рюкзаке, Элиза раздала каждому по пачке печенья. Перекусив, мы запили его водой из фляги. Джо совсем пал духом и, привалившись к Иви, заснул. Хиромантка ласково обняла мальчика. Не боясь испачкаться, Добрев вырубился прямо на грязном полу. Местами туннель покрывали запекшиеся клочки, похожие на туалетную бумагу, поэтому я пристроила голову на колени, тоже не отличавшиеся чистотой, и попробовала привести мысли в порядок. Казалось, минула целая вечность с тех пор, как мы с Арктуром нежились на кушетке в пламени камина.

Время под землей течет по-другому. Мои часы остались в логове, но, судя по ощущениям, рассвет давно миновал. Один из фонарей погас.

— Напоминает Трущобы, согласись?

Иви облокотилась на кирпичную стену. Остальные спали, складировав фонари на рюкзак Элизы.

— Не нам судить, мы обе редко туда захаживали. Правда, успели познакомиться в общих чертах. — Хиромантка уставилась в потолок. — Ты для меня загадка, Пейдж. Хладнокровно бросаешь шестерых человек, но всякий раз щадишь Джексона. Ты не убила его ни в поединке, ни в архонте.

— Хладнокровно? Как бы не так! — огрызнулась я. — То была вынужденная мера. Я сделала это, чтобы защитить вас. Всех тех, кому посчастливилось уцелеть.

Иви глубоко вдохнула, отчего впадины над ключицами обозначились сильнее:

— Само собой.

Теперь, когда адреналин выветрился, сделанный Стиксом порез дико болел. Опасаясь, что кто-нибудь проснется и пристанет ко мне с разговорами, я прикинулась спящей, но мысли одна страшнее другой упорно лезли в голову. СайенМОП. Сделка со Стиксом. Тирабелл и ее возможная реакция на случившееся. «Экстрасенс».

Особняком в череде кошмаров стояла Хилдред Вэнс: пугающе бесстрастное лицо; взгляд, пронизывающий тебя насквозь. Меньше чем за сутки она превратила Пейдж Махоуни из темной владыки в помойную крысу.

Сеть вокруг меня смыкалась.

Я шумно выдохнула. Нельзя поддаваться эмоциям. Во многом это не моя вина.

Во многом, но не во всем. А натворила я немало.

Добрев заворочался во сне и спихнул в воду второй фонарь. Густая тьма наполняла помещение, проникала под кожу.

Наверное, прошло несколько часов, прежде чем появилась связная. Тощая невидица с фонариком на шлеме. Короткие рыжие волосы обрамляли лицо, обезображенное сизым родимым пятном.

— Тебя прислал Стикс? — спросила Винн.

Оборванка кивнула и сделала знак следовать за ней.

Начался долгий путь. По приказу Стикса каналья вела нас в кризисный центр, расположенный в шести с половиной километрах от пресловутого люка. Отдельным ясновидцам повезло, в пункт назначения они добирались подземкой. Нос быстро привык к вони. Однако липкая тьма угнетала, давила на грудь. На первых порах Джо стойко сносил тяготы похода, но вскоре выбился из сил и перебрался на спину Нику. Периодически из труб вырывался зловонный поток. Мы брели по колено в воде и боялись даже подумать, что случится, поднимись грязь выше. Кругом плавал мусор — страшно представить какой. Каналья за всю дорогу не проронила ни слова и безмятежно шагала вперед, время от времени останавливаясь послушать гудение в трубах или выловить что-то из мутной реки.

Винн, закаленная Джейкобс-Айлендом, тоже не испытывала ни малейшего дискомфорта.

Мы миновали канализационный колодец, по ливневке добрались до магистрали и, промокшие до нитки, вскарабкались по лестнице. Мария согнулась пополам в приступе рвоты.

Провожатая застыла в полуметре от нас.

— Куда теперь? — спросил Ник, потирая грязную щеку.

— Дальше по течению прохода нет, — сообщила Винн.

Мария вытерла рукавом рот.

— Хочешь сказать, поворачиваем назад?

— Нет. — Примитивщица кивнула на едва различимый проем в стене. — Пройдем здесь. Лаз выведет нас прямо к центру.

Винн взяла у канальи фонарь и поднесла его к стене. При виде тесного лаза у меня перехватило дыхание. Даже Джо поместится туда с трудом, не говоря уже про остальных. Нам предстояло на ощупь ползти в кромешной тьме, пока в конце туннеля не забрезжит свет.

Винн протиснулась за канальей в проем и вручила мне фонарь:

— Держи.

Ник стоял как пришибленный, не в силах пошевелиться.

— Расслабься, — успокоила я его. — Дамы вперед.

8

КОНТРИГРА

Казалось, минула целая вечность, прежде чем мы добрались до последнего отрезка трубы. В туннеле было темно и тесно, как в могиле. Элиза едва сдерживала рвотные позывы, пока мы ползли по локоть в грязи, ведомые синеватым отблеском фонаря. Тело ломило, невыносимая вонь била в нос, легким не хватало кислорода. Даже не верилось, что нам когда-нибудь доведется увидеть солнечный свет. Наконец каналья отодвинула решетку, и мы вдевятером свалились в яму, наполненную затхлой водой. Шатаясь от напряжения, я вскарабкалась на винтовую лестницу и втащила за собой мертвенно-бледного Джо. Парнишка едва стоял на ногах.

На верхнем пролете нас встретил другой каналья с сигнальным фонарем в руках и, без лишних слов, повел вдоль серых, безликих стен. Впереди возникла дверь с табличкой «Ванная». Провожатый толкнул створку.

— Добро пожаловать в цивилизацию, — объявила я.

— Да уж. — Мария сняла с волос обрывок салфетки. — После купания в экскрементах любая дыра покажется оплотом цивилизации.

Еще одна ванная находилась прямо за углом. На первый взгляд, все работало.

— Невероятно, — вырвалось у меня. — Такой комфорт прямо под носом, а мы и не знали.

— Не вы одни.

Каналья кивнул на диаграмму, озаглавленную «Подземный кризисный центр. Когорта II, Сайенская цитадель Лондон». Два цилиндрических туннеля, разделенные на верхний и нижний отсек, тянулись параллельно друг другу и через равные интервалы соединялись боковыми проходами. В ответвлениях, помимо ванных комнат, располагались медпункт, столовые, кладовые и прочее.

— Что-нибудь функционирует? — поинтересовалась я.

— Душевые, но злоупотреблять не советую. Вода скапливается внизу, а откачивать нечем — насосы не пашут. В принципе, тут все на ходу, только электричества нет.

— Нам сказали, что часть ясновидцев уже здесь, — вмешалась Винн.

— Ага, занимают койки.

— Койки?

— Именно.

Каналья тактично удалился. После потери половины группы на спуске и бесконечного блуждания в темноте новость про добравшихся сюда ясновидцев была как бальзам на душу.

Я опустила Джо на пол и сняла насквозь провонявший дождевик. Передать бы весточку Альсафи, вдруг ему удастся включить генератор.

— Надо устроить штаб для командующих, — заметила я.

— И подобрать укромное место для тебя, Пейдж, — мягко добавил Ник.

Хорошее настроение как ветром сдуло. Совсем не обязательно напоминать, что отныне Синдикат жаждет моей крови.

— На выходе есть наблюдательный пункт, — сообщила Винн. — Там ты будешь в безопасности. А теперь прошу меня извинить, хочу проверить, кто еще здесь.

Грязная с головы до ног, она подобрала подол и двинулась вверх по лестнице. Помешкав, Иви отправилась следом. Джо верным псом семенил за ней по пятам.

— Ну ладно, — обратилась я к остальным. — Обстановку изучим после. Сперва мыться.

Замызганные шторы делили ванную на восемь душевых кабин, на крючках тосковали удручающе замызганные полотенца. Закаленная походом по канализации, я поборола брезгливость и разделась. Каналья не соврал: водопровод работал исправно. Обнаружив столетний брусок мыла, я до скрипа оттерла кожу, вычистила грязь из-под ногтей и намыливала волосы до тех пор, пока стекавшая вода вновь не стала прозрачной. Вытершись уголком полотенца, я надела сменный комплект из рюкзака рачительной Элизы.

В заляпанном зеркале на двери отразилась моя бледная физиономия с темными кругами. В отсутствие косметики придется предстать перед подданными в натуральном виде. Я досадливо отвернулась.

Нельзя томиться безвестностью, пора наконец встретиться с Синдикатом.

Мы поднялись в верхний отсек. По туннелю эхом разносились голоса. Судя по количеству фонарей на полу, до убежища добрались по меньшей мере восемьдесят ясновидцев — куда больше, чем я рассчитывала.

Однако от открывшегося зрелища радость тут же померкла. Винн заслоняла распростертую без движения Иви, а Верн с разбитым в кровь ртом исступленно отбивался от сенсора.

— Прекратите! — надрывалась Рошин. — Не трогайте его!

Примитивщиков осаждали со всех сторон. Мой фантом стремительно ворвался в эфир и обрушился на нападавших. Сенсор отпустила Верна и схватилась за кровоточащий нос.

Ясновидцы с ненавистью уставились на меня. Наивно было предполагать, что весть об убежище смягчит их ярость.

Ник тронул меня за плечо:

— Пейдж, отправляйся в наблюдательный пункт.

Стряхнув его руку, я присела возле Иви. Хиромантка была в сознании и отчаянно цеплялась за Винн. Другая ладонь прижата к залитой кровью щеке. Я осторожно убрала ее руку и ахнула. На коже багровела вырезанная буква «П». Джо свернулся калачиком и дрожал как осиновый лист.

— Элиза, — шепнула я, чтобы не услышали в толпе, — отведи их в медпункт и закрой дверь на засов.

Я выпрямилась и с вызовом посмотрела на собравшихся. Под натиском кровожадных взглядов хотелось развернуться и убежать, но если уйду сейчас, если выдам свой страх, то навсегда утрачу авторитет.

— Кто это сделал?

Винн привлекла Иви к себе, обняла Рошин и, понукаемая Элизой, вывела подопечных в коридор.

— Повторяю вопрос: кто ранил Иви?

— Она предательница! — выкрикнул кто-то. — Грех об этом забывать! А заодно и ей неплохо напомнить!

— Пусть убирается отсюда, на потеху солдатам! — Сенсор презрительно покосилась на Верна и со злостью вытерла нос. — На чьей ты стороне, владычица? Сначала милуешь Якобит, хотя она торговала нашими товарищами на сером рынке, потом натравливаешь на Синдикат армию и — в качестве вишенки на торт — помогаешь усовершенствовать сканеры. Ты хуже Гектора, а это говорит о многом! — (Отовсюду слышались одобрительные возгласы.) — Отныне каждый арестованный сенсор на твоей совести, Пейдж Махоуни. Их кровь на твоих грязных ирландских лапах!

Оскорбления сыпались со всех сторон:

— Предательница!

— Продажная шкура!

— Если бы не ты, нас бы не вычислили! — негодовала какая-то заклинательница. — А самой хоть бы хны! Ты ведь странница, седьмая каста. Куда нам до тебя, верно?

— Приспешница Сайена!

— Защитница примитивщиков!

Только ленивый не примкнул к травле. Вчерашние подданные открыто наслаждались моим падением. Брошенная меткой рукой горсть щебня расцарапала мне щеку. Усилием воли я подавила желание обрушить на зачинщика свой фантом. Нельзя опускаться до их уровня. Надо проявить твердость. Ник пытался отогнать бунтовщиков, но те не слушали.

Брызгая слюной, они выкрикивали обвинения мне в лицо, однако я не двинулась с места. Тиран. Убийца. Провокаторша. Вонючая ирландка. Предательница... Предательница... Предательница... Их голоса слились в голос Джексона; многоликая ярость обратилась в его гнев. Будь я проклята, если отступлю хотя бы на сантиметр. Синдикат никогда не преклонялся перед тру́сами.

— Ник, отведи Джо вниз.

— И оставить тебя одну? Даже не надей...

— Выполняй. — Не дав ему возразить, я громко обратилась к толпе: — Мне недосуг выслушивать ваш бред. Единственные предатели здесь те, кто несут угрозу мирному существованию. А сейчас прошу меня извинить, нам нужно подготовить центр к прибытию Касты мимов. И спасибо за науку, теперь обязательно выделю помещение под изолятор. Любой, кто попытается учинить драку, угодит туда на месяц.

Расправив плечи, я двинулась в самую гущу людских тел и, заметив занесенный кулак, высвободила фантом.

Больше меня не отважились тронуть.

С фонариком в руках я шагала вдоль коек, мимо многочисленных спальных мест, миновала пустую санчасть и двери с табличками «Кухня», «Столовая», «Кладовка». Переступив порог наблюдательного пункта, захлопнула дверь и повернула в замке ключ. Скудную обстановку здесь составляли потухший экран, стол и откидная койка, даже стульев не было. Я блаженно вытянулась на кровати. После долгих блужданий по канализации все тело ломило.

Крики в туннеле понемногу стихли. Я непроизвольно сжала кулаки.

Впредь меня не застанут врасплох. Мы должны любой ценой поддерживать закон и порядок. Необходимо посоветоваться с командующими, выработать план действий... однако моя уверенность таяла на глазах. В мрачном замкнутом пространстве, где нет возможности выпустить пар, крохотная искра недовольства способна разжечь восстание.

Ясновидцы вправе презирать меня. Моими стараниями архонт обрушил свою мощь на их головы. Участники Синдиката покорно сносили многие тяготы, однако, в открытую выступив против Сайена, я лишила их смысла жизни — улиц.

Рана на щеке саднила. Надо срочно принимать решение. Пока мы в безопасности, но вечно прятаться не выход.

Единственный способ спасти Касту мимов — найти и уничтожить ядро. Без «Экстрасенса» солдаты вряд ли сумеют нас вычислить, и тогда мы сможем вернуться на поверхность.

Но где искать это самое ядро? Я плюхнула на пол рюкзак и принялась шарить в нем в поисках карты Лондона. Вдруг получится отследить закономерность в местах установки сканеров или глаз зацепится за какое-нибудь заброшенное здание — нужна ниточка, след...

Внезапно у меня перехватило дыхание. Среди вещей обнаружился адресованный мне конверт, надписанный рукой Даники.

Внутри лежала спешно нацарапанная записка.

Пейдж, как ты уже поняла, я покинула Касту мимов. Два дня назад мне одобрили заявку на перевод в Сайенскую цитадель Афины (направила ее сразу после поединка). Я не революционерка, не сорвиголова, не бунтарка, но Джексон держал меня на коротком поводке. Сбежать от тебя оказалось не в пример легче.

В благодарность хочу оставить тебе прощальный подарок. Это связано с «Экстрасенсом».

Значит, Даника давно замыслила побег, но меня она не предавала. Мой взгляд снова заскользил по строчкам.

За годы совместной работы ты наверняка заметила, что я терпеть не могу, когда меня дурят. Вэнс перехитрила тебя с моей помощью, чем нанесла мне прямое оскорбление. Те, кто погибли в ту ночь, отчасти на моей совести. Как видишь, я не полная эгоистка.

Кое-где буквы вышли смазанными. Даника волновалась. Признавать свои ошибки всегда нелегко.

До отъезда я тщательным образом исследовала все вдоль и поперек и сумела обнаружить кое-что любопыт-

ное. Не бойся, это не уловка, как в прошлый раз — я все хорошенько проверила.

Недавно речь зашла о портативных сканерах. Помнишь, я еще говорила, что они находятся на ранней стадии разработки? Как выяснилось, нет. Когда ты прочтешь это письмо, переносные сканеры уже запустят в массовое производство на заводе в Манчестере, которым руководит некая структура под названием «СайПЛО». Новая линейка устройств будет подключаться напрямую к ядру. Уверена, ты захочешь нанести визит в Манчестер — ведь, как говорится, на безрыбье и рак рыба.

На верхней губе выступили капельки пота. Переносные сканеры, уже! Как только армию снабдят портативными устройствами... Нет, немыслимо!

Дабы ты не блуждала на ощупь в незнакомой цитадели, вот тебе еще подсказка. По данным «СайПЛО», некий Джонатан Кассиди, сотрудник упомянутого завода, разыскивается за воровство. Не знаю, насколько это поможет, но попробуй начать с него. Вдруг он решит поделиться с тобой секретами производства.

Надеюсь, это послание хоть как-то загладит мою вину. Хотелось бы написать «прощай», но, к несчастью для нас обеих, мы наверняка еще обязательно встретимся.

Я скомкала письмо.

Портативные сканеры. Смертный приговор Синдикату.

Дверь распахнулась. Опасаясь расправы, я выхватила из-за голенища нож, но при виде вошедшего пальцы сами собой разжались.

— Арктур.

Золотая пуповина указала ему путь. Он опустился на койку, легонько взял меня за подбородок и повернул к себе лицом. Потом коснулся кровоточащей раны:

— Что случилось?

— Случилось неизбежное. — Я машинально потрогала порез. — Чертова дыра. Помяни мое слово, не пройдет и месяца, как они тут все переубивают друг дружку. И меня заодно прикончат.

— Ты правильно поступила, эвакуировав народ, — как всегда невозмутимо, произнес Страж. — Вот увидишь, в Подполье передвигаться удобнее, чем по улицам. Главное, наладить поставки продовольствия. Тебе есть чем гордиться. Не пощади ты Иви, Касте мимов не поздоровилось бы. Твоя доброта окупилась.

— Не все так радужно. — Я протянула ему записку. — На поверхность пока лучше не соваться.

С бесстрастным лицом Страж углубился в чтение.

— Солдат вот-вот оснастят портативными сканерами, если уже не оснастили. — Я забрала письмо и сунула в карман. — Это моя вина. Вернись мы после побега из колонии к прежней жизни, ничего бы этого не случилось. Все бы шло своим чередом...

В носу предательски защипало. Страж присел передо мной на корточки.

— Никогда не раскаивайся в том, что нарушила молчание, — произнес он глубоким гортанным голосом. — Промолчи ты в колонии — и мы оба застряли бы там на веки вечные. Даже не стань ты темной владычицей, сканеры все равно появились бы. Может, чуть позже, но их внедрение было лишь вопросом времени. У нас нет другого выбора, кроме как сражаться.

По моей щеке покатилась слеза. Я торопливо вытерла ее рукавом.

— И зачем я только потащилась на склад? Своими руками помогла им усовершенствовать сканеры.

— Что уж теперь говорить.

Я покаянно опустила голову.

— Ты все сделала верно, Пейдж. Здесь вам ничто не угрожает. Альсафи при первом удобном случае восстановит подачу электричества.

Я медленно подняла взгляд.

— Если соберем команду, Альсафи сумеет переправить ее в Манчестер? — (Страж не спешил с ответом.) — Там находится завод по производству сканеров. Ниточка к ядру. На сей раз информация достоверная.

Собеседник погрузился в раздумья.

— У меня нет возможности связаться с Альсафи напрямую, — проговорил он чуть погодя. — После моей просьбы включить питание Альсафи запретил поддерживать с ним контакт. Подозреваю, риск разоблачения стал слишком велик. Впрочем, Плиона наверняка знает его сообщников и сумеет организовать безопасный маршрут. Твоя задача — подобрать достойного заместителя на период отлучки.

— Лично я никуда не собираюсь. На разведку отправится моя команда. Главе Синдиката запрещено покидать Лондон.

— Да, таковы стандарты. Но ты ведь нестандартная правительница.

— Как ты не понимаешь, Арктур, мне нельзя отлучаться. Синдикат и без того в бешенстве, зачем усугублять ситуацию?

— Давай рассмотрим альтернативу. Каста мимов винит тебя во всех грехах, твое присутствие действует на подданных как красная тряпка на быка. Они будут игнорировать твои приказы, негодовать. — Затянутая в перчатку ладонь накрыла мою. — Ты уже нарушила правила, выступив против своего главаря мимов. Пора вновь пренебречь традициями, Пейдж.

Может, он и прав. Эпоха традиций закончилась.

— Ты ведь останешься помочь, правда?

— Нет.

Меня словно молнией ударило.

— Надеюсь, это шутка? — спросила я, видя, что Страж не торопится с объяснениями. — Ты действительно намерен нас бросить?

— Сейчас нам как никогда необходимо заручиться поддержкой рефаитов. Тирабелл не станет менять свои планы, а после нарушения тобою субординации вам лучше какое-то время не пересекаться. Боюсь, она не в духе.

И это еще мягко сказано. Тирабелл наверняка рвет и мечет.

— Ладно. — Я высвободила руки и поднялась. — Пойду переговорю с командующими.

— Я тоже не прочь с ними побеседовать. Если позволишь.

— Тебе не надо спрашивать моего позволения.

Страж устремил на меня долгий пристальный взгляд, как будто силился прочесть обуревавшие меня эмоции: смесь горечи, разочарования и страха перед будущим.

По параллельному туннелю мы добрались до противоположного конца центра, минуя оккупированные ясновидцами спальни. Мне совсем не улыбалось бегать от своих подданных, но лучше подождать, пока страсти улягутся.

Внезапно лампочки на потолке заморгали и вскоре загорелись ровным светом, помещение наполнил мерный гул.

Я выключила фонарь.

— Альсафи молодец. Оперативно сработал.

— Он понимает, насколько это важно.

— Сайен точно ничего не заметит?

— За последнюю сотню лет ни одна живая душа не вспомнила про кризисный центр. Альсафи постарается сохранить статус-кво.

Обстановка стала уютнее. Лампочки горели не в полную силу — очевидно, Альсафи побоялся злоупотреблять электричеством, — однако мощности хватило, чтобы прогреть выстуженный бетон и чугунные конструкции.

Моя команда обосновалась в нижнем отсеке. Примитивщики заметно приободрились и больше не прятались по углам: Винн с Верном заняли смежные койки; Рошин устроилась наверху, а Иви — внизу; через проход, укутавшись двумя одеялами, спал Джо. У ног опальной хиромантки валялся брошенный Марией рюкзак. При виде массивной фигуры Стража Иви забилась к стене.

— Постельное белье нашли? — поинтересовалась я.

— Да, но мало, — вздохнул Ник. — Ты как, пришла в себя?

— Вполне. А это чей? — кивнула я на мешок на полу.

— Мой, — хрипло донеслось с порога.

Я обернулась. Хриплый голос принадлежал Тому Рифмачу, они со Светляком, изрядно потрепанные, маячили в проеме. Том, по обыкновению, улыбался, хотя отнюдь не беззаботной улыбкой. Меня затопила волна облегчения. Под наплывом чувств я крепко обняла обоих мужчин.

— У меня послание от Минти. Она отказывается спускаться в Подполье, — угрюмо сообщил Светляк. — Предпочитает засесть на Граб-стрит и помогать нам оттуда.

Я хотела было возмутиться, но слова застряли в горле. Минти Вулфсон — душа Граб-стрит, там ей и самое место.

— А Жемчужная Королева?

— От нее ни слуху ни духу.

Итого: четверо из шестерых командующих, плюс Страж и оба подельника. Вполне достаточно, чтобы спланировать стратегию контригры. Мы расположились за столом в пустом примыкающем туннеле. Прежде чем присоединиться к нам, Арктур предусмотрительно запер дверь на засов.

— Пора подумать, каким будет наш следующий шаг, — начала я, — поскольку в ближайшее время ситуация изменится к худшему.

— Куда уж хуже, — фыркнула Мария.

Я протянула ей записку от Даники. Закончив чтение, пиромантка в отчаянии схватилась за голову.

— Портативные сканеры для солдат, — простонала она. — Вовремя мы слиняли.

Том впился взглядом в листок, на лице у него отразилось замешательство.

— Да, приятного мало, — продолжила я, пока присутствующие передавали друг другу записку и, изучая ее, мрачнели на глазах, — зато у нас появилась зацепка. — Я воинственно вздернула подбородок. — Поэтому Пейдж Махоуни отправляется в Манчестер, на завод по производству переносных сканеров. Таким образом нам удастся выяснить, как и где они стыкуются с «Экстрасенсом». А «Экстрасенс», в свою очередь, приведет нас к ядру. В любом случае попробовать стоит.

— Ты уезжаешь? — ахнула Элиза. — Сейчас?

— Беспрецедентный случай, — вторил Светляк. — Лидер Синдиката по умолчанию не должен покидать цитадель. Народ не одобрит...

— Я стала темной владычицей не ради одобрения. Том, Мария, вы со мной?

Рифмач просиял:

— К твоим услугам, королева.

— О чем речь! — с готовностью откликнулась Мария.

Рискованно забирать сразу двух командующих, однако я нутром чуяла: их таланты будут очень кстати. Том сильный ясновидец и хорошо ориентируется за пределами

Лондона, Мария же опытный боец и обладает неуемной энергией, а для такого предприятия энергия нам не помешает.

— Отлично, — кивнула я. — Светляк, в мое отсутствие возьмешь на себя полномочия темного владыки?

Повисла пауза. Он удивленно моргнул, но в итоге согласился:

— Почту за честь, королева.

Светляк — человек надежный, уважаемый, много лет руководил сектором и никогда не плясал под дудку Потустороннего совета.

— Твоя ключевая задача — обеспечивать безопасность. Переправь как можно больше ясновидцев в центр. Почините насосы и вентиляцию. Пошли представителей высших каст добывать провизию для тех, кто ниже рангом. Не допускай конфликтов. А главное, сохрани убежище в тайне.

Пока длились дебаты, Страж не проронил ни слова.

— Не хочешь высказаться? — шепнула я.

Он обвел командующих взглядом. И произнес:

— Каста мимов зародилась как союз двух наших фракций. Вы вложили немало труда для ее развития. Теперь наш черед внести лепту в общее дело.

— Да неужели?! — съехидничала Мария.

Страж искоса посмотрел на нее и продолжил:

— Усовершенствованный «Экстрасенс» представляет прямую угрозу для всех ясновидцев в стране. Настал благоприятный момент, чтобы переманить их на свою сторону. Сейчас самое время уведомить их об опасности и призвать в наши ряды.

— И как ты предлагаешь это сделать, учитывая сайенскую «свободу» слова? — с издевкой спросила Мария.

Том громко фыркнул.

Но Страж и бровью не повел.

— Мы передадим послание через эфир — так оно достигнет множества ушей — и попробуем убедить ясновидцев примкнуть к Касте мимов для борьбы с Сайеном. — В комнате повисло молчание. — Уверен, каждому из вас доводилось присутствовать на сеансах.

Утвердительные кивки. В роли подельницы Джексона я участвовала в паре-тройке сеансов, являвших собой коллективный вызов духов при участии как минимум трех ясновидцев.

— Грамотные сеансы усиливают ясновидческий дар. Проведем сеанс прямо здесь. Для начала я извлеку воспоминания добровольцев, уже имевших дело с СайенМОПом, — объяснял Страж. — Так мы нагляднее поймем, с чем именно столкнулись. Пейдж проникнет в мой лабиринт и испытает эти эмоции вместе со мной, а затем вселится в оракула.

Ник нахмурился:

— Допустим. И что дальше?

— В теории Пейдж должна передать воспоминания из моего лабиринта оракулу, а тот транслирует их в эфир. Уверен, она справится. Чем дольше продлится сеанс, тем дальше распространится информация. Поэтому необходимо привлечь как можно больше представителей Потустороннего совета. Желательно вообще всех.

Мария скрестила руки на груди:

— Звучит заманчиво. Почему мы раньше это не практиковали?

— Раньше с вами не было рефаитов, — просто ответил Страж. — Итак, чьими воспоминаниями воспользуемся?

Мария издала короткий смешок:

— Охотно поделюсь. Впечатлений у меня масса — кровь в жилах стынет.

Внимание собравшихся переключилось на Ника, который, сгорбившись, сидел на ящике с провизией.

— Все, что я пережил... сугубо личное. — Ник судорожно облизнул губы. — Не хотелось бы выносить такое на всеобщее обозрение.

— Как насчет моих воспоминаний? — предложила я. — Про захват Дублина?

Страж покачал головой:

— Ты была еще маленькая, воспоминания выйдут смутными.

Ник помассировал пальцами виски.

— Ладно, я согласен. Чем не пожертвуешь во благо родины. — Его нога непроизвольно дернулась. — Только учтите: транслировать эмоции не в моих силах. Исключительно образы.

— Думаю, образов хватит за глаза. Видения кошмарного прошлого, предвещающие кошмарное будущее.

Ник кивнул и уткнулся головой в ладони.

— Пожалуй, проекцию я возьму на себя, — мягко проговорил Том, похлопав Ника по спине. — Опыта у меня чуток побольше.

Снова кивок.

— Тогда решено, — заключил Страж. — Убедите Потусторонний совет провести сеанс, а я помогу его усилить.

Рифмач поморщился:

— Станет Совет держаться за руки. Ха-ха три раза.

— Станет, никуда не денется, — вклинилась я.

— Ох, не понравится им это, темная владычица. Совсем не понравится.

— Сейчас не время капризничать. Сайен не будет спрашивать, кому что нравится.

9

РАСПЛАТА

Лишь спустя шестнадцать часов нам удалось собрать нужное количество представителей Потустороннего совета, обитавших в разных уголках необъятной цитадели и затаившихся в хитросплетениях Подполья.

Пока канальи рыскали в их поисках, мы буквально с ног сбились, обустраивая новое жилище. Застелили кровати бельем. Отдельная бригада занималась починкой насосов и системы вентиляции. Принесенную еду сложили в столовой. Оружие изъяли и заперли до лучших времен.

У меня не было ни единой минутки, чтобы переговорить со Стражем. Таская ящики с бельем, мы периодически сталкивались в коридоре, но всякий раз я отводила глаза.

Мы довольно сносно отдраили санчасть, перенесли туда запас медикаментов и отдали Нику с Винн по ключу. Винн тут же призвала меня в «кабинет» и усадила на ящик. Ее волосы были по обыкновению заплетены в «колосок».

— Давай посмотрим твою ладонь, Пейдж. И заодно щеку. Не хватало еще, чтобы ты умерла от заражения крови.

Оставленный Стиксом порез давно уже не кровоточил, но, зная меня, Винн решила, что лучше наложить швы. Она достала флакончик спирта и принялась обрабатывать раны.

— Ты сама как, ничего? — с тревогой спросила я.

— Нам не привыкать к плохому обращению. — (Моя ладонь горела огнем.) — Стикс скоро потребует плату. Пейдж, не затягивай с выбором кандидатуры.

— А если я откажусь отдать ему человека?

— Он донесет Сайену. Канальи с клятвами не шутят. Река омыла ваш уговор, теперь ты обязана сдержать слово. Попробуешь юлить, и Стикс лично натравит на нас солдат.

— Ты не станешь возражать, если я пошлю к ним примитивного прорицателя?

— Только если он сам того захочет.

— А если не захочет? — Моя собеседница насторожилась.

— Тогда не знаю, зависит от обстоятельств.

Винн снова сосредоточилась на порезах. Убедившись, что грязи больше нет, она выудила из кардигана иглу и протерла ее спиртом.

— Винн, ясновидцы по-прежнему мечтают разделаться с Иви. Оставлять ее здесь опасно. Они не успокоятся, пока не отомстят.

Примитивщица резко вскинула голову:

— Нет, Пейдж, не смей!

— Никто не станет ее принуждать. — Я понизила голос. — Пусть сама выбирает. Может, Иви сочтет, что с канальями ей будет безопаснее.

— Прозябать в этой дыре до самой смерти? Ведь таково было условие.

— Мы вытащим ее.

— Интересно, как?

— Любыми способами. Навечно она тут не застрянет.

Стиснув зубы, Винн вонзила иглу мне в кожу.

— Иви такая хрупкая, — с непривычной мягкостью заговорила она. — После колонии у нее развилась бессонница. Желудок почти не принимает пищу. Видела бы ты ее шрамы. Бедняжка с лихвой искупила свою вину. — Плечи примитивщицы поникли. — Иви мне как дочь. Все девушки Джейкобс-Айленда — мои дети. Если отдашь ее Стиксу, я лично отправлюсь в Сайен.

— Только попробуй! — Я ухватила Винн за запястье. — Тогда погибнут все. Не надейся, что солдаты пощадят примитивщиков.

Поджав губы, она обрезала нить и наложила чистую повязку.

— Не знаю, как быть. Не стану скрывать, я не питаю особой любви к Синдикату. Моя лояльность распространяется только на тебя. — Винн туго затянула узел. — Ладно, иди. Мне еще надо помочь другим.

Взглянув на ее окаменевшее лицо, я поспешила в коридор.

И едва не столкнулась со следующей пациенткой: Иви. Она стояла у двери вместе с Рошин, взявшей на себя функцию телохранителя.

— Пейдж! — окликнула меня хиромантка, но я стрелой промчалась мимо, сердце колотилось в такт шагам. — Пейдж?

У Стикса Иви была бы под надежной защитой, а сама сделка притупила бы у ясновидцев жажду мести. А теперь того и гляди кто-нибудь не вытерпит и решит учинить так называемое правосудие.

Иви по натуре своей боец. Но без моего покровительства ей грозит страшная опасность. Я хотела определить девушку в безопасное место, подальше от центра, где она сможет слиться с толпой, где о ней будут заботиться, однако такая возможность появится не раньше чем через пару недель, а ведь их Иви еще надо как-то прожить и не погибнуть.

Впрочем, сейчас есть дела поважнее — сеанс.

Подельники ждали в перекрестном туннеле; в предвкушении сеанса мы напряженно молчали. Элиза нервно теребила прядь волос; Ник, напротив, застыл изваянием, скрестив руки на груди. Тридцать участников Потустороннего совета собрались в пустом помещении верхнего отсека, достаточно просторном, чтобы сформировать круг. Из мрака доносились их приглушенные голоса. Насколько мне известно, все пришли добровольно, но я не особенно надеялась на теплый прием.

— Ник, ты еще успеешь отказаться, — шепнула я, заметив подавленное выражение его лица.

Мой друг отсутствующе смотрел вдаль:

— Нет, Пейдж, пора встретиться лицом к лицу со страхом.

Из укрытия я наблюдала, как мимо прошествовали несколько главарей и повелительниц мимов. О Жемчужной Королеве по-прежнему не было никаких вестей.

Стоило нам появиться, как на меня моментально обрушился шквал голосов: одни требовали мщения за исчезнувших сенсоров, другие — объяснений, третьи — плана избавления от армии. Четвертые просто вопили: «Убийца! Предательница!» На моих глазах фальшивый Совет превратился в свалку: ясновидцы визжали, топали, потрясали кулаками. Элиза и Ник прокладывали дорогу, призывая собравшихся к порядку. Под потолком сгрудились арсеналы, готовые атаковать по первому же приказу. Повелительница мимов из новеньких пихнула Джимми О'Гоблина. Я мгновенно высвободила фантом. Мощная волна прокатилась по эфиру и разбилась о скопление лабиринтов.

Ясновидцы присмирели, насторожились. Мне вспомнились слова Светляка: «Если хочешь, чтобы тебя уважали, внуши им страх. Продемонстрируй, на что ты способна».

Кое-кто из присутствующих нес на себе отпечатки поединка: рубцы, ожоги, обрубленные фаланги пальцев. У прочих раны были совсем свежие. Среди толпы я заметила Тома Переростка, тот улыбнулся мне уголком губ.

— Темная владычица! — объявил Ник.

Я выступила вперед, а вооруженные арсеналами подельники замерли по бокам.

— Достопочтимые представители Потустороннего совета, как вы знаете, нас постигло огромное несчастье. Вследствие введения военного положения и массового внедрения «Экстрасенса» я была вынуждена эвакуировать Синдикат в Подполье. — (Недовольный ропот, однако все внимание по-прежнему приковано ко мне.) — После продолжительных угроз Сайен не только наводнил цитадель потайными сканерами, но и усугубил их эффективность, призвав армию СайенМОПа.

— Это все по твоей милости!

— Проваливай к черту, странница!

— Напрасно мы отдали тебе корону! Сборщик не допустил бы ничего подобного!

Недовольство нарастало. Командующие с тревогой наблюдали за толпой, но я строго-настрого запретила им вмешиваться. Сама справлюсь.

— Угомонитесь и выслушайте меня. — Мой грозный рык перекрыл шум. — Согласно проверенным данным, сканеры производят в Манчестере. Я собираюсь наведаться туда вместе с Рифмачом и Огненной Марией. Надеюсь, нам удастся добыть сведения об источнике энергии для «Экстрасенса». А как только мы обнаружим источник, клянусь: мы его уничтожим.

Реакция последовала незамедлительно.

— И как ты думаешь это провернуть?

— Запахло жареным, и ты сразу сваливаешь!

— Решила натравить солдат и на другие цитадели? Еще больше подставить нас Сайену?

Кутерьма продолжалась до тех пор, пока Стеклянная Герцогиня не рявкнула:

— Заткнитесь уже и дайте ей договорить!

Постепенно суматоха улеглась.

— Все давно к этому шло, — заявила я, стараясь не выдать своего волнения. — Гектор, равно как и его предшественники, предпочитал прятать голову в песок, но ведь мы с вами знаем, что революция — наш единственный шанс. Сайен просто прикрывается Пейдж Махоуни: сделал козла отпущения из меня, да и из вас тоже. Они боятся нас. Боятся мощи Синдиката, боятся последствий, которые возникнут, если мы вдруг объединимся. Вот почему возник «Экстрасенс». Вот почему мы сейчас здесь. Если военное положение не отменят, то армии выдадут новые, портативные сканеры, и солдаты не успокоятся, пока не устранят нас всех до единого. Хотите выжить? Тогда боритесь! — Я кивнула наверх. — Сайен намерен объявить нам войну. Предлагаю отплатить им той же монетой.

Похоже, мне удалось достучаться до слушателей. Кое-где раздались аплодисменты.

— Воевать с Сайеном в такую погоду? — мерцая моноклем, возмутился Языческий Философ. — Потусторонний совет — это административный орган, курирующий преступную деятельность достойных ясновидцев. Объявлять войну не в наших полномочиях.

Очевидно, Гектор обладал незаурядной выдержкой, если не прикончил их всех.

— Нам объявили войну в тот день, когда первых ясновидцев отправили на виселицу. — Я возвысила голос. —

Нам объявили войну, когда у кладбищенских ворот пролилась первая кровь! — (Бурные овации.) — Вы, ясновидцы Лондона, незыблемая его часть, вас не сломить! Мы вернем себе улицы! Отвоюем свободу! Нас превратили в воров, так пора украсть то, что принадлежит нам по праву!

Не знаю, откуда брались слова. Повсюду слышались одобрительные возгласы. Подбадривающие выкрики.

— Осади коней, ирландка! — перебил Проныра, и толпа разом смолкла. — Мы не записывались в солдаты.

— Говори за себя, — пробубнил О'Гоблин.

— Джимми, протрезвей или захлопнись! — отрезала я. Вокруг захихикали. О'Гоблин издал короткий смешок и смущенно потупился. — Не спорю, нелегко воевать с целой армией, но ведь у нас есть эфир. С его помощью мы выиграем войну и вернемся на поверхность. Природа наградила нас величайшим даром — ясновидением. Рантаны показали, как применять его против невидцев. Настало время раскрыть свой потенциал. Довериться источнику потаенного знания, что связывает нас воедино. Стань Белый Сборщик владыкой, он все равно заставил бы вас воевать. Но воевать не за свободу, а на благо архонта. Вы бы уцелели, но какой ценой?

— Чушь, — фыркнул Проныра. — Сборщик непременно бы выкрутился.

— Придержи язык, Проныра. — Я состроила кровожадную гримасу. — Именно ты помогал Молчащему Колоколу спалить склеп Юдифи, и, если мне не изменяет память, твой главарь мимов активно поставлял товар на серый рынок. Надеюсь, ты не разделяешь его взглядов?

Проныра хотел было возразить, но Светляк ухватил его за ухо.

— Обращайся к темной владычице с почтением, иначе лишишься зубов.

— Ты нам не указ, — заявил Паромщик, седой жилистый прорицатель, до сих пор знакомый мне только внешне. — Ты не изведала всех тягот, девочка. Седьмой касте не понять, каково это — шарахаться от «Экстрасенса». Ты выросла в семье сайенского врача, а затем попала под крыло богатого повелителя мимов, которого предала ради короны. Назови хотя бы одну причину воевать за тебя. Все беды обрушились на нас по твоей милости.

Энтузиазма у присутствующих явно поубавилось. Я тщетно выискивала контраргументы: с тем же успехом можно носить воду решетом на пожаре.

— Оставьте ее в покое, — прорычал Том.

— Девчонка красиво излагает, не спорю, но пусть проведет денек в канаве, тогда и поговорим. Из Ирландии она сбежала, едва лишь...

— Довольно! Никто не просит вас сражаться за меня. Я лишь прошу дождаться моего возвращения. А после быть готовыми защищать то, что принадлежит вам. — Я расхаживала взад-вперед, заглядывая людям в глаза. — Встав во главе Синдиката, я рассчитывала увидеть в вас стержень. Непреодолимое стремление вперед, издавна питавшее наш темный мир. Это стремление горело во взгляде каждого побирушки, карманника, подельника, главаря мимов. Годы репрессий не смогли потушить этот огонь, огонь, что давал нам силы для борьбы против империи, жаждущей искоренить само понятие «ясновидец». За сотню лет существования Синдиката нам приходилось действовать исподтишка, но всякий наш шаг олицетворял собой акт неповиновения — не важно, пытались ли мы обратить свой талант в деньги, отстаивали право на жизнь или искали процветания. А теперь скажите: куда подевалось это стремление?

В ответ — тишина.

— Вы всегда знали себе цену. Знали, что мир кое-чем вам обязан, и намеревались взять свое любой ценой. Так возьмите же. Берите сколько влезет. — (Аплодисменты. Джимми рубанул кулаком по воздуху.) — Я не позволю нам капитулировать. Да, сегодня над нами сгустились тучи. Но завтра вновь воссияет солнце!

Толпа откликнулась восторженным ревом. Грош хоть и не присоединился к хору голосов, зато аплодировал каждой моей реплике. Среди всеобщей кутерьмы мало кто заметил, как Паромщик сплюнул на бетонный пол:

— Не хватало еще сложить голову ради какой-то ирландки! — Отвесив издевательский поклон, он двинулся к выходу.

Сердце у меня упало, а зря — к Паромщику присоединилась только его подельница. Я воспрянула духом и с энтузиазмом продолжила:

— Пора поведать стране о Касте мимов. Прямо сейчас мы проведем спиритический сеанс и разошлем послание всем ясновидцам Великобритании. Общими усилиями мы умножим и распространим его через эфир, дабы наши собратья узрели... вот это. — Я кивнула на участок стены, испещренный призывами к оружию.

ОНИ НАУЧИЛИСЬ РАСПОЗНАВАТЬ ЧЕТЫРЕ КАСТЫ.
НАДОЛГО ЛИ УТАИМ ОСТАВШИЕСЯ ТРИ?
МЫ ДОЛЖНЫ ОБЪЕДИНИТЬСЯ – ИЛИ ПРОИГРАЕМ!
НЕ ПРЯТАТЬСЯ, НЕ СДАВАТЬСЯ!

Ниже Элиза добавила изображение порхающей черной моли.

Внезапно из тени выступил Страж и встал рядом со мной, настоящий великан на фоне пигмеев. Джек-Пружинки-на-Пятках нервно поежился.

— Встаньте в круг и возьмитесь за руки, — скомандовал Страж.

В ответ раздались возмущенный ропот и взрывы смеха.

— Не стану я брать ее за руку! — воскликнул кто-то, косясь на соседку. Та обиженно насупилась.

— Довольно, — процедил Страж. — Выберите партнера, чья близость вас не коробит.

Мария достала из кармана свечу. Я надела кислородную маску. Нехотя, словно малые дети, которых против воли заставляют играть со сверстниками, представители Совета выстроились в некое подобие круга. Одни спокойно брались за руки, другие бились чуть ли не в истерике — так мучительно переживали неприятное соседство. Когда Ник и Элиза присоединились к остальным, Страж потянулся к моей ладони.

Наши пальцы переплелись. Кровь быстрее побежала по венам. Шершавая перчатка царапала кожу, но между костяшками и на тыльной стороне запястья ощущалась мягкая поверхность. Ник взял за свободную руку меня, Том — Стража. Круг замкнулся.

В гробовой тишине Потусторонний совет ждал, пока разверзнется эфир.

Взгляду открылось невероятное зрелище.

Страж забормотал на родном наречии. Свеча вспыхнула ярче. Сонм призраков устремился вниз, к манящей цепи аур. Мария с Ником успели принять дозу шалфея и теперь покачивались в трансе.

— Том, хорошенько запомни послание, — наставлял Страж.

Рифмач сосредоточился на граффити, губы беззвучно повторяли слова. Мария уронила голову на грудь, но не ослабила хватку. Аура Стража сместилась.

— Пейдж, твой черед.

Мой фантом перенесся в его лабиринт.

Мне случалось бывать здесь и прежде. Фантом брел знакомой тропой, вдоль алых бархатных драпировок, через пепелище. В конце пути, возле амаранта под стеклянным колпаком, меня встречал призрачный облик Стража, который не отрываясь смотрел на дым, стремительно окутывавший области сознания.

Мне еще не доводилось изнутри наблюдать, как рефаиты используют свой дар. Наши пальцы переплелись, копируя мизансцену за пределами лабиринта. Улучив момент, пока нас никто не слышит, я шепнула:

— Увидимся в нижнем отсеке в полночь.

Туманная оболочка кивнула.

Растревоженная нашей близостью, золотая пуповина яростно завибрировала. Дым заклубился, в нем отчетливо проступили образы. Воспоминания.

Он ищет ее в лесу. Ноги по щиколотку утопают в сугробах, в руках фонарь из отцовского амбара. Воспоминания Ника. Не знаю, откуда взялась уверенность. Я смотрела его глазами, чувствовала, как он, но при этом оставалась сторонним наблюдателем. *Восемь цепочек следов петляют среди деревьев поодаль от дороги. Пульс колотится в висках.*

Новое, чужое воспоминание. *На первых порах пистолет оттягивает руку, но со временем срастается с ладонью. Она откладывает его лишь затем, чтобы обшарить карманы женщины. Кровь ручьями стекает по подбородку на воротник. Она привыкла обыскивать трупы, но на сей раз сердце замирает. Перед ней Роза.*

— Стоян!

Пальцы погружаются в пропитанную кровью ткань, забираются под кожу и нащупывают две драгоценные, скользкие пули. Одну приберечь для себя, вторую для Христо.

Сначала выживание. Потом боль.

— Все кончено, — говорит Христо. — Капитуляция не за горами. Надо бежать за границу, в Турцию...

— У тебя есть шанс. Рискни.

Кругом все полыхает. Гремят выстрелы. Английская армия наступает.

— Христо, посиди со мной. Если и отправляться в ад, то с достоинством.

— Стоян...

— Йоана. — Она закуривает свою последнюю сигарету, смотрит на окровавленные перчатки. — Если нам суждено умереть, прошу, называй меня настоящим именем.

Христо опускается рядом с ней на колени:

— Я должен рискнуть. Моя семья... — Он сжимает ее запястье. — Буду молиться за тебя. Удачи, Йоана.

Она не замечает, как Христо уходит, уходит навсегда.

Ее взгляд падает на пистолет.

Обратно к Нику. Я застыла на месте, не в силах отвести взор. *Следов на снегу прибавилось. Он бежит. Значит, патруль забрел в эту часть леса.*

Палатки на опушке перевернуты вверх дном. Расправа свершилась.

Она свернулась калачиком на пепелище. Неподалеку распростерся Хакан, пальто пропитано гарью. Они тянутся друг к другу через снег. Между ними поблескивает целая и невредимая бутылка, наверняка купленная тайком, бутылка вина с датской этикеткой. Он прижимает бездыханное тело к себе и кричит, словно раненый зверь.

Страж в призрачном обличье выпустил мою руку. Пуповина вновь зазвенела натянутой струной.

— Поторопись, Пейдж.

Мой фантом устремился на волю.

Я очнулась, жадно хватая ртом воздух. Ник рухнул на колени, но не разорвал круг. Я вновь отделилась от тела и прыгнула.

Лабиринт Тома походил на фабрику. От моего приземления в солнечной зоне пыль взметнулась столбом. Призрачный Рифмач взял меня за руку.

Контакт двух призрачных форм — вещь сугубо интимная, однако нам было не до сантиментов. Страж не ошибся: лишь только мы соприкоснулись, воспоминания заметались между нами как молнии.

Теперь главное — продержаться.

Едва я перенеслась в свое тело, Том, стиснув зубы, принялся транслировать воспоминания. Первая волна пришлась по нам, вторая накрыла участников Потустороннего совета: затаив дыхание, они впитывали информацию. За пределами лабиринта Стража образы мелькали передо мной, точно картинки кинеографа. Перед глазами встали заснеженный лес, улицы, объятые пламенем.

— Не размыкайте круг, — раздался голос Стража.

Воспоминания повторялись снова и снова, с каждым разом все быстрее; фантомы подхватывали их на лету и уносили прочь, пока взгляд не уперся в послание на стене и изображение черной моли.

Затяжной стоп-кадр отпечатался в памяти. После чего мы все повалились на пол.

В Подполье не существуют понятия «день» и «ночь». Однако вымотанные сеансом члены Потустороннего совета мгновенно заснули, едва погасили свет. Народ заметно разделился. Мои сторонники обосновались в нижнем отсеке, а противники — наверху. Оставалось надеяться, что Светляк сумеет устранить раскол в наших рядах.

Устроившись на койке возле Элизы, я таращилась в темноту. Меня тревожил грядущий отъезд. Покинуть Синдикат сейчас, когда он только-только начал проявлять ко мне благосклонность? Еще больше беспокоил Ник, который после сеанса замкнулся в молчании. Мой друг спал, растянувшись на полке (либо притворялся спящим).

Его горе, скорбь по убитой сестре послужили топливом. Были использованы в целях пропаганды.

— Что, решила отдать меня Стиксу? — вдруг хрипло прозвучало над ухом. Вспыхнул фонарь. — Я слышала твой разговор с Винн. — Иви сидела на койке, по-турецки скрестив ноги. Пластырь скрывал отметину на щеке. — Можешь не переживать, я согласна.

— Винн не хочет признавать очевидных вещей, — продолжила Иви, не дождавшись моей реакции, — но ты ведь понимаешь: долго я здесь не протяну. Чуть оступлюсь, и мне сразу перережут глотку. До сих пор меня не прикончили только благодаря тебе. Поэтому выбор очевиден. Так будет лучше для всех.

Я глубоко вздохнула:

— Если останешься, тебя убьют. Пойдешь к Стиксу — Винн выдаст нас Сайену.

— Есть другой способ, — раздался голос с ирландским акцентом.

Луч фонаря выхватил из темноты бодрствующую Рошин Джейкоб, губа у нее распухла после драки.

— С канальями мы давние знакомые, — пояснила Рошин. — Вместе прочесывали наш сектор Некингера. Стикс мне нравится, неплохой парень. Вдобавок я крепче Иви. Пошли вместо нее меня.

— Но, Ро... — начала было хиромантка.

— Не спорь, — перебила Рошин. — Не с твоим здоровьем ползать по туннелям. Ты отдашь меня Стиксу, — обратилась она ко мне, — Винн не станет возражать, когда узнает, что я вызвалась добровольно.

— Тебе никто не позволит жертвовать собой. Мой грех, мне и расплачиваться, — с надрывом закончила Иви. — Пейдж должна меня покарать, иначе это сделает кто-то другой.

— Ты понесешь наказание, — медленно проговорила Рошин после недолгой паузы. — Пейдж официально объявит твою кандидатуру, а я предложу свою. Иви, ты единственная, чью потерю Винн не переживет. Она достаточно настрадалась в прошлый раз.

Иви закрыла лицо руками и простонала:

— Не знаю, как быть.

— У тебя есть время подумать, — вклинилась я. — Завтра Светляка назначат исполняющим обязанности темного владыки, а Иви Джейкоб за совершенные злодеяния приговорят к пожизненному заключению в Подполье. Рошин, если ты твердо решила, настаивай на своей кандидатуре. А ты, Иви, притворишься, что не можешь принять такую жертву.

Сама не ожидала от себя такой черствости. Иви некоторое время не отрываясь смотрела на Рошин, после чего смерила меня обиженным взглядом и отвернулась.

— Притворяться не придется.

Стиснув зубы, я уставилась в пол. Рошин еще долго не сводила глаз с подруги, беспомощным комочком свернувшейся под одеялом.

— Винн поймет, — увещевала она. — Она всегда мечтала, чтобы примитивные прорицатели могли делать выбор. Я свой сделала.

Рошин откинулась на подушку и замолчала. Я встала с койки и, набросив на плечи куртку, шагнула в сумрачный коридор.

Облегчение боролось во мне с презрением, ведь я и впрямь собиралась пожертвовать Иви. Месяц в статусе темной владычицы превратил меня в совершенно другого человека. Человека, готового учинить расправу над слабым и способного на любую подлость ради достижения собственных целей.

Лишь крупица нравственности отделяла меня от Сенного Гектора.

Страж ждал в пустой спальне. Я присела напротив и положила фонарь на матрас.

— Через четыре часа ты отправляешься в Манчестер, — сообщил Страж.

Мои пальцы нащупали забинтованную ладонь.

— Люсида появится к утру. Она проследит, чтобы Светляка назначили твоим наместником, и не допустит насилия. — Арктур немного помолчал. — На рассвете мы выдвигаемся в загробный мир.

Я кивнула. В тесном пространстве прохода наши колени соприкасались.

На лбу выступил пот. Весь день я обдумывала, что сказать, но слова точно застряли в горле. Я сидела, не смея поднять глаза. Если взгляну на него, окончательно утрачу волю.

— Прошлой ночью я совершила чудовищную ошибку, — раздался мой ровный голос. — Мне следовало незамедлительно собрать Потусторонний совет, рассказать им про «Экстрасенс» и опасность, возникшую для четвертой касты. Услышь они эту новость от меня, мы бы не попали в такой переплет. — Моя речь отчетливо звучала в гробовой тишине, не нарушаемой музыкой цитадели. — Таким образом мне бы удалось опередить Уивера. Но ради встречи с тобой я согласилась подождать до утра. Мне хотелось увидеть тебя, побыть рядом хоть пару часов. И в результате Уивер получил фору.

Страж буквально впился в меня взглядом, а я продолжала:

— Я темная владычица, а ты... непозволительный отвлекающий фактор. — Мне стоило немалых трудов произнести подобное вслух, а особенно — в это поверить. — Я поклялась пожертвовать всем ради победы над Сайеном. Ради свободы ясновидцев. Нельзя допустить, чтобы Каста мимов распалась. Мы не вправе так рисковать.

Повисла пауза.

— Договаривай, — велел Арктур.

До сих пор я сидела, опустив голову, но теперь резко вскинула подбородок.

— Ты сказал, что за перемены каждый платит свою цену. Моя цена — ты.

Долгое время мы оба даже не шелохнулись. Мне хотелось забрать свои слова назад, лишь огромным усилием воли удалось взять себя в руки. Казалось, минула целая вечность, прежде чем Страж произнес:

— Ты не должна оправдывать свой выбор.

— Это не выбор, а необходимость. Сложись все иначе... — Я снова отвернулась. — Но не сложилось.

Он не стал возражать.

Джексон прав. Слова даруют крылья, и они же их подрезают.

Впрочем, никакими словами нельзя передать то, что творится у меня в сердце. Разве можно описать нечеловеческие муки, на которые я обрекаю себя, жертвуя нашей любовью ради совместно начатой войны? Любое красноречие тут бессильно. Никакими фразами не выразить желание продлить часы блаженства, украдкой вырванные у судьбы. Они служили бы мне путеводной звездой в самые темные дни. Крохотные островки тепла и света.

— Возможно, оно и к лучшему, — заметил Страж. — На тебя и без того свалилось очень много бед.

— С тобой мне не страшны любые беды, просто... темная владычица должна всецело отдаваться делу, а не размениваться на эмоции. Мы останемся союзниками, но ты перестанешь быть моей тайной, а я твоей.

Арктур наконец пошевелился. Первая мысль — сейчас он уйдет, даже не попрощавшись. Но в следующий миг его рука ласково накрыла мою.

Когда мы снова соприкоснемся, он будет в перчатках. Случится это ненароком. На бегу. По недоразумению.

— Когда я вернусь, мы продолжим бороться как единомышленники. Не более того. Словно бы «Гилдхолла» никогда и не существовало.

Мне бы радоваться — одной заботой меньше. Однако внутри образовалась пустота, точно Страж забрал нечто важное, о чем я раньше не догадывалась. Приблизившись, я уткнулась лицом ему в грудь.

Мы заключились друг друга в объятия — тесные, но вместе с тем недостаточно прочные. Стоит переступить порог, и нам уже не беседовать у камина. Не коротать вместе ночи, вдали от войн и страданий. Не танцевать в заброшенных мюзик-холлах. Не слышать музыки.

— Прощай, юная странница.

Ответ замер у меня на губах. Я припала лбом к его лбу, различив вспыхнувший в глазах огонек. Большой палец обводил контур моих скул, пока я лихорадочно пыталась запечатлеть в памяти каждую деталь. Не помню, кто из нас первый потянулся за поцелуем...

Для прощального он слишком затянулся. Мгновение. Выбор. В точности как тогда, за алыми драпировками в самом сердце вражеского логова — опасность таилась повсюду, однако в нас зарождалась песнь. Песнь, которой не умолкнуть вовеки.

Мы отстранились друг от друга. В последний раз я вдохнула его запах.

А потом поднялась и, развернувшись, направилась прочь.

ЧАСТЬ II

ДВИГАТЕЛЬ ИМПЕРИИ

10

МАНЧЕСТЕР

3 декабря 2059 года

Поезд мчался по заснеженным просторам. Впрочем, о пейзаже за окном мы больше догадывались, сгрудившись вчетвером в багажном отсеке. К счастью, агент Альсафи снабдила нас спутниковым навигатором, позволявшим отслеживать маршрут.

С агентом мы встретились возле станции Юстон. Сунув мне навигатор, она незаметно посадила нас в поезд, следовавший в Манчестер без остановок. Сразу по прибытии нас обещали проводить в безопасное место.

После недолгих колебаний я все же решила взять с собой Элизу. Сейчас они с Томом крепко спали, однако мы с Марией смотрели в оба.

— Давай-ка уточним план, — завела пиромантка. — Значит, мы приезжаем, находим того парня, про которого говорила Даника...

— Джонатана Кассиди.

— Точно. Он выводит нас на завод по изготовлению портативных сканеров и объясняет, как устроен «Экстрасенс». И это все? Таков наш грандиозный план?

— В общих чертах. Если хочешь что-то сломать, разберись, как оно устроено. Наверняка есть какая-то секретная технология, превращающая заурядный прибор в действующий сканер. — Я тяжело вздохнула. — Так или иначе, других зацепок у нас нет. Как знать, вдруг нам повезет раздобыть информацию о ядре, выяснить, чем оно питается и где находится.

— Хм. — Мария уставилась в навигатор. — Будем надеяться, что на сей раз Даника не ошиблась и мы не угодим в очередную западню. — На ее лицо упал голубоватый отблеск экрана. — Здесь какая-то ерунда про анклавы. Не соображу, о чем речь.

Я взяла навигатор и ткнула в крохотное изображение дома. На мониторе высветилось: «Анклав. Ищите черный морозник».

Мария недоуменно нахмурилась:

— Какой еще морозник?

Мгновение спустя меня осенило:

— На языке цветов черный морозник означает «конец тревогам». В месте, где он растет, мы найдем кров и еду.

Похоже, Альсафи предвидел нечто подобное и заблаговременно принял меры. Забавно, что в качестве шифра он использовал цветочную символику, неизменный атрибут всякой Битвы за власть в Синдикате. В колонии Альсафи чудился мне воплощением зла, однако без его услуг мы непременно погибли бы.

Пока Мария дремала, я разглядывала в навигаторе Сайенскую республику Британию, чья территория распространялась на некогда автономную Шотландию и Уэльс. С водворением Сайена Англия и Великобритания стали синонимами. Остров поделили на восемь регионов с цитаделями-столицами, однако все они, вне зависимости от расположения, подчинялись Лондону. Прилегающие территории, занятые поселками, деревнями и конурбациями, несли бремя сайенских аванпостов. Наш путь лежал в Северо-Западный регион, где цитаделью выступал знаменитый своей промышленностью Манчестер.

Моя первая вылазка из Лондона за десять лет. Этот город умеет держать за горло.

Не выпуская из рук навигатор, я провалилась в сон в надежде наверстать упущенное за последние дни.

В начале второго ночи меня разбудил скрип тормозов. Поезд остановился. Мария выхватила из моих безучастных пальцев навигатор и резко изменилась в лице:

— Что-то неладно. До Манчестера еще шестьдесят пять километров.

— Дамы и господа, приносим извинения за вынужденную остановку в Сток-он-Тренте. — (Я припала ухом к перегородке, откуда доносился приглушенный голос.) — По новым правилам, введенным верховным командором, все поезда, следующие из Лондона, подлежат проверке. Просьба проявить понимание и оказывать взаимодействие подземному патрулю.

Сердце лихорадочно забилось. Неужели Вэнс снова нас вычислила? Вечно она на шаг впереди.

Мария кинулась будить остальных. Собрав пожитки, мы на цыпочках подкрались к двери-купе, позволявшей незаметно выбраться из отсека. Я дернула рычаг с надписью «аварийное открытие», и створка скользнула вбок. В лицо нам ударил ледяной ветер. Я высунулась наружу — проверить, нет ли встречных составов. Все чисто, на платформе тоже ни души.

— Вперед, — шепотом скомандовала я.

Подземщики приближались, это чувствовалось по аурам. Элиза осторожно закинула ноги на лесенку, ведущую к насыпи между путями.

По платформе загромыхали шаги, ветер доносил обрывки разговора.

— ...И с чего Вэнс вздумалось искать их здесь?

— Пустая трата времени...

Я спустилась вниз, Том следом. Мария поскользнулась на ступеньке и схватилась за дверь, отчего та захлопнулась.

— Как только они закончат, лезем обратно, — шепнула я.

Мы отошли подальше, ежась от холода.

Едва подземщики добрались до багажного отсека, мы как по команде прижались к вагону и затаили дыхание. Обыск продлился недолго. Подземщики удалились несолоно хлебавши, проклиная кригов-параноиков с их идиотскими заданиями. По моему сигналу Мария потянулась к двери и вздрогнула — ручки на ней не оказалось, только сканер отпечатка пальца. Обратный путь был отрезан.

Не успели подземщики скрыться из виду, как раздался свисток.

Слишком поздно. Состав тронулся. Еще пара секунд, и мы лишимся прикрытия. Я лихорадочно замахала руками, делая знаки остальным. Том оттащил Марию от вагона. Мы ринулись в обратную сторону, в наметенные сугробы высотой в человеческий рост, а поезд тем временем уже отъезжал от Сток-он-Трента без нас.

Насыпь хрустела под ногами. Только отбежав на безопасное расстояние, мы рискнули перевести дух. А затем перелезли через забор, отделявший железнодорожное полотно от улицы, и, укрывшись под козырьком автобусной остановки, сгрудились вокруг навигатора. Я развернула карту, где было отмечено наше местоположение, дополненную скудными сведениями о Сток-он-Тренте. Статус — конурбация. Регион — Центральный пояс. Ближайшая цитадель — Бирмингем.

— Надо убираться отсюда, и побыстрее, — выпалила я. — На периферии слишком опасно. Народ здесь чересчур бдительный.

— Придется топать на своих двоих, — вздохнула Мария.

— В такую метель? — пробормотала Элиза, стуча зубами от холода.

— Милочка, я вообще добиралась до Британии пешком. Не беда, справимся. Согласитесь, за минувшую пару недель мы попадали в переделки и похуже. — Мария заглянула мне через плечо в навигатор. — Отсюда до центра Манчестера часов двенадцать ходу. А с учетом погоды и того больше.

Руки непроизвольно сжались в кулаки. Каждый час отсрочки грозил обернуться для Касты мимов катастрофой.

— Анклав расположен в северной стороне. — Я указала на отметку в навигаторе. — Доберемся туда к рассвету, перекантуемся, а на закате снова в путь. Агент Альсафи наверняка сообразит, что случился форс-мажор.

Мария похлопала Тома по спине:

— Ну ты как, сдюжишь?

Из-за давней травмы колена Том слегка прихрамывал.

— А куда деваться? Не станем же мы ждать, пока нас сцапают легионеры.

Я потуже затянула капюшон, оставив лишь прорезь для глаз:

— Самое время размяться.

Хотя в полуночный час на улицах Сток-он-Трента не было ни души, обстановка действовала мне на нервы.

Закоренелый преступник может свободно гулять по цитадели, однако в захолустьях дело обстояло иначе. Атмосфера очень напоминала деревушку Артайн, где мы познакомились с Ником. Тамошние обитатели соревновались друг с другом за право первым вычислить и сдать соседа-ясновидца.

Мы крадучись двигались вдоль дороги, мимо темных магазинов, потухших экранов и редких освещенных окон. Мария производила разведку, нет ли поблизости камер, после чего прокладывала безопасный маршрут. Напряжение немного спало, только когда мы миновали фонари и очутились за пределами городка. Вскоре мы уже пересекали границу региона, отмеченную знаком «Добро пожаловать на Северо-Запад».

На первых порах пробирались по бездорожью и лишь немного погодя отважились выйти на расчищенное шоссе. Том приспособил сучковатую ветку под посох. Чтобы хоть как-то отвлечься от пронизывающего ветра, я принялась считать яркие, особенно по контрасту с Лондоном, звезды. Мириады светил горели на чистом небосводе, не заглушаемые светом фонарей. Собирая разрозненные жемчужинки в созвездия, я гадала: почему рефаиты называли себя в их честь? По какой причине Арктур выбрал себе такое имя?

Мимо промчался грузовик. От рева клаксона мы шарахнулись на обочину и протиснулись под забором из колючей проволоки к полям, утопавшим в сугробах. С неба на ресницы сыпалась ледяная крошка. Навигатор не спасал: чернильный мрак над головой сливался с ослепительно-белыми просторами, лишая нас всяческих ориентиров. Отчаявшись выбраться, мы решили включить фонарики. Окружающий мир поблек, только снежинки вспыхивали всеми цветами радуги.

— Воображаю агиткомпанию для северян. «Присоединяйтесь к Пейдж Махоуни! Увлекательные прогулки в снегу и дерьме гарантированы!» — пошутила Мария, хотя у самой зуб на зуб не попадал от холода.

Я в очередной раз протерла припорошенный снегом экран.

— А ты думала, революция — это сплошной праздник?

— Ну не знаю. У меня величайшие исторические перевороты ассоциируются с роскошными платьями и декадансом.

Том издал короткий смешок.

— Помнится, в школе на уроках истории нам рассказывали, что именно бальные платья вкупе с декадансом и спровоцировали восстания во Франции, — пробормотала я онемевшими губами.

— Не порти мне веселье.

Мы брели вдоль телеграфных столбов, этаких стальных голиафов в заснеженном море. Под грузом наледи линии передачи провисли и почти касались земли. Я раздала спутникам теплопакеты, которыми меня снабдил Ник. Сорвала защитную пломбу, и по телу разлилось блаженное тепло.

За тяготами похода я совсем забыла про Стража, перестала терзаться сомнениями, правильно ли поступила, разорвав наши отношения. Такие мысли еще глубже загоняли меня в депрессию. Зато теперь мне мерещился жаркий костер. Он непременно отыщется где-нибудь за очередным полем, забором или стеной, надо лишь немного потерпеть. К рассвету, когда солнце окрасило горизонт в багровые тона, все мышцы горели огнем. Я не чувствовала пальцы на ногах, а куртка и брюки задубели от снега.

Сначала взору открылась ночлежка с соломенной, словно припорошенной сахарной пудрой крышей. Следом взгляд различил белые цветы на подоконниках.

— Пришли. Вот и черный морозник, — была моя первая фраза за несколько часов.

— Где? — сощурилась Мария.

Элиза размотала шарф:

— Ты ведь в курсе, что черный морозник на самом деле белый?

— Естественно. Никакой логики. — Мария ускорила шаг. — Надеюсь, нам подадут горячий шоколад.

Остаток пути мы проделали быстро, ноги сами несли нас вперед. В деревне, по всей видимости, еще спали — немногочисленные автомобили утопали в сугробах, поблизости ни одной расчищенной тропинки.

Шестое чувство вынудило меня замереть, пока Элиза кружила у входа в гостиницу. Появилось странное дежавю, словно мне случалось бывать здесь и прежде, хотя на Северо-Западе я очутилась впервые. Вокруг не ощущалось ни единого фантома. Вообще ни одного. В ушах рефреном звучало: «Не подходи!»

У Элизы вдруг вырвался леденящий кровь вопль. Всплеск адреналина придал мне сил. Выхватив из-за голенища нож, я вслед за Марией рванула к забору. Элиза стояла у стены, прижав ладонь ко рту. Белоснежный покров испещряли багровые пятна.

Ворона с пронзительным карканьем вспорхнула с изувеченного трупа. Грудная клетка вскрыта, плоть едва прикрывает кости, левая рука оторвана, однако лицо сохранилось в нетронутом виде. Женское лицо, обрамленное темными волосами, разметавшимися по снегу.

Меня словно обухом ударили. Повсюду, куда ни глянь, валялись человеческие останки. Обезглавленные, растерзанные, изуродованные в приступе неутолимого голода. Сверху тела припорошило снежком. Чья-то голова укатилась в заросший морозником сад, обагрив белые цветы алым. Холод отпугнул мух, но и без них было ясно, что трупы лежат как минимум со вчерашнего дня.

— Кто мог такое сотворить? — пробормотала Мария.

— Эмиты. — Я отвернулась, не в силах вынести зрелище бойни.

— Надо похоронить бедолаг, — заметил Том.

— Нет времени, — дрогнувшим голосом ответила Элиза. — Они могут вернуться в любую секунду.

Том обменялся взглядом с Марией, успевшей достать пистолет. Впрочем, оружие не спасет. Из «Разоблачения рефаитов» мои спутники немного знали об эмитах, а теперь увидели, на что способны жуткие твари, однако им невдомек, каково это — столкнуться с ними лицом к лицу.

Ведомая инстинктом, я по сугробам двинулась к кромке соседнего поля, где крылся источник тревоги. Больше всего на свете мне хотелось развернуться и бежать куда глаза глядят. Преодолев минутную слабость, я начала разгребать снег и вскоре наткнулась на ровный круг льда — чересчур совершенный для творений матушки-природы.

Отсюда монстр проник в наш мир. Рантаны знали, как закрыть портал, однако не спешили делиться этим искусством с союзниками из числа людей.

— Сматываемся, — сказала я. — Живо.

В следующий миг нечеловеческий рев огласил окрестности. Наверное, точно так же кричали селяне при виде чудовища. По спине у меня забегали мурашки, волосы встали дыбом. Элиза схватила меня за запястье:

— Он близко?

— Не чувствую. — Если не могу уловить, значит эмит находится примерно в полутора километрах от нас. Слабое утешение. — Но он обязательно вернется в ледник. Скорее, уходим. Уходим! — рявкнула я на Марию, которая буквально приросла к месту.

Мы вновь углубились в поля, прочь от мертвой деревни.

Нашира уверяла, что Шиол I служит великой цели – отвлекать эмим от основной массы населения. Монстры слетались на эфир, как акулы на запах крови. В памяти всплыли слова Стража: «Пусть дорогой ценой, но колония делала свое дело – приманивала тварей призрачным маяком. Теперь их потянет в Лондон». Впрочем, Лондоном эмиты явно не ограничатся. По всей видимости, обитавшие в анклаве ясновидцы своей энергетикой выманили чудовище из логова.

Неужели Нашира права? Неужто, низвергнув колонию, я поставила на карту жизни сотен тысяч людей, и убийства в деревне на нашей со Стражем совести?

Прошел час. Казалось, полям не будет конца. Мы едва волочили ноги от усталости, ледяной ветер задувал под капюшон, сухими ветками хлестал по лицу. Лишь страх перед эмитом заставлял нас двигаться вперед. Однако чудовище окончательно исчезло с радара.

Издалека донесся гул приближающегося автомобиля. Двигатель тарахтел, как у трактора, и хотя приспешники Сайена не ездят на развалюхах, мы предпочли не рисковать и нырнули в придорожную рощу. Минуту спустя вспыхнули фары. Машина – древняя малолитражка, покрытая сажей, – свернула на обочину и притормозила недалеко от нас. Буквально в каком-то метре. Я до последнего надеялась, что водитель просто поворачивает, но тут дверца распахнулась, в проеме возник силуэт.

– Пейдж Махоуни!

Мы изумленно переглянулись.

– Эй, ау!

Водитель выругался сквозь зубы и шагнул к посадкам.

– Отзовитесь или топайте до самого Манчестера пешком!

Голос требовательный, но вместе с тем мягкий, вдобавок в нем слышался характерный шотландский акцент, знакомый мне по черному рынку. Поначалу я не шелохнулась. Вэнс повсюду расставила ловушки, не хотелось снова угодить в западню. Однако в машине чувствовался всего один лабиринт — никаких тебе легионеров в засаде и десантников над головой.

Несмотря на предостерегающее цыканье Марии, я выпрямилась во весь рост. Луч фонаря метнулся в мою сторону.

— Слава эфиру, нашел! — произнес незнакомец. — Живо в кабину, если не хотите нарваться на патруль!

Упоминание патруля подействовало. Мои спутники засеменили к машине. Мы с Томом и Элизой втиснулись на заднее сиденье, Мария устроилась в пассажирском кресле. Водитель оказался молодым парнем лет двадцати пяти, в очках, с копной спутанных волос. Смуглая кожа в оспинках и веснушках, подбородок зарос щетиной.

— Кто из вас темная владычица? — спросил он, глядя в зеркало заднего вида. Я подняла руку. — Меня зовут Гэри Максвелл. Добро пожаловать на Северо-Запад.

— Пейдж, — представилась я. — Том и Мария — командующие, а это Муза, моя подельница.

— Кто?

Я замешкалась, подбирая эквивалент:

— Заместительница. Правая рука.

— Ясно. Можно называть вас Пейдж? Или лучше «ваше высочество?» — уточнил Гэри без тени сарказма.

— Просто Пейдж. И давай на «ты».

Перепачканный угольной пылью водитель излучал ауру виноманта — довольной редкий тип ясновидящего, взаимодействующего с вином.

— Прости, не разобрал, как твое имя? — обратился он к Элизе.

Та не сразу сообразила, что вопрос предназначался ей.

— Мое? Муза.

— Больше смахивает на прозвище.

— Настоящим именем меня зовут только друзья, — сухо ответила она.

Хмыкнув, Гэри дернул рычаг переключения передач. Мотор зашелся в приступе кашля.

— Не встретив вас на вокзале, я решил отправиться на поиски, — пояснил наш новый знакомый, едва мы выехали на дорогу. — Простите, если заставил ждать. Почему вы сошли с поезда?

— В Сток-он-Тренте нагрянули подземщики.

— А как вы очутились здесь?

— Дошли пешком, — пояснила Мария. — Поэтому и похожи на грустных снеговиков.

Гэри протяжно свистнул:

— Нехило! Особенно в такую погоду.

— А куда деваться, — философски заметила я, стягивая заиндевевшие перчатки. — Какие ты получил указания?

— Помогать вам по мере возможности.

До Манчестера было сорок минут езды. Гэри включил музыку, довольно неплохую, читай — запрещенную.

Из-за подземщиков мы потеряли целый день. Очередные сутки, бесцельно проведенные в кризисном центре. Очередные сутки охоты на тех, кто по разным причинам не успел скрыться. Рано или поздно Вэнс начнет ломать голову, почему сканеры вычисляют так мало ясновидцев, и устроит на них настоящую охоту.

— Гэри, а ты, часом, не в курсе, как расшифровывается СайПЛО?

Повисла короткая пауза.

— В курсе, — буркнул водитель, прочистив горло. — У нас даже ребенок знает эту аббревиатуру. Это сеть фабрик и заводов под общим названием «Сайен: Производственная линия оружия».

— Оружия? — эхом вторила Мария.

— Да, СайПЛО производит различные типы вооружения. Огнестрел, боеприпасы, гранаты, военную технику — словом, любые смертоносные штуки, кроме ядерных. Вот где их изготавливают, понятия не имею.

Мария искоса глянула на меня.

Пока все шло гладко. Информация полностью совпадала с тем, что удалось нарыть Данике. Как ни крути, «Экстрасенс» — оборонный проект.

— А ты знаешь некоего Джонатана Кассиди? Он работал на СайПЛО, но потом попался на воровстве.

— Первый раз слышу про такого, но попробую выяснить. Еще что-нибудь?

— Существует ли связь между СайПЛО и сканерами?

— Боюсь, вопрос не по адресу. Я на тех заводах не бывал, так что не знаю.

— Может, знаком с теми, кто в курсе?

— Лично нет. Забавно, что вы интересуетесь этим именно сейчас, когда на СайПЛО ввели строгий учет. Тамошние сотрудники регулярно подворовывали, но недели за две черный рынок заглох... Лично я не фанат огнестрела, а вот «угольщики» таскают оружие на случай стычек с легионерами.

Из-за голенища сапога у Гэри торчала рукоять ножа. Мария закинула ноги на приборную доску.

— Кто такие «угольщики»?

— Местные ясновидцы.

— И кто у них за главного?

— Наш Синдикат не слишком велик. Только «угольщики» и Угольная Королева. — Гэри устремил на меня пристальный взгляд, впитывая алую ауру. — Кстати, кто разослал те образы?

Выходит, они все же достигли Манчестера.

— Моей заслуги здесь нет, — честно призналась я. — Это все Том.

— Чувак, должен сказать, ты лучший оракул в Британии! — Гэри не скрывал своего восхищения.

Том скромно потупился:

— Мне помогли.

Всю дорогу до Манчестера я бомбардировала Гэри вопросами о СайПЛО. К счастью, парень оказался разговорчивым и успел поведать про оборонную промышленность, десятилетиями базировавшуюся в Манчестере, поставки вооружения легионерам и СайенМОПу. На заводах СайПЛО всегда соблюдали режим повышенной секретности, особенно в последний год, когда производительность труда резко возросла. Рабочие пахали по восемнадцать часов, иначе им грозило увольнение. За подозрение в воровстве или промышленном шпионаже карали без суда и следствия, причем под «шпионаж» попадала даже безобидная болтовня с родственниками. О том, что творится за глухими стенами, Гэри знал только понаслышке, но пообещал свести нас с человеком сведущим.

Заснеженные поля за окном сменились безликими постройками Сайенской цитадели Манчестер. Жилые высотки в сотню этажей были понатыканы унылыми серыми монолитами на солидном расстоянии друг от друга. Низшие сословия задыхались от смога, сквозь который едва пробивался свет уличных фонарей. Хлипкие домишки сгрудились в тени исполинских заводов, извергавших черный дым.

Внимание привлекли обломки здания, раздавленного рухнувшей промышленной трубой. Повсюду, куда ни глянь, лежал слой сажи. Народ носил маски и респираторы, у легионеров к защитным очкам крепилось подобие противогаза. Приятный сюрприз.

— В вашей цитадели уже внедрили сканеры? — поинтересовалась я.

— Нет еще. А вот в столице, говорят, вроде бы появились прототипы. Они и впрямь так страшны, как их малюют?

— Ты даже не представляешь насколько, — угрюмо ответила я. — И речь идет не о прототипах, а о полноценных устройствах. — (Как ни странно, мой собеседник не выглядел взволнованным.) — Смотрю, тебя это мало заботит, да?

— Думаю, до севера очередь вообще не дойдет. Сайену плевать на Манчестер. Только бы люди в столице чувствовали себя в безопасности.

Я улыбнулась одними губами.

— А местные чувствуют себя иначе?

— Поживешь тут — увидишь. Может, в конце концов и вовсе решишь, что Манчестер — «самое безопасное место на свете».

Машина остановилась в квартале, застроенном зданиями из красного кирпича — в основном захудалыми трактирами, где торговали едой: слоеными пирогами с начинкой, мясным бульоном, свежим хлебом, маринованной требухой. Сметенный на тротуар снег превратился в слякоть. «Эссекс-стрит» — гласил ржавый указатель. Стоило распахнуть дверцу, как в нос ударил тошнотворный запах. Прикрывая рукавом нос, я двинулась вслед за Гэри в харчевню «Алая роза», где, если верить вывеске, подавали традиционные блюда Ланкашира. Гэри провел нас через натопленный вестибюль вверх по лестнице и толкнул неприметную дверь. Мы очутились в тускло освещенном коридоре.

— Добро пожаловать в нашу берлогу! — Гэри накинул несколько цепочек, запиравших створку. — Перед выходом на улицу обязательно наденьте респираторы. У меня как раз завалялось несколько штук.

После короткой экскурсии мои спутники расположились на втором этаже: Том в маленькой комнате, Элиза и Мария — в большой. Мы с Гэри поднялись по рассохшимся ступеням на чердак.

— Твои апартаменты. Захочешь помыться, ванная в конце коридора. А я пока сообщу Угольной Королеве о вашем приезде.

— Не спеши. — Я плюхнула на пол рюкзак. — Если понадобится помощь, я дам знать. Мы сами займемся...

— Не вздумай ничего предпринимать без ее ведома, — перебил меня Гэри.

— А если вздумаю?

Парнишка растерянно заморгал.

— Нельзя. — На мой вопросительный взгляд он лишь испуганно затряс головой и повторил: — Нельзя. Угольная Королева следит за всем, что происходит в цитадели. Если до нее дойдут слухи, что глава лондонского Синдиката проворачивает в Манчестере свои делишки, у вас будут крупные неприятности.

В принципе, логично. На ее месте я поступила бы точно так же.

— Когда ты получишь ответ?

— Зависит от Королевы.

— Гэри, у нас очень мало времени.

— Угольную Королеву лучше не торопить.

Видя мое плохо скрываемое отчаяние, он добавил:

— Не волнуйся, Пейдж, сделаю все, что в моих силах.

Дверь за ним захлопнулась. На чердаке было не повернуться, скудную обстановку здесь составляли кровать, часы и лампа. Повесив покрытую инеем одежду на батарею, я принялась растирать озябшие пальцы. Все тело точно сковало льдом, суставы не гнулись.

Вместо того чтобы разыскивать Джонатана Кассиди или завод по производству сканеров, приходится сидеть и ждать, пока Угольная Королева соизволит выделить нам минутку в своем плотном графике. Вспомнились мои тщетные попытки добиться аудиенции у Сенного Гектора. Я привыкла, что для темной владычицы открыты все двери, однако на Манчестер мои привилегии не распространялись.

Внимание непроизвольно переключилось на золотую пуповину. Впервые за долгое время я не чувствовала присутствия Стража — вообще ничего, гробовая тишина. Страж был для меня как воздух: его не замечаешь, пока дышишь, но стоит перекрыть кислород... И вот теперь его нет.

От мрачных мыслей меня отвлекла Элиза. Медиум возникла на пороге в свободном свитере и с двумя чашками чая в руках:

— Не возражаешь?

Я похлопала по полу, приглашая ее присесть рядом. В беззаботную эпоху «Семи печатей» мы с Элизой регулярно устраивали ночные посиделки.

Пристроившись возле батареи, мы с наслаждением прихлебывали чай.

— Пейдж, никак не могу выбросить из головы... Деревня, эмиты... Долго это будет продолжаться?

— Пока Рантаны не придумают, как с ними расправиться. Или пока Сайен не построит новую колонию. — Я подула на чашку. — Невеселая перспектива: либо сгинуть в пасти кровожадных монстров, либо жить под их гнетом.

— Рантаны непременно найдут решение. В эфире они смыслят больше нас. — Элиза прижала ноги в носках к теплой батарее. — Все думаю по поводу сеанса. Кстати, ты не говорила, что раньше сталкивалась с СайенМОПом.

— Мне было всего шесть лет, мы с отцом тогда жили в Дублине. Так что и рассказывать особо нечего.

— Ладно, проехали.

— Я охотно бы поделилась воспоминаниями, но ты ведь слышала: Страж посчитал, что пользы от них не будет.

— Ему виднее, — согласилась Элиза. — Мало кто владеет искусством онейромантии. Джекс и тот не освещал ее толком.

Меня вдруг молнией пронзила догадка: а что, если Джексон понабрался знаний у Стража? В первом издании «Категорий паранормального» онейромантия вообще не значилась, сведения о ней появились многим позже. Подозреваю, что Белый Сборщик постоянно дополнял памфлет, выискивая информацию о новых, неведомых прежде формах ясновидения, какие наблюдались только в колонии. Да уж, этот тип своего не упустит.

— Страж весьма любопытный персонаж, — протянула Элиза.

— Лучше и не скажешь.

— За полгода вы с ним наверняка здорово сблизились.

Я пожала плечами:

— Сомневаюсь. Рефаиты — народ скрытный.

Элиза не сводила с меня глаз, но, не дождавшись каких-либо откровений, сменила тему:

— Пейдж, а почему ты назначила наместником Светляка?

— Мне он показался достойным кандидатом.

— Допустим. Но почему не Ника, своего досточтимого подельника? Почему... не меня?

Выходит, я нарушила очередную традицию и даже не заметила этого. Разумеется, в отсутствие главы Синдиката власть передается заместителю. Теперь понятно недоумение Светляка. Получается, я не доверяю компетенции собственных подельников.

— Прости, не хотела тебя обидеть. Светляк будет справедливым, но вместе с тем строгим правителем. Для Подполья это оптимальный вариант.

— Ты понятия не имеешь, на что я способна. Мне, как человеку, прошедшему путь с самого низа, прекрасно известно, где и когда нужно проявить твердость. Не умаляй моих достоинств, Пейдж. И моей преданности. — (Я смущенно отвела глаза.) — Ты не представляешь, чего мне стоило принять твою сторону в Битве за власть. Вы с Ником сразу сдружились, даже сроднились, а у меня был только Джекс. Тем не менее я отреклась от него. Ты сумела донести до людей, что он ничем не лучше барыг, гонявших меня как курьера. Ты убедила, что жаждешь справедливости для всех обладателей аур, а не только для избранных. Поэтому мой выбор пал на тебя. — Взгляд Элизы буравил меня насквозь. — Цени это.

Надо отдать должное ее смелости. Я заметалась в поисках достойного ответа.

— Мне очень жаль, я вовсе не думала...

— Все нормально, — перебила она. — На тебя столько всего свалилось. Просто знай, ты можешь мне доверять. Во всем.

Элиза сомневалась напрасно — я доверяла ей всегда и во всем, просто не говорила об этом вслух. Наверное, затяжное общение с рефаитами сделало меня закрытой. Не успела я обнадежить подругу, как в дверях возник Гэри.

— Угольная Королева ожидает вас в полночь. Очевидно, ваши графики совпадают.

Самое время привести себя в порядок. Темной владычице пристало выглядеть презентабельно. Без изысков, но с достоинством. На пути в ванную я протиснулась мимо фантома художника-автоматиста, явно не расположенного к беседе. Оно и к лучшему.

В ванной царил лютый холод. Я наспех вымылась, оставив после себя лужу грязной воды, натянула серые брюки, черный свитер с высоким горлом и теплую жилетку. После скитаний на ураганном ветру волосы спутались: если начну расчесывать, сделаю только хуже. На нижней ступеньке я наткнулась на Гэри с бумажным пакетом в руках.

— Уже собралась? Отлично. — Он захлопнул входную дверь ногой. — Вот, принес вам немного перекусить. Прогулки на свежем воздухе сильно распаляют аппетит.

Он проводил меня на кухню — такую же тесную и мрачную, как и другие помещения.

— Прошу прощения за неудобства. Пришлось взять на постой еще одного парня — вы наверняка встречались. Его разыскивают за карикатуру Уивера на «Гилдхолле». — Гэри со смехом вытащил из пакета картонные коробочки и пододвинул одну мне. — Так называемый лоскутный пудинг. На вид не очень, но вкусно.

Внутри оказались пропитанный соусом кусок мяса, немного горохового пюре и крупные картофельные дольки с говяжьей подливкой. От аппетитного запаха во мне проснулся зверский голод. Мы уписывали угощение за обе щеки, как вдруг в глаза мне бросилась лежащая на столе брошюрка.

— «Разоблачение рефаитов». — Я потянулась за экземпляром, отметив иллюстрацию на обложке. Эта страшилка была написана по моей инициативе с целью предупредить Синдикат о существовании рефаитов и эмитов. Однако Старьевщик внес в рукопись кое-какие правки, чтобы выставить Саргасов в хорошем свете. — Надо же, и до вас докатилось! Кто бы мог подумать.

Проглотив очередную порцию пудинга, Гэри пустился в объяснения:

— Издатели-ясновидцы из Уайти-Гроув раздобыли копию и выпустили свой тираж. Людям нравится. А после рецензии в «Кверенте»...

— Где?

Гэри выудил из-под груды нераспечатанных конвертов сшитый внакидку буклет с кофейным пятном на титульной странице.

— Ясновидческий вестник. Сайен пытается его запретить, но безрезультатно.

Отпечатанный готическим шрифтом заголовок гласил: «ВТОРОЕ ВОССТАНИЕ ЛЕГИОНЕРОВ НЕ ЗА ГОРАМИ! ОРАКУЛ ИЗ КАСТЫ МИМОВ РАССЫЛАЕТ ШОКИРУЮЩИЕ ОБРАЗЫ».

А ниже шло буквами помельче: «„КВЕРЕНТ“ ГОВОРИТ КРИГАМ „НЕТ“! НЕ ДОПУСТИМ ПОЯВЛЕНИЯ СКАНЕРОВ В НАШЕЙ ЦИТАДЕЛИ!»

— «Второе восстание легионеров», — с замиранием сердца прочитала я. — Выходит, было и первое?

— Ну, восстание — это громко сказано. Пару дней назад горстка ребят из НКО ополчилась на фабричных смотрителей. Подавили их выступление быстро, мятежники и глазом не успели моргнуть. Но многие уверены, что это не последний бунт.

— Почему?

— Легионеры наслышаны о сканерах и боятся потерять работу. С внедрением «Экстрасенса» надобность в их услугах отпадает. А значит... — Гэри выразительно чиркнул ладонью по горлу.

Я отложила вестник. Страж верно подметил: легионеры созрели для революции. Не важно, сколько продлится наш шаткий союз, главное — заручиться их поддержкой на случай, если нам вдруг потребуется помощь. Вряд ли они откажут, особенно когда узнают про портативные сканеры. Тогда и впрямь все, конец их карьере. А значит, и им самим.

В кухню вошли Мария и Том. Пиромантка тут же уселась за стол. Ее волосы были по обыкновению уложены в прическу «помпадур», на веках — аквамариновые тени.

— А ничего, — резюмировала она, сняв пробу с пудинга. — Гэри, поведай нам, кто эта загадочная Угольная Королева?

— Ага, помнится, когда-то тут заправлял Угольный Король, — подхватил Том, откупорив свою порцию. В сером утреннем свете он выглядел на свой возраст — отечное лицо в россыпи пигментных пятен. — Аттард, вроде так его звали?

— Точно. Нерио Аттард происходил из старинного рода, — завел рассказ Гэри. — Аттарды вот уже четыре поколения правят здешними ясновидцами. Тридцать лет назад они пробовали учредить Северный совет для консолидации максимального числа ясновидцев, однако инициатива быстро заглохла. Сам Нерио сложил голову на плахе, но после него остались две дочери. Старшую, Роберту, он незадолго до смерти назначил преемницей. Отныне она Угольная Королева. Кстати, мой ночлежный дом отчасти спонсируется из казны. Младшая, Катрин, служит у сестры кем-то вроде телохранителя. А на днях ее арестовали.

— За что?

— За организацию восстания легионеров.

При таком раскладе Катрин либо уже мертва, либо на волоске от смерти.

— Если мне вздумается попросить Угольную Королеву о помощи, она станет сотрудничать с нами, хотя бы в плане обмена информацией? — допытывалась я.

Гэри почесал в затылке.

— Трудно сказать. Роберта конкурентов не жалует, но поскольку ты не посягаешь на ее трон, вы наверняка поладите. — Прежде чем проглотить очередную порцию, Гэри предусмотрительно глянул на часы. — Пора выдвигаться в Олд-Мидоу. Чем раньше, тем лучше.

Я обвела взглядом комнату:

— Мария, а где Элиза?

Пиромантка надула губы:

— Судя по звукам, в трансе. На стук не отвечает, дверь заперта.

Вряд ли Элиза захочет пропустить встречу, однако чтобы восстановиться после сеанса, нужно время.

— Пойду проверю, — объявила я, поднимаясь из-за стола. — Гэри, у тебя есть кола? И запасной ключ от комнаты?

— Конечно.

Виномант достал из холодильника стеклянную бутылку и протянул ее мне. Я спустилась на первый этаж и отворила дверь. Элиза в беспамятстве распростерлась на полу, где ее настиг коварный фантом. Выглядела она ужасно. Синюшные губы — признак спиритического контакта. Ногти сломаны, кончики пальцев в крови: не найдя поблизости ни кистей, ни красок, фантом вынудил беднягу выцарапывать портрет на стене. На случай спонтанного переселения Ник советовал приподнять медиуму подбородок и проверить, свободны ли дыхательные пути. Выполнив эти первостепенные действия, я смыла запекшуюся кровь и накрыла Музу одеялами. Та невнятно забормотала во сне.

Как говорят в Синдикате, эфир одной рукой дает, а второй забирает. Каждый расплачивается за свой дар. Я — приступами слабости и кровотечением из носа; Ник — мигренями; Элиза — неспособностью контролировать собственное тело.

— Ну как она? — спросил Гэри, увидев меня на пороге.

— Нормально. А вот твоя стена пострадала.

Нахмурившись, он протянул мне противогаз.

Мир сузился до размера смотровых стекол. Маска неприятно стягивала кожу, зато в такой экипировке разоблачение мне явно не грозит. Я сунула ноги в зимние сапоги и застегнула пуховик на овечьем меху.

Держась от Гэри на почтительном расстоянии, мы зашагали вдоль домов. Ни единой звезды не пробивалось сквозь смог. Свернув на основную магистраль, мы втиснулись в подъемник с табличкой «Манчестерский монорельс», доставивший нас на платформу.

Буквально через минуту подъехал поезд. Вагон производил удручающее впечатление — ветхий, дребезжащий, со следами облупившейся краски. Я запрыгнула на подножку и вошла в салон. Мария устроилась напротив и взяла свежий выпуск «Дейли десендант».

Все, кроме меня, сняли респираторы. Пользуясь маскировкой, я с любопытством обозрела вагон. Несмотря на поздний час, все пассажиры были в рабочей одежде. Среди унылой массы серых и черных комбинезонов единственным ярким пятном выделялся представитель экстренных служб в красной спецовке. Черные комбинезоны носил квалифицированный персонал, о назначении серого цвета оставалось только догадываться. Лишь двое попутчиков щеголяли в белоснежных рубашках и красных галстуках — классической «униформе» лондонской подземки. Гэри ткнул меня локтем и постучал по стеклу:

— Гляди.

Глаз не сразу различил в темноте угольно-черные стены.

Фабрика.

Мрачное здание исполином возвышалось над монорельсом. От мощной вибрации, проникавшей даже в вагон, сводило скулы. По фасаду тянулись вертикальные буквы «САЙПЛО», увенчанные изображением белого якоря. Рабочие в серых, сливавшихся со смогом комбинезонах потоком текли из огромных ворот. Чтобы войти или выйти, каждый прикладывал палец к сканеру. Вход охранял десяток вооруженных легионеров, еще шестеро патрулировали улицу. Страшно представить, сколько их ошивается внутри.

— Не позавидуешь бедолагам. — Гэри тяжело вздохнул. — Адская работенка. Сутками возиться с ядовитыми веществами, да еще за гроши. За малейшую провинность — штраф. Многие бреются наголо, чтобы волосы не затянуло в станок.

Том сидел нахмурившись. Невольно вспомнилась заброшенная фабрика в его лабиринте, груды пыли и беспросветный мрак.

— С введением строгого учета начали применять телесные наказания. Не выполнил норму — готовь спину. — Гэри кивнул на стайку серых комбинезонов в сопровождении отряда легионеров. — Не щадят даже ребятишек.

Внутри у меня помертвело.

— На фабрике эксплуатируют детский труд?

— Дешевая рабсила. Плюс взрослый не пролезет под станок.

Детский труд. В Лондоне такое не приветствовалось, хотя на улицах хватало беспризорников, вынужденных бесплатно батрачить на кумовьев.

— Если хотите побольше узнать о СайПЛО, попробуйте расспросить кого-нибудь из рабочих — разумеется, с дозволения Угольной Королевы. Только не надейтесь, что они легко пойдут на контакт. — Гэри поправил сползшие очки. — Думаю, вам стоит наведаться в Энкоутс. Большинство работяг обитает в том районе. Преимущественно переселенцы из Ирландии.

Я как завороженная смотрела на фабрику, пока та не скрылась из виду.

Поезд ехал по мосту через Эруэлл. В речной воде брюхом вверх плавала дохлая рыба.

Постепенно заводы и фабрики сменились складами. Вскоре мы высадились на платформу и по лестнице спустились на улицу. Вид люка пробудил воспоминания о Касте мимов, чья судьба полностью зависела от успеха моей миссии. Надеюсь, мне удастся убедить Роберту Аттард, что мы не представляем для нее угрозы. Если повезет, она не станет втыкать нам палки в колеса, а, напротив, согласится помочь. В свое время я пыталась подольститься к Дидьену, но тот обозвал меня «невоспитанной выскочкой», заставив усомниться в моих дипломатических навыках. Однако мы с Робертой — уважаемые лидеры и наверняка сумеем договориться.

В тени железнодорожного моста виднелась арка с табличкой «Добро пожаловать в Олд-Мидоу!». Свое название[1] район получил в честь поросшей травой делянки, обнесенной чугунным забором. В тусклом свете фонаря стайка ребятишек под присмотром собаки увлеченно пинала мяч. Заметив нас, юная футболистка залихватски свистнула и поинтересовалась:

— Пришли повидаться с госпожой?

Гэри сунул руки в карманы:

— Скажи ей, что мы здесь, ладно?

Девочка передала мяч ближайшему игроку и скрылась в полумраке.

— Гэри, дай пятерку на хлебушек, — заканючил какой-то мальчишка. У него не хватало переднего зуба и клочка ярко-рыжих волос.

---

[1] Old Meadow *(англ.)* — «Старый луг».

Наш сопровождающий со страдальческим вздохом полез за бумажником.

— Топал бы ты на фабрику, иначе с голоду помрешь.

— Да ну ее в баню. Уж лучше побираться. — Мальчик протянул руку с обрубленным указательным пальцем. — Сделай милость, приятель. Надоело ползать под станками. — Побирушка поймал брошенную монету и засмеялся. — Хороший ты парень, Гэри.

— И покорми пса. Откуда он вообще взялся?

— Из дома Макки, на который рухнула труба. Бедняга теперь остался без хозяев.

— Ну просто сердце кровью обливается, — пробормотал Том, глядя, как мальчишка гладит собаку.

— Не то слово. — Гэри тяжело вздохнул. — Эх, ободрали меня как липку.

— Они все сироты?

— Да.

Я наблюдала за происходящим сквозь обзорные стекла. В Лондоне мне ни разу не попадались дети без пальцев. Рабочие из доков, участники Синдиката — да, но не ребятишки.

Девочка вскоре вернулась:

— Госпожа ждет вас. Прошу за мной.

11

ИСТОРИЯ ДВУХ СЕСТЕР

Мы двинулись за провожатой в недра квартала. Мне случалось бывать в самых жутких лондонских трущобах, и всякий раз зрелище надрывало душу. Кругом царили запустение и тишина. Лунатик с багровым ртом безмолвной куклой раскачивался на ступеньке, две старушки сметали пепел с мостовой — сизифов труд, если не сказать хуже. Том мрачнел на глазах.

— Угольная Королева никогда не задерживается на одном месте, — пояснил Гэри. — И в целях конспирации постоянно меняет убежища.

Значит, мозги у нее есть. Уже хорошо.

Мы миновали платановое дерево, вопреки загрязнению выросшее до солидных размеров. С ветвей свисали коричневые «чинарики», однако под натиском беспощадного смога кора потемнела и отваливалась кусками. На соседней улочке неровными старческими зубами сгрудились домишки. Девочка указала на дверь с тусклой замочной скважиной. На стук Гэри отворил сенсор. Нижнюю половину лица скрывала пронзительно-желтая тряпка. Сенсор проводил нас в крохотную гостиную. Пламя в камине озаряло матрас и женщину, устремившую взгляд на огонь.

Высокая (примерно метр восемьдесят ростом) и широкоплечая, Роберта Аттард смотрелась очень внушительно. Аура безошибочно выдавала в ней капноманта. В таких условиях выгодно использовать дым в качестве нумы.

— Привет, Гэри, — произнесла она похожим на древесные опилки голосом. И, не глядя на меня, добавила: — А ты, должно быть, темная владычица.

Я уловила отчетливую нотку презрения. Наконец Угольная Королева обернулась. Внимание сразу привлекли коричневатая, как на старых фотографиях, кожа, ярко-красные губы. Из-под сдвинутого набок кепи выбивались смоляные кудри, козырек прикрывал левый глаз. На вид ей можно было дать лет тридцать.

— А ты, наверное, Угольная Королева, — в тон ей ответила я, снимая противогаз.

— Две повелительницы воров в одной цитадели. Сайен рвет и мечет.

Секунду мы оценивающе разглядывали друг друга. Роберта изучала мое лицо, задержалась на челюсти. Ее щеку украшала причудливая мозаика шрамов. При разнице в росте около пяти сантиметров Угольная Королева ухитрялась смотреть на меня сверху вниз.

— Не представишь своих друзей?

— Том Рифмач и Мария Огненная, мои командующие.

Том галантно снял шляпу:

— Мне доводилось слышать о вашем отце. Уникальный был человек. Для меня большая честь познакомиться с вами, Угольная Королева.

— Взаимно.

Присесть было некуда, поэтому мы остались стоять. Аттард соизволила-таки оторваться от созерцания каминной полки. Белые, перепачканные сажей брюки обтягивали мускулистые ноги молодой женщины и складками ложились на ботинки с латунными носами и деревянными подметками. Вокруг шеи был повязан небесно-голубой шарф, талию перетягивали несколько поясов с начищенными пряжками и кожухами для многочисленных ножей.

— Надеюсь, вас не покоробило мое требование встретиться. После тех... видений я ожидала чего-то подобного. — Роберта ненадолго зажмурилась, словно образы до сих пор стояли у нее перед глазами. — Однако мне и в голову не приходило, что вы надумаете почтить своим визитом скромный Манчестер. Давайте сразу перейдем к сути — зачем пожаловали?

— Хотим разобраться с устройством «Экстрасенса» для последующего его уничтожения, — ответила я.

Аттард насмешливо фыркнула:

— Ну и юмор у тебя.

— Я проехала три с лишним сотни километров не шутки шутить.

— Значит, ты глупа как пробка.

— Мы рассчитываем на сотрудничество, — спокойно продолжала я. — Будем очень благодарны, если ты попросишь своих людей содействовать нам и, при необходимости, помогать.

— Думали застращать нас своими фокусами и принудить к сотрудничеству? — Не дав мне возразить, Роберта обрушилась на нас с яростной речью: — Не выйдет! СайенМОП, может, и нагрянет сюда, но, по-моему, они явились в Британию с единственной целью — подавить ваш бунт. А до Манчестера снизойдут, только если обнаружат здесь зачатки вашей организации. Или конкретно вас. Посодействовать, говоришь? Да проще сразу подписать себе смертный приговор.

— Ошибаешься: задача Сайена куда глобальнее — очистить нацию от скверны и уничтожить ясновидение как таковое, — парировала я. — Здесь, в самом сердце страны, у нас появился шанс помешать этому. В первую очередь нужно саботировать производство сканеров.

— Удачи.

— Да перестань, — вклинилась Мария. — «Экстрасенс» доберется до вас меньше чем через год. Он уже выявляет четыре касты, а скоро настанет черед оставшихся. Предпочитаешь и дальше сидеть сложа руки? Мы обе прорицательницы и должны понимать, чем это грозит.

Аттард напряглась: не привыкла, когда люди держатся с ней на равных.

— У нас нет ни малейшего повода для беспокойства. Сайен внедрит сканеры? Ну и пусть. Вычислим их и будем обходить стороной. Мой отец всегда придерживался политики невмешательства.

— А как вы избежите портативных сканеров? — сощурилась я. — Их ведь производят в вашей цитадели.

Губы Роберты разомкнулись и тут же сжались в тугую линию. Стиснув челюсти, она уставилась на огонь и процедила:

— Впервые слышу.

— По нашим сведениям, на заводах СайПЛО конструируют переносной аналог «Экстрасенса». Хочу проникнуть туда и убедиться, а заодно выяснить, где находится источник энергии. Если нам удастся обнаружить и нейтрализовать ядро...

— По каким таким сведениям? — перебила Роберта. — Лично мне ни о каких аналогах неизвестно.

— У меня есть свой человек на производстве.

— Пока не увижу доказательств, не поверю, — отрезала собеседница. Чутье подсказывало, что записка Даники в качестве аргумента ее точно не удовлетворит. — Так или иначе, мои ясновидцы и близко не подойдут к оборонным заводам. На предприятиях СайПЛО круглосуточная охрана. Надо быть полным идиотом, чтобы сунуться туда, и никакие видения не помогут. Тамошние работники на своей шкуре познали страх. Он пропитывает их жизнь, они буквально дышат им каждую секунду.

— Небось заводское начальство постаралось? — пробормотал Том.

Угольная Королева кивнула:

— Верно. Надзиратели застращали народ. В частности, их руководитель Эмлин Прайс по прозвищу Металлург. В прошлом году его назначили министром промышленности. Раньше Прайс жил себе не тужил в роскошном особняке в Лондоне, но вот уже пара месяцев как перебрался сюда вместе с семьей и поселился в закрытом районе Алтринчема.

— Почему рабочие не бастуют? — возмутилась Мария. — Неужели им не надоело существовать в таком аду?

Мария никогда не стеснялась в выражениях, однако Роберту разозлил ее выпад.

— Не знаю. — Угольная Королева смерила пиромантку взглядом. Та воинственно подбоченилась. — «Угольщики» не вкалывают на заводах. Моя семья сделала все, чтобы оградить ясновидцев от непосильного труда. Деньги мы воруем, зарабатываем своим даром.

— Понимаю, Угольная Королева, — мягко проговорил Том. — Сам некогда работал на ткацкой фабрике в Глазго, так что знаю, каково это.

— Все стало еще хуже.

— Не сомневаюсь. Однако подозрения темной владычицы стоит проверить. Если сведения верны, это коснется всех нас.

— И не мечтайте. — Роберта потеребила пряжку. — Я запрещаю вам соваться на заводы и подставлять нас под удар из-за какой-то мифической наводки. Нельзя отправлять людей на смерть ради откровенной утопии.

— Людей вроде твоей сестры? — тихо спросила я.

— Не смей приплетать сюда мою сестру! — Голос Роберты полоснул по воздуху, точно кнут. Гэри укоризненно покачал головой.

— Выходит, нам нельзя здесь остаться? — уточнила я.

— Оставайтесь на здоровье, — развеселилась Роберта. — Только на предприятия не лезьте, иначе пожалеете.

Интересно, как поступили бы другие на моем месте? Ник бы засыпал Угольную Королеву вопросами, чтобы выяснить причину упрямства, но у меня нет времени на задушевные беседы. Винн попыталась бы воззвать к ее совести и чувству долга, однако Роберту красноречием не проймешь. Страж, наоборот, мягко стелет и никогда не юлит, что, в сочетании с убийственным взглядом (а таковой у меня отсутствует), заставляет собеседника прислушаться.

Как ни крути, придется действовать своими методами.

Я решительно выступила вперед.

— Если не принять меры, вашей свободе передвижения настанет конец. Рано или поздно «угольщиков» вынудят залечь на дно. Помоги нам или хотя бы не мешай. Единственный солдат с портативным сканером не оставит от твоего королевства камня на камне. Страх разоблачения загнал мой Синдикат в подполье. Если не дадим сейчас отпор, дальше будет только хуже. Мы никогда не задумывались об угрозе. Годами отмахивались от нее и теперь расплачиваемся за беспечность.

Аттард с шумом втянула воздух.

— Обязанность королевы защищать свой народ, — добавила я уже мягче. — Неужели ты допустишь, чтобы твоих подданных похоронили заживо?

Роберта резко повернулась:

— Я не позволю какой-то столичной фифе заявиться в мой дом и учить меня править! Моя цель — обеспечить людям безопасность, как это делал покойный отец. Не допустить, чтобы они совали голову в петлю. Если мы не станем вмешиваться, то Вэнс нас не тронет.

Мария тяжело вздохнула:

— Самой-то не надоело обманываться?

— Обманываетесь вы, если думаете, что, развязав войну с Вэнс, можно добиться мира. — Роберта смерила пиромантку уничижительным взглядом. — Судя по акценту, ты из Болгарии. Не поделишься, чем закончился ваш бунт?

Мария захлопнула рот и кровожадно уставилась на собеседницу.

Ну почему все отказываются признать очевидное? Жизнь стремительно меняется, соблюдение традиций больше не уберегает от опасности, но Аттард искренне надеется, что, если играть по старым правилам, беда обойдет ее стороной. Потрясающая наивность.

— В общем, на моей территории без фокусов, иначе горько пожалеете, — процедила Угольная Королева, отворачиваясь. — И не вздумайте связываться с моей сестрой. Она вам не поможет.

Помедлив, я направилась к лестнице:

— Кажется, нам пора.

Какой смысл ломиться в закрытую дверь?

Роберта проводила нас гробовым молчанием.

— Ну вылитый Гектор в юбке! — бушевала я на обратном пути. — Она всерьез верит, что «Экстрасенс» не распространится за пределы Лондона?

Мария выпустила струйку дыма в окно.

— У нас в Болгарии таких тоже пруд пруди. Многие считают, что если не высовываться, сидеть тише воды ниже травы, то ничего страшного с ними не случится.

Разумеется, они видят горести окружающих, но думают: «Меня это не коснется, я ведь уникальный, особенный». Не то чтобы они надеются на лучшее, просто гонят от себя мысли о плохом. Их можно презирать за нежелание бороться, однако та смелость, с какой эти люди принимают собственную судьбу, достойна уважения. По-болгарски это называется «глупава смелост» — отвага дураков.

Я как заведенная выстукивала сапогом ритм, хотя умом понимала: нельзя осуждать Роберту за стремление сохранить нейтралитет. Понимала, но принять этого никак не могла.

— Гэри, — обратилась я к нашему спутнику, — наверняка есть какой-то способ проникнуть на завод.

— Роберта права, охрана там солидная: мышь не проскочит. Только безумец станет так рисковать.

— Безумие — мое второе имя, — отрезала я, стараясь поймать его взгляд. — Ты работаешь на Роберту. Если попрошу, поможешь нам?

Он втянул голову в плечи.

— Вообще-то, я работаю не только на нее. Угольная Королева подкидывает мне деньжат на берлогу, вот, собственно, и все.

— Это означает «да»?

Гэри ответил не сразу.

— Мне поручено оказывать вам всяческое содействие. — Новая пауза. — Если не сказать, Угольная Королева и не узнает. А если не узнает, то и не рассердится.

Мария похлопала его по плечу:

— Молодец, парень!

Когда мы вернулись в «Алую розу», там уже вовсю толпился народ. К упоительному аромату подливки, мускатного ореха и кофе примешивался запах заводского дыма, насквозь пропитавший одежду посетителей. Заклинательница с заплетенной косой сервировала столы и мелодичным голосом выкрикивала заказы. Ее аура заставила меня содрогнуться. В Лондоне этой женщине и шагу не удалось бы ступить без риска разоблачения.

В нашей берлоге осунувшаяся Элиза пила колу.

— Как все прошло? — прохрипела она.

Я досадливо поморщилась:

— Пустая трата времени.

Элиза нахмурилась. Без лишних слов я поднялась на чердак и села на подоконник.

Улицу заволокло серым туманом. Я всматривалась в его проплывающие клубы и размышляла.

В фантазиях перемены рисуются радужными красками и, подобно огню, сметают все преграды на своем пути. Они вдохновляют, сулят скорую победу. Ты взываешь к справедливости, и та не заставляет себя ждать. Тебя окружают единомышленники, готовые пожертвовать собой за правое дело. Однако, как показывает практика, перемены даются отнюдь не легко. Пожалуй, безболезненная революция возможна только в мечтах.

В дверь постучали, и в комнату просунулась всклоченная голова Рифмача.

— Темная владычица, ты в порядке?

— Более чем.

— Не кори себя, девочка. Роберта просто дура. — Опираясь на здоровую ногу, он переступил порог. — У Гэри дела в другой части цитадели, где собирается не столь приятная компания. Можем отправиться с ним. Попробуем разузнать об этом Джонатане Кассиди.

— Почему бы и нет? — Я встала. — Сам-то как?

— Чуток утомился после сеанса. Такие штуки здорово выматывают. — Том замялся. — Никак не возьму в толк...

Ты уж извини, владычица, но, по-моему, Страж чего-то недоговаривает.

У меня вырвался горький вздох.

— Знаешь, Том, единственное, что я точно знаю про рефаитов, — они вечно чего-то недоговаривают.

Бандитский притон, куда нас привел Гэри, базировался в закусочной под названием «Квинси». Закусочная располагалась на углу, в точечном доме с замызганным терракотовым фасадом; за окнами мерцало пламя свечей. Хотя время уже близилось к рассвету, по улице потоком текли смутные силуэты. Тощий как жердь торговец продавал с тележки рогалики и суп.

В темном, облицованном плиткой помещении невидец исполнял на пианино «Утраченную мелодию» — запрещенную салонную песню, одну из моих любимых. Играл нарочито громко, перекрывая шум. Кто-то бросил в музыканта пригоршню гвоздей — суровая публика! — однако тот продолжал играть.

Стекла изнутри запотели. Гэри проводил нас в кабинку на втором этаже и достал из кармана горсть банкнот.

— Подарок от Угольной Королевы. В благодарность за... хм... сотрудничество. — (Я хотела было отказаться, но Мария живо сграбастала купюры.) — Мне нужно переговорить с поставщиком. Сидите тихо и не высовывайтесь.

Мои спутники сняли противогазы. У меня же не было ни малейшего желания «светить» лицом, пусть даже в бандитском логове.

Мария решительно отодвинула стул:

— Умираю от голода. Пойду закажу поесть.

Я схватила ее за запястье:

— Попытайся разузнать что-нибудь о Кассиди. Только аккуратно.

— А разве я когда-нибудь действовала иначе?

Орудуя локтями, Мария протиснулась к бару. Тем временем мы с Элизой и Томом изучали обстановку. Экран под потолком транслировал региональные соревнования по айскроссу, национальному зимнему спорту Сайена. Джексон запрещал нам смотреть «развратные», по его мнению, игры в логове; впрочем, Надин при каждом удобном случае пробиралась в ближайший кислородный бар, чтобы поболеть за любимые команды. Невидцы в Лондоне просто с ума сходили по айскроссу, однако здесь основную массу зрителей составляли паранормалы. Когда «Манчестерские якоря» заработали очко, половина болельщиков в отчаянии повалилась на барную стойку, а другие, напротив, радостно вопили и хлопали соседей по спине.

— Пейдж, — окликнула меня Мария (ее голос едва пробивался сквозь шум), — бармен говорит, Кассиди воровал оружие и продавал его на черном рынке. Начальство поймало Кассиди с поличным, однако он чудом избежал гильотины и сейчас скрывается. Никто не знает, где именно.

— Естественно, — кивнула я. — Описание имеется?

— Лысый невидец с повязкой на лице. Негусто. — Мария втиснулась за столик рядом с Элизой. — Теперь насчет предприятий СайПЛО. В совокупности их семнадцать, занимаются исключительно оружием. Чую, грядет очередное вторжение, иначе зачем Сайену запускать массовое производство?

— Например, чтобы поголовно вооружить солдат сканерами, — хмыкнула я.

— Вряд ли их изготовляют на семнадцати заводах разом. Хотя роли это не играет. Так или иначе, мы останемся здесь и сровняем предприятия с землей.

— Что? Уничтожим все семнадцать заводов? — вытаращил глаза Том.

— Именно. Все семнадцать. Так что от них останется только воспоминание.

— Хорошая мысль, — невозмутимо заметила я. — Вопрос, как это сделать.

Мария щелкнула зажигалкой.

— Пейдж, я пиромантка. — Она сделала знак, и фантом услужливо поднес пламя к кончику сигареты. — Устроить поджог мне раз плюнуть.

Элиза резко дернула ее за рукав.

— Ты что творишь? Здесь повсюду невидцы, — прошипела она.

— Ха, напугала. Посмотри по сторонам.

Мария кивнула на соседний столик, где сидела провидица с хрустальным шаром. Табличка рядом гласила: «Потомственная ясновидица. Предсказываю результаты всех матчей по айскроссу». Вокруг толпились возбужденные невидцы, не спешившие донести на гадалку.

Беседу пришлось прервать, пока официант расставлял блюда и бокалы с горячим шоколадом.

— Так вот, — продолжила Мария, едва официант отошел, — если не удастся провести разведку боем...

— Мы не станем ничего поджигать, — перебила я. — Вместе с заводами сгорит и единственная ниточка, которая ведет к ядру.

Моя собеседница вскинула брови:

— Есть идеи получше?

Я снова обвела взглядом помещение.

— Надо разыскать Кассиди. Даника не ссылалась бы на него просто так.

— Заодно можно связаться с Катрин Аттард, — добавила Мария.

Элиза непонимающе нахмурилась, и я поспешила объяснить:

— Это сестра Роберты, приговоренная к смертной казни. Она готовила восстание легионеров, а значит, готова противостоять Сайену.

— Угольная Королева запретила нам приближаться к своей сестре. — Том опасливо покосился по сторонам. — Нельзя саботировать приказ, мы ведь на ее территории.

— Надоел этот детский сад: «твое», «мое», — отрезала я.

Том обиженно заворчал:

— Начнем вынюхивать, и Роберта мигом даст нам пинка. Да к тому же Катрин за решеткой, ее наверняка стерегут сутками напролет.

Я потерла висок. Если мы не хотим погибнуть от рук СайПЛО, необходимо все тщательно спланировать.

— Думаю, что знаю, где искать Кассиди, — протянула я. — Но быстрого результата не гарантирую.

— Всякая революция требует времени, — философски заметила Мария. — Выкладывай.

— Гэри упомянул про Энкоутс, прибежище ирландских эмигрантов.

Элиза скривилась:

— Ну и?

— Кассиди — это ирландская фамилия, переделанная на английский лад.

Складки на лбу Элизы разгладились:

— Как и у тебя, да?

— В точку. — «Махоуни» — единственная частичка культурного наследия, которую сумел сохранить отец. — Ирландцы не любят чужаков, а вот соотечественница сумеет вызвать их на откровенность.

— Молодец, соображаешь, — похвалила Мария.

Я допила шоколад:

— Вот что, вы тоже времени зря не теряйте и пока проработайте другие направления. Том, попробуй подружиться с заводскими рабочими. Расспроси их, что да как. Мария, Элиза, выясните, где держат Катрин Аттард. Только аккуратно. Не нарвитесь на Угольную Королеву с приспешниками.

Где-то на пересечении всех этих линий и лежала истина, способная приблизить нас к разгадке «Экстрасенса». Если поиски окажутся тщетными и мы вернемся в Лондон с пустыми руками, то, чует мое сердце, мне недолго править Синдикатом.

12

КРЕПОСТЬ

Поддавшись на уговоры, я согласилась вернуться в берлогу и немного поспать, о чем вскоре горько пожалела. Едва мы переступили порог, как приятель Гэри сообщил тревожную новость: на ближайший завод СайПЛО нагрянула инспекция, вся охрана буквально стоит на ушах, а значит, в ближайшее время туда не сунешься. Гэри переполошился и категорически запретил нам выходить из дома, пока все не уляжется.

В отчаянии я, как лев в клетке, металась по чердаку под издевательским взглядом циферблата. Каждая секунда продляла заточение Касты мимов, усугубляла кризис. Бедный Ник. Не представляю, как он там справляется.

К полудню мое терпение лопнуло, и я постучала в комнату Гэри.

— Секунду! — крикнул он, но я уже толкнула дверь.

— Гэри, нам правда нек... — Слова застряли у меня в горле, брови поползли вверх.

Шторы были задернуты. Гэри сидел на постели в обнимку с Элизой, ее голова покоилась у него на плече. Оба растрепанные, сонные. При виде меня Элиза с воплем «Какого хрена, Пейдж!» поспешно завернулась в простыню.

Я закашлялась.

— Темная владычица, — пробормотал Гэри, нацепив на нос очки, — все хорошо?

— Лучше не бывает. Если вы... хм... закончили... узнай, что там с проверкой.

— Да-да. Разумеется.

Я опрометью бросилась в коридор. Элиза возмущенно засопела, словно бы говоря «горбатого могила исправит».

В моем возрасте пора бы уже перестать вламываться к людям без стука. Дурацкая привычка не раз подводила меня еще в эпоху сбора дани для Джексона.

Джексон... Я вообразила, как он курит сигару в архонте и со смехом наблюдает наш разгром.

Я спустилась на кухню и от нечего делать утрамбовала стопками чистое белье. Вскоре появился Гэри — в свежей рубашке и с виноватой миной.

— Инспекция завершилась, — доложил он. — Путь свободен.

— Отлично. — Я застегнула молнию. — Вернемся через пару часов.

— Мне пора на работу. Ключ оставлю у привратника.

Мария и пунцовая Элиза присоединились ко мне в вестибюле. Под моросящим дождем мы зашагали в сторону платформы.

— Прости, Пейдж, — шепнула Элиза, пока мы топтались в ожидании своих электричек.

— Не нужно извиняться. Не мне блюсти твою нравственность.

Она подавила ухмылку.

— Согласна, но расслабляться все равно нельзя. — С ее волос капала вода. — Просто у меня уже давно... ну, ты поняла.

— Угу, — пробормотала я, дуя на озябшие ладони.

— Постарайся не наломать дров. — Заметив приближающийся состав, Элиза ткнула меня в бок. — А то стоит тебе сесть в поезд — и все, пишите письма.

— За мной такого не водится.

Элиза недоверчиво усмехнулась, но возразить не успела: я уже садилась в вагон.

Наверное, небо над Манчестером никогда не бывает ясным. За окном кипела жизнь. Когда поезд свернул за угол и покатил вдоль очередного завода, я буквально прилипла к стеклу, отчего оно запотело. Горстка рабочих яростно наседала на легионеров у ворот.

Похоже, назревал бунт.

С переменой пейзажа мои мысли устремились к Стражу. После отъезда из Лондона золотая пуповина не подавала признаков жизни. Поначалу меня одолевала тревога: вдруг Арктур решил обрубить все концы, — однако пуповина была на месте, просто безмолвствовала. Мне не достучаться него, пока он находится в загробном мире, за завесой.

Мирские заботы почти вытеснили из памяти далекий призрачный Шиол, где на обломках империи рефаиты рыщут в поисках Адары Сарин, дабы убедить ее в моей способности возглавить Касту мимов в борьбе против Саргасов. Вероятно, Адара уже вышла на связь и требует доказательств моей, так сказать, профпригодности, а Стражу нечего ей ответить. Он так безоговорочно, исступленно верил в меня, хотя, признаться, я редко оправдывала его доверие.

Думая об Арктуре, я ощутила болезненный укол в сердце. Молчание золотой пуповины действовало на нервы, словно у меня атрофировалось одно из шести чувств.

Энкоутс притулился в тени крупнейшего завода СайПЛО. Я спустилась с платформы и, увязая в сугробах, побрела вперед. Дул ледяной ветер, только противогаз спасал меня от обморожения. Плутая среди тесно понатыканных домов — приземистых, изъеденных плесенью, я наткнулась на надпись, сделанную оранжевой краской: «MAITH DÚINN, A ÉIRE»[1]. Видеть родной язык в Сайене было выше моих сил, уже в следующую секунду меня захлестнула тоска по дому, откуда мне пришлось бежать в возрасте восьми лет.

Люди двигались по улицам как сомнамбулы. Большинство — в застиранных рабочих комбинезонах, на лицах застыла безысходность. Другие сидели в дверях, укутавшись в грязные одеяла, и просили милостыню. Внимание привлекла заплаканная девушка с двумя ребятишками.

В поисках Джонатана Кассиди я обивала пороги лавочек, заглянула к торговцу углем, сапожнику, галантерейщику. На мой вопрос хозяева отводили глаза и бормотали: «Таких здесь нет». Выйдя от галантерейщика, я услышала, как за спиной щелкнул замок; в окне появилась табличка «Закрыто». Меня так и подмывало снять противогаз, но раскрытие инкогнито грозило неприятностями. Никогда не угадаешь, где тебя подстерегает враг.

Поиски привели меня в упомянутую Гэри закусочную на углу Блоссом-стрит. На узкой двери не было ни ручки, ни окошка, только облупившаяся вывеска с названием «Teach na gCladhairí»[2] и изображением желтобрюхого угря.

С порога в нос мне ударил стойкий букет плесени и табачного дыма. На стенах, обклеенных древними обоями в цветочек, висели морские пейзажи. Откинув капюшон, я уселась за круглый столик в уголке.

---

[1] «Хорошо живется в Ирландии» *(ирл.)*.

[2] «Пристанище трусов» *(ирл.)*.

— Чего желаете? — рявкнула из-за барной стойки тощая невидица; физиономия у нее была кислая и неприветливая.

— Кофе, пожалуйста.

Барменша исчезла на кухне. Я сняла противогаз и обмоталась вместо него красным шарфом. Мгновение спустя официантка грохнула на столик чашку и корзиночку с пресным хлебом. Видом и запахом кофе подозрительно смахивал на уксус.

— Пейте на здоровье! — гаркнула официантка.

— Спасибо. — Я понизила голос до шепота: — У меня к вам просьба. Не подскажете, среди ваших клиентов есть некто Джонатан Кассиди?

Девица смерила меня презрительным взглядом и заковыляла к стойке. В следующий раз непременно достану кошелек — для убедительности.

Редкие посетители сидели за отдельными столиками. Кто-то из них наверняка знал, где прячется Кассиди. В целях конспирации я принялась с нарочитым интересом изучать засаленное меню.

— Попробуйте рагу, — посоветовал бородатый невидец, вошедший следом за мной и терпеливо ожидавший заказ.

— Что, простите?

— Советую заказать рагу.

Я пробежала глазами по строчкам:

— Вкусное?

Невидец кивнул:

— Пальчики оближешь.

Соблазнительно, конечно, но время поджимает.

— По правде сказать, кухня здесь ужасная, — ответила я. — Кофе даже пить страшно.

Мой собеседник хмыкнул. Лица не разобрать за полями остроконечной шляпы.

— Ты из сайенского Белфаста? — спросил он.

— Из Типперэри.

— Акцент у тебя чудной. Давно уехала?

— Одиннадцать лет назад. — Я непроизвольно заговорила на ирландский манер. — А вы из Голуэя?

— Да, но последние два года живу в Манчестере.

— А Джонатана Кассиди, часом, не знаете?

— Больше нет. Он остался в прошлом.

Мгновение спустя меня осенило. Невидец протянул мне руку:

— Глисан О'Кэссиди. — Помешкав, я пожала мозолистую ладонь. — Имя я сменил сразу по приезде, но совсем отречься от корней не смог. Тебе ли не понять, Пейдж Махоуни.

Я застыла в иррациональном страхе. Казалось, одно неверное движение — и Глисан разоблачит меня перед всем кварталом. Обычно беглые преступники солидарны с товарищами по несчастью, но с ворами нужно держать ухо востро.

— Как ты догадался?

— Уроженка Типперэри, закутанная в шарф по самые брови, разыскивает врага Сайена. Только дурак не сообразит. Не бойся, стучать на тебя никто не собирается. — Он отвернулся к окну. — У каждого свои секреты, верно?

При виде его профиля я с трудом подавила крик. Щека сгнила насквозь, обнажая потемневшие десны и полное отсутствие зубов.

— Фосфонекроз челюсти, — пояснил О'Кэссиди. — Развивается при работе с белым фосфором. А в больницу не обратишься. Очередной минус для нелегалов, вкупе с грошовой зарплатой. Еще удивляются, почему я начал приторговывать на стороне.

Сквозь отвратительную дыру отчетливо виднелся розоватый язык.

— И вдруг появляется юная девушка с расспросами. Думаю, не из банального любопытства. Мой приятель-галантерейщик помог тебя выследить. Итак, зачем я тебе понадобился?

Воровато озираясь, я перебралась к нему за столик.

— Ты работал на СайПЛО, торговал оружием. По моим сведениям, на одном из заводов производят портативные сканеры. Это правда?

Казалось, минула целая вечность, прежде чем О'Кэссиди кивнул:

— Да. Их изготавливают лишь в так называемом комплексе Б, и нигде больше. К сожалению, очевидцев ты не найдешь. Из комплекса Б еще никто не возвращался. Рабочие едят, спят и умирают в его стенах.

— Хочешь сказать, они сидят там безвылазно?

— Последний год точно. Это неприступная крепость. Дураков идти туда добровольно нет, поэтому людей насильно переводят с других заводов, зачастую без предупреждения. — О'Кэссиди зачерпнул рагу и отправил в рот. — После перевода от них ни слуху ни духу. Даже всемогущий Эмлин Прайс появляется очень редко, хотя уж его-то никто не ограничивал в передвижениях. Тем не менее он буквально живет на заводе.

Министр промышленности собственной персоной. Попахивает военной тайной. Уже кое-что.

— Но если оттуда никто не возвращался, то как ты узнал про «Экстрасенс»?

— Для местных это не секрет. Мы просто знаем — и все.

— А ты не в курсе, как устроены сканеры? Как устроен «Экстрасенс»? Чем он подпитывается?

О'Кэссиди хрипло засмеялся.

— Владей я такой информацией, давно бы стал миллионером. Стараниями Прайса секрет надежно заперт в комплексе Б. Даже «угольщики» толком не знают, что там творится, хотя они прекрасно осведомлены обо всем происходящем в Манчестере.

— Откуда тебе известно про «угольщиков»? — нахмурилась я. — Ты ведь...

— Сталкивался с ними волей-неволей. Роберта нас не трогает, ей вообще наплевать на невидцев. Своих забот полон рот. А вот ее сестричка наоборот... — Лицо моего собеседника исказила гримаса отвращения.

— Смотрю, ты не очень жалуешь Катрин, — заметила я.

О'Кэссиди собрал остатки рагу кусочком пресного хлеба.

— Редкая гадина. Обиделась, видите ли, что папаша не передал ей корону, и с тех пор отыгрывается на слабых.

Сенной Гектор оценил бы ее рвение.

— Катрин терроризировала всю округу, включая наш район. Не успеешь разжиться пенни, как она вламывается и начинает требовать мзду за «защиту» от своих же головорезов...

— Катрин вымогала деньги у всех подряд?

— Практически у всех, но к нам она питала особую ненависть. У нее случился конфликт с «угольщиком» из Дублина. В итоге Катрин победила, но парень успел задать ей жару, прежде чем ему выпустили кишки. «Угольщики» ведь дерутся на поясах. — Ирландец полоснул рукой по воздуху. — И теперь она мстит соотечественникам человека, изуродовавшего ей лицо. Завтра красавицу повесят в Спиннингфилдсе — ну, туда ей и дорога.

Самое страшное, что вопреки всем ужасам, которые мне только что рассказали, я по-прежнему не гнушалась обратиться к Катрин за помощью.

Мимо протопала официантка с тарелкой каши.

— Сегодня на моих глазах рабочие одного из заводов устроили бунт. Не знаешь, кто ими руководит? — поинтересовалась я. — Есть ли другие лидеры, кроме семейства Аттард?

О'Кэссиди покачал головой:

— Стачки периодически вспыхивают по всему городу. А с введением Прайсом системы строгого учета их количество только растет.

— Похоже, Прайс — корень всех зол, — протянула я.

— Так и есть. И до него было несладко, а теперь стало совсем уж худо.

Эмлин Прайс. Я сосредоточенно размышляла. По словам Роберты Аттард, Прайса назначили министром промышленности год назад — тогда же резко увеличилось производство оружия и возросла эффективность «Экстрасенса». Если в Манчестере всем заправляет Прайс, значит в нем и таится ключ к успеху Вэнс.

— Спасибо, — искренне поблагодарила я О'Кэссиди, вставая. — Ты здорово нам помог.

Цель достигнута, надо было уходить и поскорее сообщить остальным про комплекс Б, однако ноги словно бы приросли к полу.

— Ты эмигрировал из Ирландии два года назад, — зашептала я, усаживаясь обратно. — Расскажи, многое ли изменилось с водворением там Сайена?

Мой собеседник пониже нахлобучил шляпу.

— Одиннадцать лет — долгий срок. От прежней Ирландии почти ничего не осталось. Изумрудный остров, мать его! — О'Кэссиди злобно хохотнул.

— Я наблюдала Мэллоуновское восстание в Дублине.

— А уехала, получается, где-то в две тысячи сорок восьмом году?

Я медленно кивнула.

— Вовремя. Всех руководителей восстания повесили, а уцелевших мятежников сослали в концлагеря, учрежденные в каждой провинции. Позже туда согнали неугодных, чья потеря не слишком сказалась на будущем страны. Я четыре года оттрубил в лагере в Коннахте, валил там деревья за ломоть хлеба.

Услышанное просто в голове не укладывалось. Не секрет, что Ирландия очутилась под пятой Сайена, за исключением удерживаемых повстанцами земель, но даже в самом страшном сне я не могла представить, насколько все изменилось. Антиясновидческая пропаганда. «Самое безопасное место на свете».

— Мне долго не везло с побегом. Однако в конце концов я все-таки добрался до побережья, проник на корабль, переправлявший всякий хлам в Ливерпуль, и обосновался здесь. До лучших времен.

О'Кэссиди снова занялся едой. Его шляпа почти полностью заслоняла обзор. Выходит, на моей родине использовали каторжный труд, обескровили ее практически досуха — ради империи Наширы.

— Не понимаю, — выдавила я. — По «Оку Сайена» передавали исключительно про Английский Пейл[1]. Я думала...

— Ты думала, только там Сайен развернулся по полной? Очередное вранье, чтобы выставить ирландцев чудовищами. Нет никакого Пейла. Ирландия целиком контролируется Сайеном.

На языке вертелся вопрос, который я боялась задать. О'Кэссиди прав: ни к чему ворошить прошлое. Меньше знаешь — крепче спишь. Буду хранить образы из детства под стеклянным колпаком, где их ничто не омрачит.

— А ты... — Я осеклась, но через силу продолжила: — Ты, часом, не слышал про ферму «Медуница»?

---

[1] *Английский Пейл* — общее название ядра английской средневековой колонии в Юго-Восточной Ирландии с центром в Дублине, в противовес остальной — не покоренной англичанами кельтоязычной территории острова, именуемой Айришри.

— Нет.

Естественно.

— Это молочная ферма в Типперэри. Семейное предприятие, — проговорила я, предвидя очередное «нет». — Владельцев звали Имон О'Матуна и Грэйнн О'Матуна.

— Фермы они наверняка лишились. Большинство семейных угодий консолидировали в крупные агропромышленные хозяйства.

Мой дед никогда не одобрял такой подход к фермерству, свое подворье он холил и лелеял. «Дело не в количестве, а в качестве, — приговаривал он, разливая молоко по бутылкам. — Поторопишь корову — испортишь сливки». Бабушка и дедушка поженились рано и с тех пор буквально жили фермой, вкладывали в нее душу.

— Спасибо тебе за рассказ, — поблагодарила я.

— Всегда пожалуйста. — О'Кэссиди похлопал меня по руке. — Желаю удачи в твоем предприятии, Пейдж О'Матуна, и прошу: забудь про Ирландию. Эту закусочную прозвали так не случайно. — Он отвернулся. — Все мы бросили родных в аду.

За окном проносился Манчестер — скопище серых силуэтов на фоне сумрачного неба. Кроме меня, в вагоне не было ни души.

Родины, какой она сохранилась в моих воспоминаниях, больше не существует, Сайен уничтожил ее. Следовало бы догадаться, что эти беспринципные работорговцы не пожалеют детей Ирландии. Мне ясно представилось, как солдаты маршируют по долине Глен-Ахерлоу, сжигая все на своем пути.

На платформе дул ледяной ветер. Ребра трещали под тяжестью невидимого веса. Я сбежала, а бабушка и дедушка остались. Теперь уже ничего не исправить. Даже если им посчастливилось спастись, потеря фермы наверняка убила их изнутри. Перед глазами вставали жуткие картины: вот они умирают от непосильного труда в лагере или пытаются отвоевать землю.

Отныне — никакой пощады врагу. Во имя родины, бабушки с дедом, во имя себя самой. Я уничтожу Сайен, как он уничтожил дорогую моему сердцу страну, — растопчу ядовитую гидру, пускай даже на это уйдет вся моя жизнь.

И начну я с Манчестера. Выполню миссию любой ценой.

В сумерках я свернула на Эссекс-стрит. В «Алой розе» стоял гвалт, посетители в безрукавках с эмблемами «Манчестерских якорей» и «Манчестерских захватчиков» смотрели очередное состязание по айскроссу. Протиснувшись сквозь толпу к барной стойке, я взяла протянутую Гэри чашку чая, а также ключ от берлоги и потащилась вверх по лестнице, оставляя на ступеньках мокрые следы.

Рифмач ждал в гостиной.

— Можно тебя поздравить?

— Да. — Я сняла противогаз и убрала со лба влажную прядь. — Похоже, нам предстоит проникнуть в комплекс Б.

Сощурившись, Том выслушал мой рассказ и почесал бороду.

— Они из кожи вон лезут, чтобы правда не выплыла наружу. Интересно, почему?

— «Экстрасенс» — тайное оружие Вэнс. Она в лепешку разобьется, лишь бы сохранить секрет. Если легионеры пронюхают о портативном сканере, начнутся массовые протесты. Думаю, Вэнс планирует вооружить всех поголовно солдат сканерами, а потом устранить легионеров.

— Звучит убедительно. Ты молодец, Пейдж. А вот мне похвастаться нечем, — вздохнул Том. — Я переоделся попрошайкой и караулил у комплекса Д. Народ там не особо разговорчивый, в любом случае ничего интересного они не сказали. Потом меня шуганули легионеры, пришлось менять дислокацию. Возле комплекса А та же история.

— Неудивительно. В курсе только те, кто работает на предприятиях Б.

Том мрачно улыбнулся.

— А выходить оттуда люди не спешат, — заключил он.

Мария с Элизой вернулись из типографии в Уайти-Гроув, где тщетно пытались выведать хоть что-нибудь про Катрин Аттард. Сотрудники «Кверента» искренне сочувствовали Касте мимов, но придерживались позиции печатников с Граб-стрит: помогать словом, а не делом. Я вкратце поведала о результатах вылазки, после чего велела компаньонам переодеться и поесть. Мне же не терпелось остаться одной и поразмышлять.

Я поднялась на чердак и отметила на карте две точки. Первая — производственный комплекс Б, расположенный в соседнем секторе. Вторая — Спиннингфилдская тюрьма, где томилась за решеткой Катрин Аттард; дотуда меньше километра.

Отрешившись от внешнего мира, я сосредоточенно прикидывала варианты. Касте мимов еще не доводилось участвовать в грабежах, не считая провального налета на склад. Посыл очевиден: на заводе имеется информация, и ее необходимо выкрасть.

В первую очередь нужно проникнуть внутрь. Странница без труда преодолеет любые стены и засовы — но лишь на весьма ограниченный промежуток времени. Кислородной маски хватало буквально на пару минут: недостаточно, чтобы исследовать завод и, если повезет, найти и уничтожить ядро. Кроме того, у меня не получалось долго находиться в чужом теле без ущерба для собственного организма.

Ничего не попишешь, придется наведаться на предприятие лично — разумеется, в обход Роберты, а для этого мне потребуется помощь.

Судя по всему, Катрин Аттард люто ненавидела Сайен, иначе не связалась бы с мятежниками-легионерами. Она хорошо ориентируется в обстановке, обладает огромным влиянием и наверняка сумеет провести меня в комплекс Б. Пора нам уже познакомиться, пока ее не вздернули на виселице.

Катрин и Роберта Аттард. Две сестры словно две стороны Гектора: одна воплощает его кровожадность, а вторая — лютое неприятие перемен.

Во всем, что касалось ядра, Тирабелл дала мне картбланш. Чутье подсказывало: зацепки нужно искать на заводе, с него и начнем.

Я встала и принялась мерить шагами комнату. Внимание привлек яркий всполох за окном. Какая-то «угольщица», не таясь, следила за нашей берлогой. Ее лавандового цвета шейный платок отчетливо виднелся даже сквозь смог.

Наверняка Роберта приставила ко мне соглядатая и в ус не дует.

В приступе ярости я вытряхнула на пол содержимое рюкзака. Куда запропастилась маска? Увечья, нанесенные фантому в поединке, загадочным образом подхлестнули мой дар. Возможно, я намного сильнее, чем думаю. Есть лишь один способ это проверить.

История со складом, в которую мы угодили из-за подтасованных фактов, научила меня действовать по принципу «Доверяй, но проверяй». Прежде чем соваться в логово врага, нужно удостовериться, нет ли там ловушки.

Я отлично знала, где расположен комплекс Б, однако отыскать его в эфире оказалось не так уж просто. Очутившись в нужном месте, набитом тускло мерцающими лабиринтами, чья бдительность притупилась от усталости, мой фантом беспрепятственно проник в первого встречного.

Вокруг высились мудреные агрегаты. Доменная печь озаряла все зловещим светом. Вонь стояла просто невыносимая: пахло раскаленным железом, словно стены в цеху истекали кровью. От лязга и грохота станков закладывало уши, а скулы сводило судорогой. Я вдруг почувствовала себя винтиком в адских тисках. Работница, любезно «одолжившая» мне свое тело и даже ухитрившаяся устоять на ногах, склонилась над стопкой металлических пластин. По лицу у нее струился пот, проворные пальцы не останавливались ни на секунду.

По крайней мере, завод настоящий, а не бутафория, состряпанная Вэнс. Мой взгляд заметался по сторонам в поисках «Экстрасенса» или любого образчика эфирной технологии. После прыжка зрение адаптировалось не сразу, однако мне удалось различить в дверях вооруженного легионера.

— Пароль!

Грубый окрик заставил меня вздрогнуть. Перед верстаком возник охранник в противогазе. От неожиданности я не нашла ничего лучше, чем промямлить:

— В смысле?

— Пароль, живо!

Мои соседи затравленно съежились. Опешив, я лишь глупо таращила глаза.

— За мной! — скомандовал легионер.

Второй уже смотрел в нашу сторону.

— Комендант, у нас предположительно шпион-паранормал.

— Простите, — залепетала я. — Просто из головы вылетело.

Охранник вцепился «мне» в плечо и оттолкнул от верстака. Испуг выбросил меня из эфира, обратно в собственное тело. Сорвав кислородную маску, я повалилась набок, жадно хватая ртом воздух.

Сайен ловко придумал, как обезопасить от ясновидцев свои предприятия. Вообще-то, я и сама хороша — заявилась в архонт в чужом обличье и угрожала верховному инквизитору. Враг мигом сориентировался и залатал брешь в своей броне. Достаточно лишь не терять бдительности и при малейшем подозрении требовать заранее оговоренный пароль. Если человек не в состоянии ответить, то, скорее всего, он стал жертвой переселения.

Меня охватило отчаяние. Мой дар был единственным оружием, способным нанести противнику ощутимый урон.

Вэнс снова постаралась, на сей раз при участии Джексона. Он-то наверняка и предупредил, что я не умею проникать в воспоминания, а, следовательно, не узнаю пароль. Он же обозначил перечень симптомов: пустой взгляд, внезапное кровотечение из носа, суетливые движения. Естественное поведение достигается упорными тренировками, мне до такого еще расти и расти.

Я сняла свитер и глубоко вдохнула; сквозняк приятно холодил разгоряченное тело. С разрывом контакта моя «проводница» упала в обморок — может, в ее действиях и не найдут злого умысла, а ситуацию с паролем спишут на жару или переутомление.

В любом случае мешкать нельзя.

Я спустилась на кухню, где вся компания с аппетитом уминала испеченный Гэри пирог. При виде меня Элиза пулей вскочила со стула.

— Ты странствовала!

Кивнув, я села за стол, чувствуя, как в висках колотится пульс.

— Мы должны вызволить Катрин Аттард. Только не перебивайте, — попросила я, заметив, как исказилась физиономия Рифмача. — В комплекс Б не попасть без посторонней помощи, а как выяснилось, странникам туда вход заказан.

Элиза озадаченно нахмурилась:

— Почему?

— Меня чуть не сцапали с поличным.

Мария грязно выругалась сквозь зубы.

— Вряд ли меня рассекретили, но теперь охрана, так или иначе, будет настороже. Придется отправиться туда самим, и чем скорее, тем лучше.

— Что ж, логично. Надеюсь, у тебя есть план?

— Комплекс Б стерегут легионеры, наверняка среди них найдутся приятели Катрин. Настало время заручиться их поддержкой. Предложу Катрин сделку: она помогает нам проникнуть на завод, а мы вытаскиваем ее из тюрьмы.

— Твое счастье, что с нами нет Светляка, — проворчал Том.

— Я вовсе не отметала вариант сотрудничества с легионерами. Уговор был «поживем — увидим». Без них нам не справиться. — Я откинулась на спинку стула. — У вас есть другие идеи? С удовольствием их выслушаю.

Том с Элизой, естественно, промолчали. Как ни горько осознавать, но легионеры и впрямь были нашим единственным шансом.

— Может, просто спалим все дотла? — с надеждой предложила Мария.

Чего еще ждать, когда собираешь армию из преступных элементов.

Подобно всем заведениям, где смерть — явление будничное, Спиннигфилдскую тюрьму удалось отыскать без труда. Мой по-прежнему бодрый фантом проник в охранника на сторожевой башне, когда тот безмятежно попивал чай. Обжигающий напиток хлынул ему на брюки.

Инфраструктура тюрьмы напоминала циферблат; в центре высилась башня, окруженная пятиэтажными бараками. Первое странствие изрядно подорвало мои силы. Тяжело дыша, «я» встала с кресла и спустилась вниз, избегая встречаться с караульными. Половицы жалобно скрипели под тяжестью моего веса. Я брела мимо камер, где томились паранормалы и невидцы: изможденные, безмолвные, словно арлекины в Трущобах, многие — со следами отравления «флюидом». В углу камеры, зажав уши руками, болванчиком раскачивался заклинатель.

Тщетно старалась я придать походке плавность, а взгляду осмысленность — тень на стене больше смахивала на ожившего мертвеца. Есть над чем поработать.

Почуяв капноманта, я застыла как вкопанная. Женщина лежала на полу, закинув ноги на шконку.

— Разве мне не полагается последняя трапеза? — прохрипела она.

Не получив ответа, узница повернула голову, демонстрируя сероватую кожу и неестественно красные после употребления «флюида» губы.

— Ну правильно! — Она грубо расхохоталась. — Боитесь, что вам заблюют виселицу!

Короткий ежик темно-русых волос не скрывал вытатуированного глаза у нее на затылке. Женщина приподнялась на локте, и тусклый свет из коридора упал ей на лицо. Ошибки быть не могло. Передо мной Катрин Аттард собственной персоной. Чудовищный шрам тянулся от линии роста волос до самой челюсти, искажая некогда красивые черты. Левое веко опущено, правое презрительно сузилось.

— Чего уставился, урод? Решил полюбоваться на неземную красоту?

— Ты ведь понимаешь, что скоро СайенМОП нагрянет в ваши края, — проговорила я, с усилием ворочая чужим языком. — Насколько мне известно, только тебе под силу оградить Манчестер от беды.

— О чем это ты толкуешь?

— О взаимовыгодном сотрудничестве.

Катрин громко фыркнула.

— Заглохни, Аттард, — донеслось из соседней камеры. — Дай поспать.

— На том свете отоспитесь, — рявкнула она, и ее смех эхом прокатился по коридору. Улыбка женщины быстро померкла, и она понизила голос. — Сотрудничество, значит?

— Ты поможешь мне попасть на завод и похитить ценную информацию. Взамен я вытащу тебя отсюда — при условии, что ты перестанешь терроризировать народ в цитадели.

Опираясь на стену, Катрин встала — спокойная и безмятежная, однако правый зрачок полыхал огнем. За шрамами и ухмылкой таился страх виселицы.

— Из всех странников мне доводилось слышать лишь о Пейдж Махоуни. Или у нее появился конкурент?

— Не появился.

— Хм, похоже, тебе здорово приспичило, раз ты обратилась ко мне, а не к моей злобной сестрице. Хотя, подозреваю, ты наведывалась и к ней тоже, но получила пинка под зад. — Катрин задумчиво разглядывала свои ногти. — Даже если и соглашусь, то где гарантия, что я выполню свою часть сделки? Откуда тебе знать, что я сотворю, когда выйду отсюда? Смотри, как бы тебе самой не пожалеть, странница. Нельзя контролировать все и вся.

— Не тебе судить, что я могу контролировать и на что способна, — парировала я.

Ее смех заставил меня содрогнуться. Наклонившись, Катрин принялась демонстративно завязывать шнурки на казенных ботинках.

— Предложение ограничено по времени, Аттард.

Капномантка снова вытянулась на полу:

— Серьезно?

— Да. Как и твоя жизнь.

Ей разом расхотелось дурачиться. Выбор и впрямь невелик — либо соглашаться, либо болтаться в петле.

— Хорошо, я проведу тебя на завод, — объявила она чуть погодя. — А в благодарность за спасение, так уж и быть, смилостивлюсь и оставлю ирландцев в покое. Но «угольщики» жаждут мести, — промурлыкала Катрин. — Сразу предупреждаю, если вызволишь меня, Роберте не поздоровится.

— Почему?

— Когда меня арестовывали, Роберта стояла и просто смотрела. Я звала на помощь, а она и бровью не повела, хотя прекрасно понимала, какая участь грозит изменникам родины. Думаю, настало время показать всей цитадели, что папочка ошибся в выборе.

— Да ты чокнутая.

— А ты нет?

Я вымученно улыбнулась.

Катрин Аттард поднялась с пола.

— Итак, — вкрадчиво пропела она, — если я пообещаю быть паинькой, то как ты вытащишь меня отсюда?

— Делай, что я скажу.

13

МЕТАЛЛУРГ

При всех своих архитектурных достоинствах Спиннигфилдская тюрьма испытывала явную нехватку персонала. Я спокойно провела Катрин мимо зазевавшихся охранников и перепоручила ее Марии и Тому, ждавшим у ворот. Пусть побудет под присмотром, пока не выполнит свою часть уговора. Катрин завернулась в протянутое Марией пальто и попросила отвезти ее в Бартонский пассаж. Мы с Элизой сопровождали троицу на отдельной машине.

Покинув «проводника», я благополучно вернулась в свое тело. Мои навыки переселения совершенствовались на глазах.

Бартонский пассаж, возведенный в XIX столетии, располагался в центральной части города. Элегантная конструкция из чугуна, белого камня и стекла напоминала старинную оранжерею. Камень мог бы по-прежнему ослеплять белизной, а стекла — сиять, если бы не промышленные выбросы, десятилетиями омрачавшие это великолепие. Витражи испещряли трещины и уродливые граффити, мертвая глициния обвивала купол здания, словно пыталась задушить металлический каркас.

Катрин Аттард под бдительным взором Марии ждала у входа.

— Знаменитая Пейдж Махоуни, — запыхавшись, проговорила Катрин. — А ты не такая грозная, как тебя выставляют по «Оку Сайена».

— Послушай, у меня очень мало времени, поэтому завязывай молоть чепуху.

— А это еще кто? — Катрин ткнула в Элизу; даже сквозь маску чувствовалось, как она ухмыляется.

На лице Элизы не дрогнул ни один мускул.

— Я правая рука Пейдж.

— Вау, круто.

Катрин кивком велела следовать за ней. Судя по интерьеру, мы очутились в небольшой торговой галерее, предназначенной для состоятельных людей. Выцветшие фасады пестрели рекламой элитной парфюмерии и ювелирных украшений.

В лунном свете, пробивавшемся сквозь крышу, виднелся силуэт.

— Твои друзья говорят, будто ты не прочь обратиться к легионерам, поэтому я позвала своего приятеля. — Катрин положила руку на плечо какому-то мужчине и представила его: — Майор Аркана, мой агент в НКО.

Именно этого я и добивалась, однако едва майор приблизился, как меня прошиб ледяной пот. Рот и нос Арканы скрывал респиратор.

— Сама Пейдж Махоуни, — искаженным голосом произнес он, протягивая руку, — какая честь.

Я ответила осторожным рукопожатием. Если с мыслью о сотрудничестве еще можно примириться, то старые инстинкты никуда не денешь.

— Майор, вы по-прежнему охотитесь на себе подобных?

— Нет. Кэт убедила меня сменить приоритеты. — Аркана встретился с Катрин взглядом, и складки у него на лбу разгладились. Тем же манером Рот-до-Ушей смотрела на Гектора. — К НКО я присоединился по ряду причин. Первая — Роберта Аттард. Под ее руководством «угольщики» не смирятся с переменами. А они грядут.

— Интересно, как бы ты запел, не угрожай сканеры вашей работе? — не выдержал Рифмач.

— Наверное, переметнулся бы обратно к Сайену. А почему нет? Платят хорошо, всегда есть крыша над головой, — честно ответил майор, игнорируя кровожадный взгляд Тома. — Для многих ясновидцев госслужба — единственный способ выжить. Если ради их блага потребуется уничтожить «Экстрасенс», можете смело на меня рассчитывать.

Выходит, они друг за друга горой, эти люди, продавшие честь за кусок хлеба с маслом. Катрин легонько коснулась руки майора и шагнула вперед, став вплотную ко мне.

— Ты вызволила меня из тюряги, Махоуни, а значит, задумала какую-то пакость. Вопрос: что именно?

— Я ведь уже говорила. Мне необходимо проникнуть на завод.

— Их много.

— Конкретно — в комплекс Б.

Катрин впилась в нас глазами, словно хотела проверить, не смеемся ли мы над ней.

— А у ирландцев высокие запросы, — хмыкнула она. — И что же, интересно, тебе там понадобилось?

— Портативные сканеры.

Катрин презрительно фыркнула, однако Аркану это явно заинтересовало. Он с шумом втянул в себя воздух.

— Мы хотим найти ядро «Экстрасенса», — обратилась к нему Элиза, — найти и уничтожить. Пейдж считает, что, изучив процесс производства сканеров, можно нащупать источник их питания. Если повезет, он окажется прямо в комплексе Б.

В такую версию верилось слабо, но надежда умирает последней, хотя в последнее время нам, прямо скажем, везло как утопленникам.

— Портативные сканеры. Карты Таро давно это предвидели, — забормотал Аркана себе под нос. — Туз Мечей символизирует истину. Ты — та, кто явится с клинком... и разгонит сгустившиеся над нами тучи Сайена. — Он некоторое время смотрел на меня в упор, а потом резко отвернулся, стряхивая оцепенение. — Столько лет мы служили им верой и правдой, и вот теперь...

Ситуация до боли напомнила историю с Лисс: невольно вспомнилось, как бедная девочка гадала мне незадолго до смерти.

Катрин обняла Аркану за талию и привлекла к себе.

— Уверена, майор с радостью вам поможет, — промурлыкала она, прижимаясь к спутнику всем телом. — Но у меня есть условие.

— Никаких условий, — отрезала я. — У нас был уговор: свобода в обмен на сотрудничество.

— Как и полагается достойной дочери Нерио Аттарда, попробую поторговаться. — Ее губы растянулись в зловещий оскал. — Я иду с вами. Таково мое условие. Хочу избавить ясновидцев от гнета «Экстрасенса». — Заметив мое негодование, Катрин вкрадчиво добавила: — Конечно, ты вольна отказаться, но тогда я отправлюсь прямиком к Роберте и поделюсь с ней твоими планами. Вот сестричка обрадуется.

Наивно было полагать, что Катрин сдержит слово. Напрасно мы с ней связались — только лишняя морока.

— Майор, — обратилась я к Аркане, — ты можешь помочь нам и без разрешения Катрин. Если карта Туз Мечей указала на меня...

— Я готов на все, только бы избавиться от «Экстрасенса», но против Кэт не пойду, — перебил он.

Уголки рта у Аттард дрогнули. Интересно, при каких обстоятельствах эти двое встретились, как их вообще угораздило влюбиться друг в друга: легионер-бунтарь и некоронованная смутьянка. Расклад мне категорически не нравился, но ничего не поделаешь, придется соглашаться.

— Ладно уж, — вздохнула я, чем вызвала торжествующую улыбку Катрин. — Только ты должна беспрекословно подчиняться моим приказам.

— Разумеется, темная владычица.

В залитой лунным светом галерее мы разработали план операции.

Пару недель назад в комплекс Б перевели некую женщину, которая была агентом Арканы. В шесть утра, во время смены караула, она откроет нам ворота и через кухню проведет на завод.

— Следующий шаг — найти портативные сканеры, — сказала я. — Наверняка их прячут где-нибудь на складе.

— Или на погрузочной платформе, — вставил Том. — Самый оптимальный вариант — отыскать, где их хранят непосредственно перед отправкой.

Я кивнула:

— Главное, соблюдать предельную осторожность. Ни в коем случае нельзя нарваться на Прайса.

— Пейдж, ты же странствовала по цеху, — вмешалась Мария. — Рабочие носят респираторы?

— Насколько мне известно, нет.

— Тогда ты остаешься. За униформой лицо не спрячешь.

Возразить было нечего. Мое присутствие поставит всю операцию под угрозу. Мною руководил банальный эгоизм, из серии «без меня вам не справиться». По той же причине я полезла на склад. И чем все закончилось? Сайен нанес нам сокрушительный, просто беспрецедентный по масштабу удар. Истинный лидер учится на своих ошибках.

— Ладно, — сдалась я, — предлагаю компромисс. На территорию заходим все вместе; вы ищете сканеры, а я караулю у двери. Для подстраховки.

— Я останусь с тобой, темная владычица, — безапелляционно заявил Том.

— Мне нужно проинструктировать агента, — вмешался Аркана. — Встречаемся у комплекса Б без пятнадцати шесть.

— Надеюсь, моя обожаемая сестрица не пронюхает о наших планах и не испортит всю малину, — усмехнулась Катрин.

— Сама смотри не накосячь, — предостерегла я ее.

— Махоуни, ты вправе не одобрять мои методы руководства, равно как и я твои, но в одном мы солидарны, — бросила Катрин, направляясь к выходу. — «Экстрасенс» раздавит нас, как муравьев.

Последние драгоценные минуты мы посвятили маскировке. Лазутчикам предстояло сойти за рабочих, а потому требовалось выглядеть как можно убедительнее. С Катрин и Марией проблем не возникло — у обеих были короткие стрижки; другой вопрос: как поступить с роскошной шевелюрой Элизы? После непродолжительных дебатов мы решили оставить все как есть: многие работницы не боялись рискнуть ради красоты, при таком раскладе локоны Музы едва ли вызовут подозрение. Для конспирации мы испачкали ей волосы грязью и стянули в неприметный пучок на затылке.

Рассовав по карманам оружие, я поведала то немногое, что знала об эфирных технологиях: вычислить их можно по полоске белого света, и они ощущаются в эфире.

Без трех минут шесть мы встретились с майором у массивной кирпичной стены, окружавшей комплекс Б. Сквозь единственные ворота виднелось здание, неотличимое от прочих подобных: черный металл, острые углы, узкие прямоугольники окон, дверь высотой около трех метров. Невзрачная, строго утилитарная заводская постройка, возведенная без оглядки на красоту.

— Мой агент скоро появится, — сообщил Аркана. — Она убедила сочувствующих легионеров ненадолго покинуть пост. Помогать они не станут, но и препятствовать не будут. Как закончите, жду вас в фургоне. Удачи.

На прощание Катрин грубовато притянула его к себе и поцеловала. Силуэт майора растворился в сером смоге.

Мы застыли, стараясь слиться со стеной. В желудке у меня возник неприятный холодок, предвестник беды.

«Что за глупости, — сказала я себе, — на сей раз ошибка исключена. Все следы ведут на завод».

Время шло. С каждой минутой мои надежды таяли. Вероятно, агент Арканы как-то скомпрометировала себя. Я совсем уже отчаялась, когда кто-то приложил палец к сканеру.

Смуглая худощавая девушка выглянула из-за ворот и молча завела нас на территорию. В отличие от уличных патрульных легионерша не носила бронежилет, из амуниции у нее имелся только стандартный шлем с защитным экраном, а вместо кобуры с пояса свисала дубинка. Окольными путями мы пересекли двор, миновали дверь из гофрированного металла. Я вжала голову в плечи, опасаясь, что в любой момент раздастся грозный окрик и вспыхнет прожектор, однако предрассветная тьма позволила нам добраться до цели незамеченными.

Кухня тоже отпиралась с помощью отпечатка пальца. Едва створка скользнула вбок, легионерша впервые нарушила молчание:

— Ночная смена заканчивается. Топайте к комнате отдыха и постарайтесь слиться с толпой. На все про все вам двадцать минут, а потом комнату закроют. Если опоздаете, застрянете внутри.

Двадцать минут! За такой короткий промежуток обыскать все помещения просто нереально. Жаль, мне нельзя поучаствовать, но Мария права — моя физиономия слишком приметная.

— Вы случайно не в курсе, где хранят портативные сканеры? — спросила я наудачу.

— Увы. Дальше действуйте сами по себе.

Нервно пригладив волосы, Элиза шагнула в темный проем. Катрин следом. Когда настал черед Марии, я схватила пиромантку за плечо.

— Не спускай с нее глаз, — шепнула я, указывая на Катрин.

— Само собой.

— Мы с Томом ждем вас снаружи. Не забудь: на данном этапе важна любая деталь, каждая мелочь.

Мария ободряюще похлопала меня по руке и растворилась во мраке.

Легионерша закрыла дверь:

— Мне пора возвращаться на пост. Сидите тихо. Из наших вам симпатизируют далеко не все.

— Спасибо, — бросила я вслед удаляющейся женщине.

Мы с Томом затаились в тени контейнера для промышленных отходов. Нам предстояло перетерпеть самые долгие двадцать минут в нашей жизни.

— Эта Катрин не внушает мне доверия, — проворчал Рифмач.

Ледяной ветер задувал под тонкий комбинезон, ребра ломило от холода.

— Его вообще мало кто внушает, — вздохнула я, — но без привлечения сторонних людей нам не победить.

Чтобы хоть немного согреться, мы придвинулись ближе и не отрываясь смотрели на часы. Стрелки словно застыли, каждая секунда казалась вечностью. Прирожденному воину нелегко оставаться в стороне.

Спустя пять минут появились двое легионеров, но, к счастью, ни один из них не додумался заглянуть за контейнер. Прошло восемь минут. Пятнадцать. На восемнадцатой минуте нервы начали сдавать.

— Если они не уложатся в срок... — пробормотал Том.

— Без образца сканера мы не уйдем.

И только я это сказала, как из недр здания донеслись три удара колокола, причем каждый звучал на октаву звонче предыдущего.

«Сотрудники комплекса Б, говорит министр промышленности! На предприятие проникли посторонние. Запущен протокол системы безопасности. Через тридцать секунд все двери в производственные помещения и на погрузочные платформы будут заблокированы. — Голос Металлурга эхом разносился по заводу. — Персоналу оставаться на местах, в случае обнаружения подозрительных лиц незамедлительно сообщать охране или непосредственному начальству. Отказ взаимодействовать приравнивается к государственной измене. Помните: главный приоритет — защитить вверенное вам оборудование».

Мы в панике уставились друг на друга. Всегда осторожный Рифмач забывал обо всем, когда дело касалось Марии. Мой фантом метнулся в эфир и почти мгновенно определил локацию засланных агентов — совсем недалеко от нас.

— За мной, — скомандовала я.

Мы рванули на кухню, упиравшуюся в длинный коридор с непомерно высоким потолком. Флуоресцентные лампы озаряли каждый миллиметр бетонного пола и стрелочки с указателями «Комната отдыха».

Внимание привлек тихий скрип. Слева, скользя по рельсам, медленно закрывалась тяжелая металлическая дверь — единственный путь к цехам. За ней виднелась доменная печь, которую я заметила еще во время «странствия»; я буквально чувствовала исходивший от нее адский, удушающий жар. Мы бросились бежать со всех ног, наш топот тонул в лязге и грохоте станков. Тщетно! Створка захлопнулась прямо у нас перед носом.

— Проклятье! — выругалась я, озираясь по сторонам. — Должен быть какой-то способ разблокировать механизм.

— Естественно, — прохрипел запыхавшийся Том. — Пульт в кабинете начальства, наверху.

Послышались приближающиеся шаги. Легионеры.

Мы разделились. Я свернула направо от центрального вестибюля и вскоре уперлась в тупик. Спасение пришло в образе грузового лифта. Я нажала кнопку вызова, уверенная, что меня вот-вот засекут и изрешетят пулями. К счастью, этого не случилось. Нырнув в кабину, я уставилась на панель с кнопками. Всего три этажа. Значит, мне на третий.

Лифт пополз вверх. Желудок сводило от страха. Каждый удар сердца мог стать последним. Я очутилась в здании оборонного предприятия Сайена, дышу одним воздухом с высокопоставленным чиновником, любые пути отступления отрезаны. Понадобилась вся сила воли, чтобы не поддаться панике.

Двери разъехались, и я бочком скользнула в коридор. Белоснежные стены, глянцевый пол — типичное офисное здание. Табличка с надписью «Администрация». Приглушенный свет. Затаившись в углу, я сконцентрировалась на эфире. Дальше всех от меня находился Том — наверное, укрылся в подвале. Мария и Элиза держались вместе, и, судя по тесному соседству с рабочими, рассекретить их еще не успели.

Вылазку провалила Катрин. Как я и боялась, неудавшаяся наследница Угольного Короля поставила всю операцию под угрозу.

Если верить сигналам, она была где-то рядом. Очень близко. На этом этаже. Вокруг нее ощущались три чужеродных лабиринта. Моя ладонь нырнула под комбинезон и стиснула рукоять ножа.

Чутье подсказывало: Прайс здесь.

В конце следующего коридора выделялась дверь с табличкой «Надзиратель». Сквозь стеклянные стены, обрамлявшие створку, я увидела Катрин Аттард. Руки привязаны к подлокотникам кресла, из раны на виске сочится кровь. Двое легионеров буквально пригвоздили пленницу к месту.

Перед ней, облокотившись на стол, стоял какой-то человек. Взгляд Катрин метнулся ко мне. Я пыталась увильнуть, но хозяин кабинета был начеку и резко обернулся. Прямо на меня смотрел мужчина лет двадцати с небольшим, почти мой ровесник, облаченный в униформу сайенских чиновников.

Прайс.

Прятаться слишком поздно. Проницательные светло-серые (чуть светлее моих) глаза взирали на меня в упор. Черные как смоль волосы резко контрастировали с гладкой бледной кожей, на манжетах поблескивали золотые запонки.

— А, Пейдж Махоуни. — Его голос звучал почти приветливо. — Какая... приятная встреча.

14

ОПЛОТ БЕЗОПАСНОСТИ

— Впусти меня, Прайс.

— С чего бы это вдруг? — приглушенно, но вместе с тем отчетливо донеслось из-за двери. Телохранители министра взяли меня на мушку. — В кабинете мне как-то спокойнее. Побеседуем через стенку, не возражаешь?

На столешнице веером лежали клинки — весь арсенал Катрин.

— Предпочитаю напрямую, — парировала я.

— Разумеется. — Прайс со смехом опустился в мягкое кресло. — Если не ошибаюсь, ты сегодня уже пыталась проникнуть на завод. Но явиться сюда во плоти — это достойно уважения.

Не мешкая, я вселилась в одного из телохранителей и чужими глазами наблюдала, как мое тело за стеклянной перегородкой падает, словно карточный домик. Второй легионер наставил на «проводника» пушку, но я уже целилась Прайсу в висок. Вэнс будет в ярости, если потеряет столь ценного сотрудника на важном этапе внедрения «Экстрасенса».

— Теперь можно поговорить лицом к лицу, — спокойно заявила я. Допрашивать на сегодня никого не планировалось, но грех упускать такой случай. Надо любыми средствами развязать Прайсу язык. — Насколько мне известно, в комплексе Б изготавливают портативные сканеры. И ты скажешь, где они находятся. А заодно объяснишь, как они подключаются к ядру и как их обезвредить.

Прайс в ответ вскинул брови и по-мальчишески расхохотался. Я действовала наугад, но на такую реакцию точно не рассчитывала. У меня ноги подкосились от страха.

— Погоди. Ты думаешь, что сканеры подключают здесь? — Министр покачал головой. — Святая простота. Тебя здорово дезинформировали. Ты ведь не надеялась своим визитом нейтрализовать «Экстрасенс», верно? Эти... как ты их называешь, портативные сканеры, ваша верная смерть, мы и впрямь их здесь производим, но не оснащаем эфирными технологиями. — Я жадно впитывала каждое его слово. — Боюсь, этим занимаются... в другом месте.

Если Прайс и врет, то весьма убедительно. Однако дополнительное внушение не повредит. Дуло пистолета уперлось ему в затылок.

— Лжец.

— Удивляюсь, и почему только верховный командор так тебя опасалась? Всегда восхищался умением Вэнс оценивать врагов по достоинству, но тебя она явно переоценила. Представляю ее разочарование. — Прайс широко улыбнулся. — Кстати, Вэнс предвидела твой визит.

Так вот как они догадались. Благодаря интуиции Вэнс, которая предупредила, что Пейдж Махоуни подбирается к «Экстрасенсу» и наверняка нагрянет на завод. С ее подачи нас здесь ждали и приняли меры предосторожности.

— Признаться, меня Вэнс тоже разочаровала, — парировала я. — Подготовься вы лучше, не пришлось бы тебе сейчас сидеть с пушкой у виска.

Катрин наблюдала за нами с нескрываемым интересом, плечи расслаблены, как у зрителя на спектакле. Ей повезло — отделалась лишь небольшой ссадиной.

— Развяжи Аттард, — велела я второму охраннику. Тот не шелохнулся. — Развязывай, иначе продырявлю тебе башку. Можешь не сомневаться.

— Запросто продырявит, — заверила его Катрин. — Она же бешеная.

Под моим неусыпным контролем легионер разрезал веревки. Катрин потерла ноющие запястья, взяла со стола нож и с нехорошим блеском в глазах повернулась к Прайсу.

— Так вот ты какой, Эмлин Прайс, знаменитый Металлург. Человек, превращающий кровь в золото. Легендарная личность. По мнению многих, король здешней цитадели. — Она задрала ему подбородок. — А мы знаем, что случается с королями в Сайене.

К чести Прайса, он не выглядел испуганным. С губ министра по-прежнему не сходила приветливая улыбка.

В моем лабиринте вдруг вспыхнул ослепительный образ, посланный оракулом. Том передал мне четкое изображение клавиатуры, сопровождаемое трафаретной надписью «Погрузочная платформа».

Сканеры. Рифмач нашел их. Теперь необходим код, открывающий дверь.

— Видишь этот шрам? — раздался голос Катрин, и картинка поблекла. — Согласна, его сложно не заметить. Смотри, какая штука получается: моей подруге Пейдж позарез нужно узнать, где прячут ядро «Экстрасенса». Если не начнешь говорить, разукрашу тебя по полной программе. Ну, Прайс? Решение за тобой!

— Можете пытать меня сколько влезет, — последовал безмятежный ответ, — но все равно ничего не добьетесь. —

Металлург покосился на меня. — Мы подготовились на случай форс-мажора.

Однако то, что произошло дальше, стерло самодовольную ухмылку с его лица. Молниеносным движением Катрин занесла нож и вонзила острие в ладонь противника. Я содрогнулась. Прайс уставился на свою руку и истошно завопил.

— Где ядро? — отчеканила я.

— В Ливерпуле, — выдавил он. — Оно в Ливерпуле.

— Серьезно?

Зрелище внушало отвращение, но я старалась не отводить глаза. Прайс — лишь марионетка, очередной винтик в механизме Вэнс. Лезвие проникало все глубже, от криков жертвы кровь стыла в жилах.

— Ага. А может, в Кардиффе... или в Белфасте... — Металлург задыхался от боли.

— Довольно, — не выдержала я. — Правды из него не вытрясешь.

— Не спеши, — осклабилась Катрин. — Я еще только разминаюсь.

Тяжело дыша, Прайс смотрел на ладонь, пригвожденную к столу.

Нас снова обошли. Вэнс знала толк в людях: ее приспешники вытерпят любые муки, пожертвуют жизнью, но сохранят секрет. Однако у каждого есть свои слабости, и Металлург не исключение. Не все тайны можно выведать с помощью ножа.

Я разблокировала дверь и вернулась в родное тело. Очутившись в кабинете, перешагнула через бездыханного «проводника», пододвинула стул и уселась напротив Прайса. Тонкая струйка крови вытекла из носа молодого мужчины, когда мой фантом коснулся его лабиринта.

— Давай попробуем еще раз. Итак, сканеры хранятся на погрузочной платформе, и мне нужен код доступа. Не заставляй меня повторять, министр.

— Боюсь, Хилдред и здесь на шаг впереди. — На лбу Прайса блестели капельки пота. — Если ввести неверную комбинацию, все содержимое платформы ликвидируется автоматически.

На меня накатила волна страха — и тут же отхлынула.

— Врешь, — фыркнула я.

— Почему? — спросил он с неподдельным, как мне почудилось, интересом.

— Вэнс не станет уничтожать такую огромную партию оборудования. Она спит и видит поскорее пустить сканеры в дело. Да и сама система вызывает сомнения. Взрыв на погрузочной платформе разнесет все здание. А Вэнс расточительностью не славится.

— А ты проницательнее, чем кажешься. И уже не такая наивная. Поумнела. Вы с Вэнс похожи. Обе совершенствуетесь благодаря врагам и учитесь на собственных ошибках. — Прайс глянул на окровавленную ладонь. — Примкни ты к нам, заполучила бы Хилдред в наставники.

— Хватит с меня наставников.

— Зря задираешь нос. Даже Вэнс не брезгует наставниками. — От боли на глаза Металлурга навернулись слезы.

— Это все лирика, вернемся к коду доступа. Напрасно ты надеешься его скрыть. Код спрятан у тебя в голове, где, по мнению Вэнс, его никто не найдет. К счастью, проникать в чужие головы — мой профиль. У нас, ясновидцев, это называется странствовать.

— Воспоминания тебе не прочесть.

— Нет, но это и не обязательно. — Я сплела пальцы и подалась вперед. — Позволь продемонстрировать наглядно. — Мой фантом углубился в неизведанный лабиринт. На лбу министра запульсировала вена. — Умиротворение ты испытываешь в саду, вдали от загрязнения и вредных выхлопов. На клумбах растут наперстянки и розы, рядом змеится тропинка, в центре мраморная поилка для птиц, окруженная дубами. Сад часто является тебе во сне. Ну да, он постоянно тебе снится. Территориально это ведь в Алтринчеме, да?

Прайс прерывисто задышал.

— Занятно, но предсказуемо. — Он понизил голос до шепота: — Наследная правительница детально поведала о твоих талантах.

— Твоя семья тоже ощущает себя там в полной безопасности, — продолжила я. Надеюсь, Металлург не заметил, как меня передернуло при упоминании Наширы. — Ты скучаешь по ним, а они с нетерпением ждут папочку с работы, верно?

В глазах Прайса мелькнул страх, зрачки сузились.

— Говори код, иначе клянусь: я отправлюсь прямиком в заветный сад и убью твоих жену и детей. Ты вернешься, а они уже покойники. Стоит ли код их жизней? Это всего лишь какая-то пара цифр. Вэнс не узнает.

Только чудом мне удалось скрыть дрожь в голосе. Взгляд Прайса метнулся к поверженным охранникам.

— Кишка тонка, Махоуни, — прохрипел он. — Ты не убийца.

— Убийцами не рождаются, ими становятся.

С министра разом слетела вся бравада. Здоровая рука медленно потянулась к панели управления. На безымянном пальце блестело обручальное кольцо. Прайс нажал кнопку.

— Запорный механизм разблокирован. Код от внутренней двери на платформу: сто восемьдесят — сто один — ноль два.

— А от внешней?

Прайс назвал комбинацию.

— Благодарю. Катрин, за мной.

— А как быть с ним? Он же предупредит Вэнс.

— Она уже в курсе. — Я поднялась.

Молчание Металлурга было красноречивее всяких слов. Я вытащила у охранника пистолет, проверила обойму и шагнула в коридор.

Только свернув за угол, я смогла перевести дух. Прайс поверил, что мне под силу убить ни в чем не повинных людей. Но еще страшнее осознавать свою способность переступить грань, отделяющую человека от чудовища. Нельзя превращаться в монстра. Нельзя допустить, чтобы, глядя на меня, люди видели уменьшенную копию Вэнс.

На полпути к грузовому лифту лабиринт Прайса трепыхнулся и вдруг исчез с моего радара.

Ворвавшись в кабинет, я застала чудовищную картину. Металлург распластался на столе. Горло перерезано от уха до уха. Повсюду кровь. Над мертвецом возвышается Катрин Аттард с окровавленным ножом.

— Ты... — Я вцепилась в косяк с такой силой, что аж костяшки побелели. — Идиотка! Какого черта ты наделала?

— Свою миссию он выполнил.

Ее ледяное спокойствие настораживало. Для спонтанного убийства довольно странно.

Внезапно меня осенило.

— Ты спланировала все заранее, — выпалила я, цепенея от страха.

Катрин безмятежно кивнула:

— Мы с Арканой давно мечтали прикончить Прайса, но возможность подвернулась только сейчас... Ну да, так все удачно сложилось: и возможность и козел отпущения. — Катрин ухмыльнулась. Можно было не спрашивать, кому эти двое отвели роль козла. — Сама понимаешь, убийство высокопоставленного чиновника чревато последствиями. — Она вытерла лезвие об униформу. — Если смерть министра вызовет волну недовольства и паники, я свалю все на тебя. Меня здесь не было — и точка. Если же убийцу сочтут национальным героем, то народ узнает, что именно я, Катрин Аттард, избавила Манчестер от Металлурга. Своими руками вспорола ему глотку. — Она победно улыбнулась. — Вот увидишь, Махоуни, «угольщики» склонятся передо мной, истинной наследницей династии, готовой на все ради блага цитадели. Не пройдет и трех дней, как меня провозгласят Угольной Королевой.

— Ты чокнутая. Вэнс отомстит за Прайса, сотрет Манчестер с лица земли.

— Она бы в любом случае рано или поздно нагрянула сюда. Зато под моим началом «угольщики» будут во всеоружии. — Катрин осклабилась во весь рот. — Махоуни, а кого прикончила ты ради короны?

Проклиная себя за глупость, я лишь покачала головой и вышла, оставив убийцу наедине с трупом. Скорее бежать, бежать отсюда без оглядки. Прайс ошибся. Наивности во мне не убавилось ни на грош. История со складом повторялась. Надо было довериться интуиции и запретить Аттард соваться на завод.

Впрочем, слезами горю не поможешь, пора действовать. Скоро сотрудники наткнутся на тела и запустят протокол безопасности.

Грузовой лифт, громыхая, вез меня на первый этаж. В цеху царили суматоха и гвалт — идеальное прикрытие. Протиснувшись сквозь шеренгу рабочих, я юркнула в облюбованный Томом коридор.

Вся команда затаилась у двери на погрузочную платформу. Не мешкая, я ввела восьмизначный код.

— Где Катрин? — спросила Элиза.

Едва створка приподнялась, я шмыгнула внутрь.

— Сейчас не до нее. Время поджимает.

Очутившись по ту сторону, я набрала следующую комбинацию. Троица еле поспевала за мной. Секунда — и дверь за нами захлопнулась.

Мария дернула рубильник. Моргнув, флуоресцентные лампы залили платформу ярким светом. В просторном помещении запросто поместилось бы сразу несколько погрузчиков. Все немалое пространство от пола до потолка занимали сложенные штабелями ящики. Под дулом украденного у охраны пистолета рабочие-невидцы покорно подняли руки вверх.

— Темная владычица! — не своим голосом окликнула меня Мария.

Сунув пистолет Элизе, я поспешила к пиромантке, склонившейся над ящиком с незаколоченной крышкой. Отодвинув ее до упора, мы принялись разгребать защитную упаковку, скрывавшую содержимое контейнера.

Внутри лежала винтовка.

Во рту у меня пересохло, на лице застыло недоумение.

— Оружие. А куда подевались сканеры? Ведь...

— Никуда, — перебила Мария, протягивая мне ламинированный прямоугольник. — Они прямо перед тобой.

Ледяными пальцами я взяла карточку с диаграммой оружия под названием СЛ-59. Разработчик не удосужился толком обозначить комплектующие, словно не хотел вдаваться в подробности. Выделялось лишь отделение у основания винтовки, предназначенное для капсулы с маркировкой «рдт экстрасенс коннектор».

Мне не сразу удалось осознать и принять чудовищную истину.

Мария осторожно взяла винтовку.

— С виду самая обычная комплектация. За исключением этого. — Она постучала по полому отделению. —

Оснащенная коннектором, винтовка превращается в портативный сканер. — На лбу моей помощницы залегла складка. — Не понимаю...

— Все ты понимаешь, — отрезала я. — Просто не хочешь верить.

Сайен издавна позиционировал себя как оплот безопасности. Два столетия они поддерживали иллюзию мира, дабы убедить граждан, что система работает: «Сайен был и остается самым безопасным местом на свете». Людям словно бы нашептывали: позвольте нам уничтожить паранормалов — и обретете защиту.

Огнестрельный сканер знаменовал новую эпоху. Военное положение не отменят, пока существует Каста мимов; Сайен вознамерился превратить Британию в милитаристское государство. Если понадобится, паранормалам объявят войну, тем более появилось средство истребить неугодных без дополнительных жертв.

— Пейдж, — окликнула Элиза, — взгляни.

Штемпель на крышке. Над эмблемой «Экстрасенса» значился адрес получателя. То, ради чего мы проникли на завод.

ПОЛУЧАТЕЛЬ: командор Первого карательного дивизиона

ВИД ОТПРАВЛЕНИЯ: срочное

НАИМЕНОВАНИЕ ПРОЕКТА: операция «Альбион»

ОТКУДА: «СайПЛО», комплекс Б, Сайенская цитадель Манчестер, Северо-Западный регион

КУДА: центральный склад, Сайенская цитадель Эдинбург, Среднешотландская низменность

— Эдинбург? Сканеры отгружают в Эдинбург. Значит, именно там их состыкуют с ядром. Вот оно, Пейдж, — на одном дыхании выпалила Элиза.

Меня не покидало ощущение безнадежности. Да и откуда взяться надежде, когда тебя окружают машины для убийств, а кольцо врагов сжимается? Взгляд метнулся к штабелям ящиков. Долгие годы Сайен готовился, наращивал военную мощь, пока мы балаганили, не замечая, как над головой сгущаются тучи.

Есть лишь один способ положить конец этому кошмару.

Мария снова склонилась над ящиком:

— Быстрее. Хватайте по одному.

Мы принялись разбирать винтовки и заворачивать их в пальто.

Внезапно завыла сирена.

Платформа озарилась алыми бликами.

— Если кто не догадался, Катрин убила Прайса, — сообщила я. — Думаю, все представляют масштаб катастрофы.

— Уходим! — Том стремительно ввел комбинацию, и дверь со скрежетом поползла вверх. — Темная владычица, поторопись!

Дважды просить не пришлось. Сгибаясь под тяжестью ноши, мы рванули через платформу к внешней двери.

Мария юркнула в проем. С другой стороны Том нечеловеческим усилием придерживал створку, пот градом катился по его лицу. Элиза едва не потеряла винтовку, норовившую выскользнуть из рук. Когда легионеры открыли огонь, Рифмач убрал плечо. Я сунула винтовку в узкую щель, следом сама протиснулась на заснеженный двор — и едва успела пригнуться, как по бетону оглушительно забарабанили пули. Подобрала винтовку, и Том помог мне подняться.

Заводские ворота были приоткрыты. Сообщница Арканы решила напоследок помочь нам покинуть территорию предприятия. Мы бросились бежать, загребая сапогами пушистый снег. Из-за угла выскочил легионер. Мария метнула в него нож, острие угодило выше колена.

На финишном участке Рифмач совсем выбился из сил и с трудом волочил ноги.

— Том! — Я закинула его руку себе на плечо. — Давай. Ты справишься. Осталось совсем чуть-чуть.

— Темная владычица, брось меня, — прохрипел он.

За спиной гремели выстрелы, вой сирены нарастал. Мария распахнула ворота. Последние мучительные шаги — и мы оказались на свободе. Фургон ждал нас на углу. Только когда майор Аркана вдавил педаль акселератора, я увидела, кто сидит на пассажирском кресле.

Перепачканная кровью Прайса, Катрин Аттард поймала мой взгляд в зеркале заднего вида.

— А с тобой приятно иметь дело, темная владычица, — проворковала она, кивая на винтовку у меня на коленях. — Мы обе получили, что хотели.

15

ПАРОВОЙ КОТЕЛ

6 декабря 2059 года

Ночь снова застала нас в дороге.

На сей раз наш путь лежал в Среднешотландскую низменность.

Побег из цитадели организовывал Гэри. Мы решили не рассказывать ему о своих злоключениях, иначе, чего доброго, Роберта запишет парня в сообщники. Впрочем, Гэри и сам догадывался, что случилось неладное. Он пожелал нам удачи, поцеловал Элизу в щеку и перепоручил нас очередному агенту Альсафи, а тот запихнул наш отряд в кузов бронированного фургона с эмблемой Английского банка Сайена. Я склонилась над крадеными винтовками, словно львица, оберегавшая детенышей.

По лицу градом струился пот. Катрин Аттард оправдала репутацию человека жестокого и меркантильного. Неизвестно, будет ли она защищать свой народ, задумай Вэнс отомстить, или снова углубится в круговорот насилия, запущенный шрамом. Не знаю и, наверное, не узнаю, чем обернется наша вылазка для цитадели Манчестера.

Наша задача — не прекращать поиски, идти по новому следу в бесконечной погоне за ядром. Снова и снова брести по хлебным крошкам.

— Том, — раздался мой голос во мраке фургона, — в Среднешотландской низменности есть сообщество ясновидцев?

Том всю дорогу молчал, вот и сейчас ответил не сразу — собирался с силами:

— Наверняка не скажу. В Эдинбурге существовала группа, приютившая паранормалов в период правления Вэнс. Преимущественно остеоманты, возглавляемые Ворожеей. Если группа не распалась, думаю, они помогут. — Рифмач с трудом выговаривал слова.

— Эй, Том, ты в порядке? — всполошилась Мария.

— В полном. Посплю немного и оклемаюсь.

Во мне же все переворачивалось от одного только намека на сон. В голове стоял туман, мысли путались, но стоило смежить веки, как перед внутренним взором всплывало запечатлевшееся в сознании лицо Вэнс. Оно парило в темноте — бесплотное, вездесущее, точно навеянная «флюидом» галлюцинация.

Вэнс, несомненно, в курсе, куда мы направляемся. Знает, что я по-прежнему охочусь за ядром. Она сто процентов обнаружит отсутствие винтовок, предназначенных для отправки в Эдинбург. Дальнейшее — дело техники, только дурак не угадает маршрут, однако выбора у нас нет, нужно идти по следу.

Элиза вырубилась первой, за ней Том, который беспокойно ворочался во сне. Свернувшись калачиком, я старалась не думать о бесчисленных ящиках на погрузочной платформе. Ящиках, доверху наполненных смертью.

Слева что-то зашуршало, вспыхнул фонарь. Мария разворачивала винтовку.

— Не успела толком разглядеть, — пояснила она, будто оправдываясь, пока пальцы исследовали ствол. — СЛ-59. «С» — понятное дело, это «Сайен», а второй буквой обычно обозначают фамилию разработчика. — Мария тщательно исследовала каждую деталь. — Ага, ясно... Левек.

— Знаешь такого?

— Только понаслышке. Корентин Левек, французский инженер.

— А кроме разъема для коннектора, есть... другие отличия?

— Вроде бы нет.

Всего шаг отделял нас от разгадки. Сделаем его — и поймем, как сканеры подключаются к ядру. Я снова растянулась на полу и, несмотря на неотвязно преследующее меня лицо Вэнс, провалилась в сон.

Сайенскую цитадель Эдинбург, региональную столицу Среднешотландской низменности, заволокло прибрежным туманом. После зловонного Манчестера воздух здесь просто благоухал, однако из-за ветра, дувшего с Северного моря, морозы стояли лютые. На прощанье водитель фургона вручил мне ключ от конспиративной квартиры и рассказал, как дотуда добраться.

В предрассветный час на улицах не было ни души — весьма кстати, учитывая специфику нашей поклажи. В пределах видимости ни единого небоскреба; город напоминал опиумную фантазию из далеких времен — сплошь мосты да ветхие церквушки. Туман клубился вокруг старинных каменных домов, увенчанных шапками снега. Теперь понятно, почему Эдинбург прозвали «паровым котлом» — повсюду, куда ни глянь, торчали дымоходы, казалось, окрестности накрыло одно большое облако. Цитадель делилась на мятежный Старый город, где обитали рабочие и обслуживающий персонал и где творились беспорядки, и на роскошный Новый город, более современный и благонадежный.

На краю вулканического утеса, преклонившись перед линией горизонта, высилась полуразрушенная крепость.

— Эдинбургский замок, — шепнула Элиза. — Говорят, его населяют призраки шотландских монархов.

— Ты тоже читала исторические книги Джексона? — изумилась я.

— Все до единой. По ним он обучал меня грамоте.

Джексон не переставал меня удивлять. С одной стороны — заклятый враг, предатель. С другой — человек, научивший сироту читать, хотя юная художница и без знания букв могла принести ему солидный доход.

Наш отряд поднялся по освещенной фонарем лестнице, зажатой между домов.

— Отрадно увидеть старую добрую Шотландию, — просипел Том, чье лицо постепенно утрачивало краски. — Но для начала неплохо бы... прилечь.

Мария похлопала его по спине:

— Староват ты для таких приключений.

Смех Рифмача больше напоминал предсмертный хрип.

Мы брели по цитадели, мимо железнодорожной станции, через мост, вверх по узкой мостовой. Фасады испещряли всевозможные вывески: «Бакалея», «Аптека», «Заточка ножей», «Парики на заказ», «Булочная», «Книжная лавка».

Конспиративная квартира располагалась в проулке, отгороженном калиткой. Элиза в недоумении уставилась на золотистые буквы над входом.

— «Поднять якоря». Это что, шутка?

— А по-моему, так лучше названия и не придумаешь, — усмехнулась Мария. — Кто станет искать мятежников в «Якорях»?

Петли жалобно скрипнули. Калитка упиралась в крыльцо, ведущее к зданию с плотно зашторенными окнами; подоконники поросли мхом, у двери болтался фонарь. Створка не поддавалась, пришлось налечь плечом. Изнутри потянуло плесенью.

Интерьер производил столь же удручающее впечатление. Бордовые стены с цветочным орнаментом покрывал толстый слой грязи. Ветхая мебель рассыпалась на глазах. Призрак, охранявший пыльные нумы на столе, при нашем появлении мрачно шарахнулся в сторону. Не успели мы снять пальто, как Том страдальчески захрипел. Я коснулась его руки. Холодная как мрамор.

— Том, в чем дело? Нога разболелась?

— Да... есть немного. Не волнуйся, жить буду, — еле слышно проговорил он. Я стиснула его ладонь.

— Отведу его наверх, — не терпящим возражения тоном заявила Мария. — Элиза, принеси обезболивающее. Оно у меня в рюкзаке.

Цепляясь за перила, Рифмач начал взбираться по лестнице.

Я схватила Марию за рукав и притянула к себе:

— Причина не в ноге.

— Откуда ты знаешь?

— У него все признаки кислородного голодания.

Пиромантка оцепенела:

— Маска у тебя?

Она буквально вырвала ее из моих рук и пулей взлетела по ступенькам.

Следом промчалась Элиза с грелкой. Я потянулась было открыть дубовую дверь, как вдруг шестым чувством ощутило нечто такое, что внутри у меня екнуло. За дверью угадывались три лабиринта: один принадлежал человеку, два других — рефаитам. Затаив дыхание, я толкнула створку. Перед камином на вытертых креслах сидели

Ник и Люсида, в углу, не отводя взгляда от языков пламени, устроился Страж.

Ник вскочил и даже ухитрился выдавить слабую улыбку. Я бросилась ему на шею.

— Ты вся продрогла, sötnos, — шепнул он, прижимая меня к груди.

— Ник, какое счастье, что ты тут... — начала я, но внезапно спохватилась: если рефаиты здесь, дело дрянь. — Но ведь вы с Люсидой должны следить за порядком в Подполье.

— Все нормально, — заверил Ник. — Тирабелл прислала подкрепление. Плиона и Тайгета вызвались нас подменить.

Уже легче. Тайгета Чертан дружила с Плионой и вместе с Рантанами болела за меня на Битве за власть. На нервы она действовала не хуже Тирабелл, а обладая одновременно убийственным взглядом и острым языком, могла отлично держать ясновидцев в узде.

— Как обстановка в Подполье? — спросила я, опасаясь услышать неутешительный ответ.

Вспышка радости, озарившая лицо Ника минуту назад, погасла.

— Хуже некуда, — признался он. — Надо вытащить всех оттуда. И чем быстрее, тем лучше.

Ник не захотел вдаваться в подробности. Значит, в кризисном центре творится сущий ад.

— Где Иви? На Флите?

Мой подельник опустился в кресло.

— Светляк сообщил, что ты приговорила ее примкнуть к канальям ради защиты Синдиката. Люди оценили твой жест. Простить полностью не простили, но градус недовольства существенно снизился по сравнению с тем, что было несколько дней назад.

Слабое утешение. Несколько дней назад меня норовили четвертовать.

— В ответ Рошин выдвинула свою кандидатуру: якобы здоровье у Иви подорвано, так зачем же издеваться над человеком, когда он и так одной ногой в могиле? Наши поворчали, но согласились. Рошин начала уже собираться, хватились — Иви нет. — Мои брови поползли вверх. — Нашли свидетеля-каналью, он говорит: Иви спрашивала, где отыскать их короля, после чего взяла запас еды и спустилась в канализацию. А вот это лежало на ее койке. — Ник протянул мне свернутый трубочкой клочок папиросной бумаги. На нем неровной дрожащей рукой было выведено: «*Всех не спасти, Пейдж*».

— Неприятно, конечно, но для нее это единственный выход, — заметил Ник.

Невольно вспомнились мрачные туннели, гробовая тишина, нарушаемая лишь стуком капель.

— Это не выход, а самоубийство. — Я спрятала записку в карман. — Нужно вызволить ее оттуда.

— Рошин отправилась следом. По крайней мере, они там теперь вдвоем. Вот разберешься с «Экстрасенсом», восстановишь авторитет и выкупишь девочек у каналий.

— Неплохо бы заручиться сторонниками. — Я покосилась на рефаитов. — Очевидно, вы отыскали Адару Сарин, поэтому вам позволили вернуться?

— Да, — кивнул Страж. — Тирабелл с Мирой и Цефеем пытаются заключить с Адарой союз, а нас прислали тебе на подмогу.

Мой взгляд задержался на нем дольше положенного, выискивая следы увечий.

Ничего. С нашей последней встречи Страж ни капли не изменился.

— Отныне мы всецело в твоем распоряжении, — подхватил Ник. — Принимай в команду. Как Манчестер? Удалось что-нибудь узнать?

Бедняга Ник, мало ему проблем. Однако врать не хотелось.

— Ну, в общем... Даника не ошиблась. Портативные сканеры и впрямь запущены в производство. — Я принесла из коридора «трофей» и выложила на стол. — Вот только... Дани не догадывалась, насколько они многофункциональны.

Ник медленно поднялся.

— Но ведь это... — Он нервно сглотнул. — Винтовка. Намекаешь, что она оснащена «Экстрасенсом»?

— Оснастится сразу после активации.

— Нашира готовится к войне, — констатировал Страж.

Ник резко повернулся к нему:

— Войне с кем?

— С паранормалами. — Арктур безучастно глянул на винтовку. — Располагая подобным оружием, Сайен истребит ясновидцев без риска для мирного населения. Если дело дойдет до физического противостояния с Кастой мимов, «нормальные» граждане не пострадают. При таком раскладе военное положение не отменят до полного разгрома наших рядов.

— Получается, невидцам гарантирована безопасность, а нас обложат со всех сторон? — уточнила я.

— Верно.

Ник прикрыл глаза:

— Может, расскажешь все от начала до конца? Хотя мне уже заранее страшно.

Я поведала все без утайки: о том, как мы рыскали по Манчестеру, о неудавшихся переговорах с Робертой, о поездке в Энкоутс, сделке с Катрин и майором Арканой, о проникновении на завод и убийстве Эмлина Прайса. От переизбытка слов у меня пересохло в горле.

— Только начинаешь думать, что ничего более сумасбродного ты не выкинешь, как вдруг... — Ник рассеянно потер переносицу. — Непонятно, как вы вообще выбрались с завода живыми...

— Теперь Вэнс сосредоточится на Манчестере, — сменил тему Страж.

— Нет. Она, разумеется, отомстит за смерть Прайса, но сюда явится лично. Вэнс знает, куда мы направились. — Я вытянула руки поближе к огню. — План таков. Нужно связаться с местным ясновидческим сообществом, если его еще не разгромили, и выяснить у них, где находится пресловутый склад. Даже если они не в курсе, дополнительная помощь нам не помешает. Надеюсь, в Эдинбурге уловили наш сеанс? — Ник утвердительно кивнул. — Как только...

— Ник. — На пороге возникла Мария: бледная, в лице ни кровинки. — Можно тебя на минутку?

Нахмурившись, он двинулся в коридор. Когда шаги на лестнице стихли, я обратилась к рефаитам:

— Давайте начистоту. Адара согласится примкнуть к Касте мимов?

— Если сочтет нужным, — ответил Страж.

Судя по тону, все складывалось не лучшим образом. Адара явно не намеревалась сотрудничать со мной. Впрочем, неудивительно. Помимо восстания в колонии, я не сделала ничего путного, только возглавила Синдикат и превратила его в сомнительную армию закоренелых преступников. Мои плечи поникли. Ссутулившись, я побрела устраиваться на ночлег.

Поднявшись наверх, я сгрузила винтовки на кровать. К потолку взметнулось облачко пыли. На подоконнике лежали два криптофона и зарядка — очевидно, подарок от хозяина берлоги.

— Пейдж. — Ник стоял в дверях и вытирал руки о полотенце.

При взгляде на него у меня защемило сердце.

— Том? Что с ним?

— Он умирает.

На махровой ткани виднелись алые пятна.

— Нет, — пробормотала я. — Почему?

— Не кори себя. Том специально никому не обмолвился. Его ранили на платформе. Открылось внутреннее кровотечение... Странно, как он вообще протянул столько времени.

— Он держал нам дверь. Наверное, тогда... — Голос у меня сорвался. — Можно к нему?

— Да, он тебя зовет.

Ник проводил меня в комнатушку, кишащую эфиром.

Мария сидела в кресле, обхватив голову руками. Том вытянулся на слишком тесной для него кровати, рядом на тумбочке — шляпа, рубашка расстегнута до пояса. Раненый лежал с мертвенно-бледным лицом. Широкая грудь напоминала сплошной синяк; слева, на уровне сердца, запеклась кровь. Веки Рифмача приоткрылись.

— Темная владычица.

Я опустилась на краешек постели.

— Том! Почему ты молчал?

— Потому что он упрямый старый осел, — хрипло откликнулась Мария.

— Ага, да еще и гордый в придачу. — Рифмач дышал с присвистом. Мария рванула за водой и едва не опрокинула кувшин. — Не сказал, потому что не хотел превратиться в обузу... и мечтал напоследок увидеть Шотландию.

Я нежно коснулась его руки. Представься мне шанс перед смертью увидеть Ирландию, я бы тоже промолчала.

— До отъезда на юг я работал уборщиком на текстильной фабрике в Глазго и своими глазами наблюдал, на что способен Сайен ради захвата ресурсов нашей страны. — Его грудь судорожно вздымалась и опускалась. — Но наблюдать ту же картину спустя десятилетия просто... невыносимо. Этому пора положить конец. Пора.

Мария поднесла ему чашку с водой. Том смочил губы и снова откинулся на подушки.

— Пейдж, прости, что заставил лицезреть такое, но у меня к тебе просьба. — Губы Тома изогнулись в подобии улыбки. — Сделай мне маленькое одолжение. Свергни Сайен.

— Обещаю, — шепнула я. — Клянусь, настанет день и Шотландия восстановит свое славное имя.

Нечеловеческим усилием Рифмач поднял могучую руку и погладил меня по щеке.

— Твои речи полны отваги, но в глазах сквозит сомнение. Пейдж, недаром мы выбрали тебя темной владычицей, а архонт так страстно желает тебя уничтожить. В твоем сердце горит неугасимое пламя. Не позволяй никому его затушить. Не позволишь?

Я стиснула ладонь Тома:

— Никогда.

Со смертью Рифмача я лишилась одного из самых преданных командующих. Одного из немногих честнейших людей в Синдикате.

У нас не было времени скорбеть и оплакивать потерю. Во дворе берлоги Мария закурила первую за долгие годы самокрутку из астры. Десятиминутный перекур — это все, что мы могли себе позволить, прежде чем снова взяться за дело.

— Том был замечательным человеком. Добрая душа. — По щекам Марии струились капли дождя. — Все повторяется. Скольких друзей я потеряла во время Балканских восстаний. По крайней мере, Том знал, с кем борется. Со злом в образе рефаима.

О вторжении на Балканы я знала только понаслышке. Мария подставила лицо под упругие струи.

— В две тысячи тридцать девятом они захватили Грецию, а год спустя добрались и до нас.

— Сколько тебе тогда было?

— Пятнадцать. Мы с Христо, моим другом детства, сбежали из дома в Бухово и примкнули к партизанскому отряду в Софии. Там я и познакомилась с Розалией Юдиной, женщиной из воспоминаний. Она обладала... невероятной харизмой и неуемной жаждой справедливости — прямо как ты. Роза убедила взяться за оружие всех, не только паранормалов. Она не сомневалась: сначала врагами объявили нас, потом заклеймят других неугодных и так до бесконечности. Ставить одних выше других — значит обесценивать суть человечности. — Мария посуровела. — Мы тренировались как проклятые, особо не рассчитывая на победу, но впервые в жизни я обрела свободу — свободу от отца, свободу быть собой, Йоаной, а не Стояном Хазуровым, паршивой овцой в семье. К приходу СайенМОПа мы соорудили пушку. Крали оружие у мертвых полицейских. Обороняли Софию. — Мария перевела дух. — А десять дней спустя наши власти капитулировали. Христо бежал к турецкой границе... но вряд ли дотуда добрался.

— Тогда, в воспоминаниях, ты подобрала пистолет. — Холодная капля упала мне на нос. — Но не затем, чтобы отстреливаться от солдат.

— Молодец, заметила. К несчастью, ствол дал осечку. Солдаты избили меня до полусмерти и бросили за решетку. — Лицо Марии исказилось от боли. — Через пару лет по приказу нового верховного командора Болгарии заключенных отправили на принудительные работы. Адский, изнурительный труд. Я сбежала, добралась на корабле до Севастополя, потом были долгие месяцы скитаний в надежде отыскать крупное сообщество ясновидцев. Криминальный мир Лондона принял меня с распростертыми объятиями. — Над самокруткой вился сиреневый дымок. — Нас разгромили в считаные дни. Но чем больше товарищей гибло, чем больше домов сгорало дотла, тем отчаяннее мы сражались.

— Откуда вы черпали силы?

— Из ненависти. Она мощный катализатор. Люди должны видеть страдания, наблюдать, как проливается кровь невинных. И видеть стойких духом, Пейдж.

— От судьбы не уйдешь: одним предназначено страдать, а другим — сражаться, да?

— Ты обязана выстоять. Выстоять и избавиться от «Экстрасенса» любой ценой. Если вернешься в столицу без Тома и без доказательств, что мы уничтожили ядро...

— Можешь не продолжать, — перебила я. — Сама знаю.

Тогда меня уже ничто не спасет. Вчерашние подданные превратятся в палачей. От меня отвернутся даже союзники из Потустороннего совета. СайенМОП раздавит нас как тараканов.

Сейчас, как никогда, все упиралось во время.

— Прежде чем... до... хм... В общем, Том не говорил, где искать местных ясновидцев?

— Говорил. В Эдинбургских сводах.

— Где это?

— В районе улицы Каугейт, которая пролегает под Южным мостом. Вход надежно замаскирован, а точное место Том успел позабыть.

— Ладно, мне пора. А ты... докуривай.

— Некогда. Захвачу Элизу — и по коням. Буду носом рыть землю и не успокоюсь, пока не найду треклятый склад. — Мария раздавила окурок. — Вэнс нас обскакала, но нельзя позволить ей зайти слишком далеко.

Вернувшись в дом, я расстелила на столе карту Эдинбурга. Рефаиты исчезли: наверное, решили подкрепиться ничего не подозревающими ясновидцами. Усталость постепенно сменялась страхом. Минуло восемь часов с тех пор, как за нами захлопнулись заводские ворота. Вэнс наверняка уже здесь.

В комнату шагнул Ник; вид у него был усталый: бедняга вымотался не меньше меня.

— Куда собралась, sötnos?

— На поиски Эдинбургских сводов. Том считает... считал, что именно там обитают ясновидцы, десятилетиями населявшие эту цитадель. — Мой палец скользил по карте, по узору из тупиков и проулков, лучами расходившихся от Королевской Мили[1], и вскоре наткнулся на Каугейт. К югу от нашей берлоги, совсем близко. — Надеюсь, они еще там. Ты со мной?

— Разумеется. — Ник потянулся за пальто. — Вэнс вот-вот явится по нашу душу. Рискну спросить: а может, склад значится на карте и нам вовсе не обязательно гоняться за местными ясновидцами?

— Размечтался.

Я застегнула пуховик, натянула сапоги. В недрах берлоги тикали часы. Конечно, сейчас не время... но я не удержалась.

— Ник, мы так и не поговорили о сеансе. Что случилось с твоей сестрой?

Он отвернулся от горящего камина и повыше поднял воротник пальто.

— Рассказывать особо нечего, — буркнул Ник, но, наткнувшись на мой выразительный взгляд, с горьким вздохом продолжил: — Солдаты патрулировали лес в Смоланде, неподалеку от нашего дома. Лине взбрело в голову отпраздновать свой день рождения на природе. Они

[1] *Королевская Миля* — череда улиц в центре Эдинбурга, одна из главных достопримечательностей города.

с друзьями взяли палатки, купили на черном рынке датского вина. Когда мы с отцом спохватились, было уже слишком поздно. — Ник перевел дух. — Дело получило огласку, однако Тьядер оправдалась: мол, с помощью алкоголя подростки планировали развить в себе паранормальные способности. Хакан, приятель Лины, был самым старшим в компании. Ему только стукнуло пятнадцать.

Я потупилась. Кровавый режим Биргитты Тьядер, правившей в Стокгольме, был притчей во языцех: малейшее нарушение сайенских законов приравнивалось к государственной измене. Но убивать детей из-за пары бутылок вина — такое зверство просто не укладывалось в голове.

— Сочувствую, — выдавила я.

— Если честно, я рад, что это всплыло на сеансе. Отныне Лина будет жить в людской памяти. — Тон Ника изменился. — Тьядер напрямую подчинялась Вэнс, поэтому мы должны уничтожить эту тварь, чего бы это ни стоило.

Золотая пуповина дрогнула. В дверях возник Арктур, его глаза сыто поблескивали.

— Страж, ты знаешь Эдинбург? — спросила я, выпрямляясь.

— Не так хорошо, как Лондон, однако мне доводилось наведываться сюда в статусе принца-консорта.

— Про Эдинбургские своды слышал?

— Да. — Рефаит поочередно оглядел нас обоих. — Предлагаете отправиться с вами?

16

ПОД СВОДАМИ

Даже обрушившиеся на нас беды не могли затмить очарования Старого города. Дома радовали глаз изяществом и красотой, шпили и кровли устремлялись ввысь, словно намереваясь перещеголять горы и дотянуться до небосвода, отливавшего в солнечных лучах кораллом и янтарем. Мы поднялись вслед за Стражем по ступенькам, миновали намалеванные белой краской буквы «ALBA GU BRÀTH»[1]. Скорбь по утраченной стране.

— Пейдж, что у тебя со Стражем? — спросил Ник, пользуясь тем, что рефаит ушел далеко вперед. С такого расстояния услышать нас могла только летучая мышь (хотя с рефаитами заранее не угадаешь).

— Ничего, — буркнула я.

Ответ Ника явно не удовлетворил. Неизвестно, чем бы все закончилось, не реши Арктур сбавить темп и подождать отстающих.

Мне казалось, на людях мы вели себя безукоризненно, однако Ник уловил фальшь. Шагая плечом к плечу со Стражем, я старалась контролировать выражение своего лица, язык тела, сердцебиение.

---

[1] «Шотландия навсегда» *(гэльск.)*.

— Когда ты был здесь в последний раз?

— Восемь лет назад.

Ступени привели нас к Королевской Миле, где сквозь густой, бледный туман — дыхание моря — пробивался свет чугунных фонарей. Под ногами блестела широкая, гладкая, мокрая от дождя брусчатка. В ресторанах и кофейнях шла бойкая торговля, посетители сгрудились вокруг уличных калориферов и грели руки о стаканы с обжигающими напитками, юный музыкант пощипывал кельтскую арфу. Вдалеке возник патрульный отряд ДКО. Однако в непроглядном тумане даже Страж с его исполинским ростом мог сойти за человека.

Мы свернули в трущобы под мостом; на входе болталось выстиранное белье, в пропитанном табачным дымом воздухе витали ароматы кухни и канализации. С моста свисали вытертые ирландские флаги — зеленые, белые, оранжевые; из окон доносился характерный говор. Классический ирландский триколор предали забвению из страха навлечь на себя гнев легионеров. Целые семьи сидели, съежившись у костров, какой-то старик доставал из бочки и пропускал через пресс чистое белье. Табличка у него над головой гласила: «Каугейт».

Очередной филиал ада для ирландцев. Сайен позволил горстке моих соотечественников вырваться из кошмара оккупации с единственной целью — загнать их в сточные канавы и сгноить заживо.

Лишь милость Сайена и папина работоспособность уберегли семейство Махоуни от подобной участи. Еще до отъезда из Типперэри отец велел мне забыть родной язык и не употреблять его ни при каких обстоятельствах; приказал забыть бабушкины сказки, ирландские песни. Мне надлежало уподобиться английской розе. Забыть.

По-своему отец старался меня защитить. Наверное, когда-нибудь мне удастся простить его. Но простить —

не значит понять. В уединении семейного очага людям не возбраняется помнить свое прошлое и скорбеть о мертвых.

Ник коснулся моего плеча, отогнав мрачные мысли.

Страж ждал нас на развилке в конце Каугейт. Я кожей ощущала его взгляд, но не подала виду.

— Своды Южного моста, — объявил он. — Некогда именуемые Эдинбургскими сводами.

Перед нами высилась узкая арка без опознавательных знаков. Человек несведущий принял бы ее за вход в проулок, не отмеченный ни на одной карте. В нос ударил нестерпимый запах рыбы и гари. Закашлявшись, мы попятились.

— Рыбий жир, — пояснил Страж. — Местные используют его в качестве источника света.

Внутри было темно, хоть глаз выколи.

— Ладно, идем. — Пригнувшись, я шагнула под своды.

Мы очутились в каменном мешке. Повсюду царил кромешный мрак без единого просвета.

Низкий сводчатый потолок нависал прямо над головой. Я брела на ощупь, под ногами хрустели ракушки и крысиный помет. От порывов ледяного ветра кожа покрылась мурашками, однако по-настоящему угнетал не холод, а древние, мстительные фантомы, заполонившие каждый миллиметр эфира.

Сверху сочилась вода, по углам мерцали лужи. Изредка мы натыкались на чадящие лампады с рыбьим жиром, позволявшие разглядеть обитателей Сводов. В полуразрушенных нишах бездомные невидцы спали, свернувшись калачиком вокруг своих ничтожных пожитков. При свете сальной свечи чумазые ребятишки играли крышками от бутылок и прыгали через веревочку.

С каждым шагом потолок становился все ниже. Дыхание Ника участилось.

— Не вижу ни одной ауры, — прохрипел он.

Последняя лампада осталась далеко позади. Моя ладонь уперлась в кирпичную кладку очередной арки, за которой простиралась чернильная пустота. Из проема потянуло сквозняком.

— Погодите, — выпалила я, устремляясь вперед. — Лабиринты есть, но только уровнем ниже. По-моему...

Внезапно стена скользнула вбок, нога провалилась в пустоту.

В последний момент мне чудом удалось сгруппироваться и не сломать шею, пока я кубарем катилась вниз, в бездонную пропасть, лихорадочно цепляясь за гладкие стены и жадно хватая ртом воздух. Острый выступ оцарапал мне щеку, следующий полоснул по бедру. Протаранив деревянные доски, я распласталась среди щепок на бетонном полу.

Долгое время я лежала, не шелохнувшись, боясь проверить, целы ли кости. Вибрация золотой пуповины привела меня в чувство. Сцепив зубы, я приподнялась на локтях.

— Странница! — Голос Ника эхом прокатился по подземелью.

В нос попала пыль; я оглушительно чихнула, встала и тут же ударилась головой о потолок:

— Твою ж мать!

— Жить будет, — прокомментировал откуда-то сверху Страж.

Тоже мне, юморист. Я уперлась в очередную стену и крикнула:

— Все нормально! Только ни черта не видно!

В отблеске фонаря мелькнули разломанные доски. Неподалеку валялась табличка с надписью «Опасная зона категории Е».

— Прекрасно. Всегда мечтала умереть в одиночестве, и обязательно в опасной зоне категории Е.

— Чего? — проорал сверху Ник.

— Я говорю, тут опасная зона...

— Кто бы сомневался. Ты в зоне с угрозой обрушения. Почему не паникуешь?

— Ты отлично справляешься за двоих, — съязвила я.

— Стой на месте. Не шевелись.

Удаляющиеся шаги стихли, воцарилась мертвая тишина. Темнота угнетала. Ни единого лучика света. Как в могиле.

Вопреки указаниям Ника, я встала и принялась на ощупь исследовать обстановку.

Судя по всему, я находилась в туннеле шириной около полутора метров. Неподалеку от разлома вдоль стены шеренгой выстроились деревянные бочки. В принципе, можно попробовать взобраться по склону, однако маршрут отпугивал крутизной, сыростью и непроглядной тьмой.

Пока я тыкалась по углам в надежде отыскать выход, шестое чувство тревожно завибрировало. Чужие лабиринты нагрянули раньше, чем раздались шаги. В последний момент я успела по брови замотаться шарфом.

Языки пламени заплясали по стенам, отбрасывая длинные тени. Факел метнулся в мою сторону, едва не опалив ресницы.

— Dè tha sibh a' dèanamh an seo? — Увидев наставленный на меня нож, я застыла и подняла руки. Передо мной стоял тощий примитивщик с неприкрытым лицом. Наверное, здесь внизу надобность в маскировке отпадала автоматически. — A bheil Gàidhlig agaibh?

Я слегка опустила руки. Язык напоминал ирландский, правда, слова разнились. Вроде бы он спрашивает, как я тут оказалась и говорю ли... ну конечно, по-гэльски —

это старинный шотландский язык, запрещенный Сайеном. У него общие с ирландским корни, попробую объясниться.

— Táim anseo chun teacht ar dhuine éigin, — медленно проговорила я.

Ищу кое-кого.

Нож отстранился на пару сантиметров.

— Ворожея, — позвал примитивщик, — тут ирландка. Похоже, хочет примкнуть к нам.

Ворожея! Том упоминал эту кличку. Так звали главу местных ясновидцев.

В проеме вырисовывались силуэты пятерых паранормалов, одетых в плащи с капюшонами. Каждый держал металлический фонарь. Вперед, зябко кутаясь в саржевую шаль, выступила женщина с аурой картоманта. Засаленные черные волосы были собраны в узел; темные, близко посаженные глаза недоверчиво сузились.

— Как ты сюда попала? — спросила она по-английски. — Откуда узнала про фальшивую стену?

— Ниоткуда. Случайно... обнаружила.

Женщина осмотрела поломанные доски:

— Болезненное открытие.

— Мне необходимо переговорить с главой эдинбургских ясновидцев. Вы и есть Ворожея?

Собеседница окинула меня пристальным взглядом, после чего обратилась к своим спутникам и растворилась во мраке. Два ясновидца схватили меня за руки и повели по хитросплетению туннелей.

Чья-то ладонь легла мне на затылок, я машинально пригнулась, чтобы не удариться о потолок. Мы очутились в крохотной зале, увешанной масляными лампадами. Горстка примитивных прорицателей сидела, взявшись за руки, вокруг неровного треугольника из костей; рядом витали фантомы. Другие ясновидцы устроились в глубоких нишах, застеленных тонюсенькими одеялами: одни дремали, другие с аппетитом уплетали консервы. Большинство же с упоением беседовали о чем-то звенящими от волнения голосами. Услышав фамилию «Аттард», я застыла как вкопанная.

— Что там насчет Аттард?

Ясновидцы разом смолкли. Ворожея тронула меня за плечо.

— Мы получили вести из Манчестера. Думаю, ты еще не в курсе.

— Роберту Аттард убили, — сообщила медиум. — И ты никогда не догадаешься кто.

— В жизни не сообразит. — Один из остеомантов хихикнул. — Ее прикончила родная сестра.

Не помню, как очутилась в другом подземелье. Наверное, меня привели туда. В себя я пришла на полу, кто-то протягивал мне чашку дымящегося золотистого напитка, пахнувшего медом и гвоздикой.

— Ну что, полегчало?

Ледяными пальцами я стиснула бокал.

— Ты так побледнела, — заметила темноволосая картомантка. — Неужели из-за Роберты расстроилась?

— А Катрин... — Я откашлялась. — Катрин действительно убила сестру?

Женщина выпустила мое предплечье и устроилась на подушке напротив. Телохранители в капюшонах тенью последовали за ней.

— Новости пришли утром из Глазго. Катрин Аттард вместе с Кастой мимов проникла на завод и перерезала горло министру промышленности по прозвищу Металлург. Роберта потребовала у сестры объяснений, их противостояние вылилось в поножовщину. — Брюнетка покачала головой. — Невосполнимая утрата. Роберта была славным человеком, всегда заботилась о своем народе. В отличие от своей мерзавки-сестры.

Я молчала, не в силах подобрать слова.

Темная владычица должна оценивать случившееся с точки зрения тактики. Тактически все складывалось неплохо, прогресс налицо. Катрин по натуре боец. Под ее командованием «угольщики» дадут отпор Сайену. Война есть война, в ней нет места сантиментам.

Однако от мысли, что я невольно спровоцировала гибель Роберты, хотелось выть. Желая доказать свое превосходство, Катрин наверняка расправилась с сестрой самым чудовищным образом, у всех на виду. А ведь она предупреждала. Намекала, что собирается отвоевать корону.

Своими действиями я всполошила криминальный мир Манчестера, перевернула его с ног на голову, и неизвестно, чем все обернется для цитадели.

— Пей. — Ворожея кивнула на мой стакан. — Горячий грог. Поднимает настроение.

Пора оставить Манчестер в прошлом и сосредоточиться на делах насущных. Я взглянула на Ворожею и вдруг заметила у нее за спиной скопление лиц.

Противоположную стену испещряли фотографии, пожелтевшие и выцветшие от времени. Внимание привлек семейный снимок: три человека стояли в густом тумане на фоне остроконечных гор. Худая женщина застыла с мечтательным выражением лица, рядом вымученно улыбался мужчина в рабочем комбинезоне, видимо, ее супруг. Оба держали за руки маленькую девочку с темными волосами, заплетенными в две косички-баранки, украшенные бантом. Конечно, девочка изменилась с тех пор, но не сильно.

— Вы знали Лисс Реймор? — вырвалось у меня.

— Ну да. — Ворожея не сводила с меня глаз. — А ты вообще кто?

Помешкав, я размотала шарф. Ясновидцы в капюшонах переглянулись и уставились на меня.

— Святой эфир! — пробормотала Ворожея, кутаясь в шаль. — Никак Пейдж Махоуни?

Я кивнула.

— Ты была в Манчестере? Организовала налет на завод?

— Да. Хотела украсть секретную военную разработку Сайена. Находка привела меня в Эдинбург. До конечной цели осталось совсем чуть-чуть, но мне нужны союзники, люди, готовые сражаться. Если вы сочувствуете Касте мимов, тогда помогите мне отыскать последнее звено.

Ворожея вопросительно подняла брови:

— Это ты разослала те образы?

— Нет, один мой друг. Оракул.

— И ты позволила Катрин убить министра промышленности?

Мои губы сжались в тонкую линию.

— Катрин Аттард действовала по собственной воле. Убийство Прайса и Роберты — ее сугубо личная инициатива.

Сопровождающий в капюшоне схватил женщину за руку:

— Погоди, Ворожея.

Он быстро застрекотал на родном наречии, мне удалось уловить единственное слово «fealltóir» — так в Ирландии именовали горстку отступников, принявших сторону Сайена.

— Я не предательница! — выпалила я.

Брови Ворожеи поползли на лоб.

— Знаешь гэльский, темная владычица?

— Какая разница. Пусть докажет, что она та, за кого себя выдает, — недоверчиво покосился на меня бородач. — А вдруг ты шпионка Вэнс, просто похожая на Махоуни? Сейчас выведаешь все тайны и отправишь нас на виселицу.

— Не пори чушь, — перебила его Ворожея. — Темная владычица из породы странников. Видал где-нибудь такую ауру? — (Похоже, всей Британии известно о моем даре.) — Кроме того, она знакома с Лисс.

Женщина приблизилась к стене и нежно коснулась снимка. Впервые в глаза мне бросилось сходство.

— Вы, — во рту у меня пересохло, — вы мама Лисс?

— Тепло. Я ее тетя. Меня зовут Элспет Лин. — Она опустилась на подушку и налила себе порцию грога. — Как там поживает моя племянница?

Язык словно прирос к нёбу, но нужно сказать правду. Нельзя тешить человека напрасными надеждами.

— Сочувствую, что вам приходится слышать такое от постороннего, но Лисс... отныне она пребывает в эфире.

Улыбка Элспет погасла.

— Этого я и боялась, — пробормотала она. — Недавно мне выпала Четверка Мечей. А Лисс течением унесло в радужный омут. — Ворожея достала из кармана колоду карт Таро. — Ты мне тоже привиделась, Пейдж. Огромная волна плескалась у твоих ног, а черные крылья увлекали тебя в поднебесье. Эта карта знаменует начало и конец. Ответ на призыв.

Она перетасовала колоду и протянула мне карту Страшного Суда. Белокурый ангел в клубах дыма играл на трубе. Из разверстых могил поднимались мертвецы с протянутыми руками, а позади, на фоне бледно-голубого неба, вздымались волны.

— Сильная карта. Скоро, очень скоро тебе предстоит принять важное решение, Пейдж.

Я долго рассматривала картинку. Меня всегда пугали предсказания, но, похоже, настало время примириться с будущим.

— Расскажи, что случилось с Лисс, — с надрывом потребовала Элспет. — Она ведь не мучилась?

У меня перехватило дыхание.

— Лисс погибла в сентябре, в исправительной колонии к северу от Лондона, после десяти лет заключения. Погибла прямо у меня на глазах. — Каждое слово давалось с трудом. — Я прочла над ней заупокойную молитву.

Элспет опустила голову. Я потянулась к бокалу — смочить пересохшее горло. Чудовищная, вопиющая несправедливость, что Лисс сейчас нет с нами. Именно она помогала мне вовремя прикусить язык, запрещала лезть на рожон, когда больше всего на свете хотелось рвать и метать. Бедняжка столько сделала для меня, хотя ей самой не довелось обрести долгожданную свободу.

— Ясно. — Из груди Элспет вырвался тяжелый вздох. — Нельзя скорбеть по умершим, не изменив мир, который отнял их у нас. Если ты дружила с таким прелестным, добросердечным существом, как наша Лисс, можешь рассчитывать на мою помощь.

Я вернула ей карту Страшного Суда.

— Незадолго до смерти Лисс раскладывала мне эллипс, но растолковать не успела. Выручишь?

Элспет протянула мне колоду — знак наивысшего уважения и почтения, ибо гадатели не доверяли другим ясновидцам единственную вещь, связывающую их с эфиром. Я оценила жест, трепетно взяла вверенные мне нумы и выложила по порядку шесть карт: Пятерку Кубков, перевернутого Короля Жезлов, Дьявола, Влюбленных, перевернутую Смерть и Восьмерку Мечей.

— Для эллипса нужно семь карт, — заметила Ворожея.

— Седьмая потерялась.

— Хм, в искусстве гадания Лисс превзошла всех женщин клана Лин. Ей одной являлись образы. — Элспет поочередно коснулась каждой картинки. — Тебе известно их значение?

— Только первых двух.

Пятерка Кубков знаменовала скорбь отца, предположительно по моей маме. Король Жезлов олицетворял Джексона и его некогда безграничную власть надо мной.

— Логично, — согласилась Элспет. — Твое прошлое и настоящее. Третья карта на момент расклада показывала будущее. А в будущем у тебя Дьявол.

— Лисс говорила, что Дьявол означает отчаяние и страх, однако я выбрала этот путь добровольно и, возможно, сумею избежать беды, хотя понятия не имею, как именно.

Ворожея поднесла карту к свету.

— Ты выступаешь против Хилдред Вэнс, воплощения отчаяния и страха, против женщины, ставшей неотъемлемой частью нашего будущего, — мрачно констатировала она, — однако никто бы не поддался ей по собственной воле, тем более повелительница Касты мимов. Нет, Дьявол относится не к ней. — Элспет всматривалась в изображение, словно надеялась силой мысли вынудить Дьявола открыть истинное лицо. — Обрати внимание, Дьявол возвышается над мужчиной и женщиной.

Я с опаской взглянула на увенчанную рогами физиономию с перекошенным ртом и белесыми глазами. По обе стороны трона стояли две обнаженные фигуры, скованные серебряной цепью.

— Они похожи на пару Влюбленных из следующего аркана. Присмотрись. Дьявол управляет ими. Манипулирует.

Меня бросило в пот.

Управляет. Манипулирует. Под маской Дьявола могла скрываться Тирабелл. Мы со Стражем зависели от нее: он — морально, а я — финансово. Нас точно так же сковывала цепь, только не из серебра, а из золота.

— Заметь, кто-то довлеет и над Влюбленными, хотя цепи между ними нет. — Элспет указала на крылатую фигуру, витавшую над парой. — Не знаю, как ее трактовать... однако за этими двумя явно наблюдают.

Про Влюбленных Лисс обмолвилась лишь, что эта карта содержит руководство к действию. Напряженный конфликт между духом и плотью. Тогда я не могла взять в толк, о чем речь, но теперь, влюбившись, начала догадываться, что к чему.

Рефаит — точка пересечения духа и плоти. Мы со Стражем всегда опасались слежки, поскольку понимали, чем грозит разоблачение. Если он предначертан мне судьбой, то, расставшись с ним, оборвав нашу связь, я противилась судьбе.

И все же... А вдруг Дьяволом был Страж?.. Дьяволом или кукловодом на службе дьяволицы Тирабелл.

Кто он? Моя любовь или погибель?

— Мой вывод таков: следуй по стезе Влюбленных, — заключила Элспет. — Не отрекайся от избранника, только сперва убедись, что сделала верный выбор. Если отречешься, угодишь в лапы Дьявола. — Она собрала колоду. — Надеюсь, ты найдешь ответы, Пейдж.

На лбу у меня залегли складки. Гадание лишь добавило вопросов.

Впрочем, не время ломать голову. Особенно сейчас, когда я так близка к разгадке тайны «Экстрасенса», а дьявол в образе Хилдред Вэнс смыкает вокруг меня свои сети.

— У меня к вам просьба, — с мольбой обратилась я к ясновидцам. — Мне нужно выяснить, где находится центральный склад Эдинбурга.

Элспет мгновенно насторожилась:

— Зачем?

— Не могу сказать. Но поверь, это очень важно.

Гадалка поджала губы.

— Склад не значится на картах, но местные аборигены, разумеется, знают, где он. В портовом районе Лит, закрытом для простых смертных. Не советую соваться туда. Это военный объект. Тебя либо пристрелят, либо упекут за решетку. Уж больно рискованно.

Любая моя вылазка была сопряжена с риском. Но кто не рискует, тот не пьет шампанское.

17

КРОВЬ И СТАЛЬ

После долгих скитаний по подземелью Ник со Стражем наткнулись на логово ясновидцев. Простившись со всей компанией, мы выбрались на свет. Нависшее над горизонтом солнце разогнало туман, снег ярко вспыхивал и слепил глаза. Элспет снабдила меня пистолетом армейского образца из арсенала, накопленного за многие годы: примитивщикам случалось грабить военные фургоны, направлявшиеся на склад. Кроме того, Ворожея пообещала нам содействие по всем вопросам.

— Если понадобится продовольствие, убежище — милости просим, всегда помогу, — заверила она.

На обратном пути меня преследовали образы тех, кто хлебнул горя по милости Сайена. Каста мимов, заточенная в Подполье. Изнуренные, забитые рабочие с фабрик и заводов. Подвергнутые остракизму ирландцы. Легионеры из НКО, над которыми с появлением новых технологий нависла угроза истребления.

Однако в калейдоскопе лиц мелькали и те, кто, вопреки всем несчастьям, не опустил руки. Элспет Лин — Сайен уничтожил всю ее семью, но не сумел сломить боевой дух этой отважной женщины. Мои командующие в Лондоне. Рантаны. Люди, окружавшие меня сейчас. Не знаю, удастся ли нам остановить запущенный механизм, но пламя уже занялось. Самая крепкая конструкция не устоит перед маленькой искрой.

Одним предназначено страдать, а другим — сражаться.

Элиза и Мария ждали в гостиной. Судя по их раздосадованным минам, поиски не увенчались успехом. Заметив нас, Элиза вскочила.

— Нашли ясновидцев?

— Да, и заручились их поддержкой.

Элиза моментально приободрилась:

— А склад?

— Он на побережье, в портовом районе Лит. Выдвигаемся немедленно.

Мария уже вводила название в навигатор.

— Зацените! Хочу приблизить Лит, и вот какая штука. — Она сунула мне экран. Неподалеку от центра Эдинбурга расплывалось мутное, неясное пятно. — Сайен не пропускает туда спутники.

— Тем лучше, — хмыкнула я. — Элиза, останешься здесь на случай, если нам понадобится помощь.

— Ладно. Только, пожалуйста, берегите себя.

С наступлением сумерек мы тронулись в путь. Власти Эдинбурга пренебрегли подземкой и монорельсом, внедрив вместо них автоматизированные трамваи, ходившие круглосуточно. Рефаиты отправились пешком и тенью растворились во мраке. Мы юркнули в вагон до Лита и устроились на последнем ряду, подальше от других пассажиров. Люсида и Страж ждали нас на конечной станции.

Не пройдя и двух шагов, мы уткнулись в забор, увешанный заградительными знаками. За барьером, насколько хватало глаз, простирались дома. Приметив камеру наблюдения на стене, я нырнула в дверной проем.

ОСТОРОЖНО!
ВОЕННЫЙ ОБЪЕКТ САЙЕНМОП.
ДОСТУП НА ТЕРРИТОРИЮ ЗАПРЕЩЕН
ВЕРХОВНЫМ КОМАНДОРОМ.
В НАРУШИТЕЛЕЙ СТРЕЛЯЕМ НА ПОРАЖЕНИЕ!

— Заходим, — скомандовала я.

— Интересно, как? — озадачилась Мария.

Я выгнула бровь.

— Ну да, конечно, — усмехнулась пиромантка.

За забором маячил одинокий охранник. Но он оказался крепким орешком. Пришлось изрядно повозиться, чтобы вторгнуться в его лабиринт. «Проводник» сопротивлялся до последнего, однако в конечном итоге покорно поплелся отпирать ворота. Очутившись внутри, Мария вырубила охранника прикладом; я опомнилась в тот момент, когда Ник заносил мое бесчувственное тело на территорию. Ворота с шипением затворились, вспыхнула алая точка сигнализации.

Ник поставил меня на землю. Крадучись, мы двинулись вдоль темных улиц военного городка к складу. Рефаиты шагали впереди, готовые вывести из строя караул, если тот вдруг объявится. Ник высматривал камеры наблюдения и сканеры. С каждой минутой чувство, что за нами следят, усиливалось. Неужели Вэнс предвидела наше появление и нагрянула сюда заранее?

Несмотря на трескучий мороз, меня бросило в жар. Малейшая ошибка могла стоить нам жизни. За фасадами зданий ощущались лабиринты, однако на улицах не было ни души. Наверное, здесь располагался административный район — ширма, скрывающая истинный секрет.

При виде трехметровой бетонной стены мои догадки подтвердились. Этакий внушительный забор, утыканный металлическими шипами. И снова бесчисленные таблички с предупреждениями о стрельбе на поражение.

Определенно, нахрапом эту крепость не возьмешь.

— Подсадите меня, — попросила я.

— Предоставь это мне. — Мария обвязала вокруг талии пальто. — Страж, ты самый высокий. Не подсобишь даме?

Страж покосился на Люсиду, чье лицо исказила гримаса отвращения. Мария, не подозревавшая, что рефаиты скорее умрут, чем дотронутся до человека, терпеливо ждала.

— Давай лучше я, — предложил Ник, подставляя ладони.

Ник был силен, но не настолько. Не успела Мария выпрямиться, как оба они едва не повалились на землю. Ник выругался сквозь зубы и разжал пальцы:

— Извини.

Отряхнувшись, Мария игриво взглянула на Стража:

— Не отвертишься, здоровяк.

Меня разбирал истерический смех. Люсида скривилась от негодования, но возразить не посмела — сейчас не время и не место. Страж легко закинул Марию на плечо, пиромантка ухватилась за выступ в стене и скрылась из виду.

Я затаила дыхание, ожидая услышать выстрел, однако вскоре Мария свесила голову вниз и прошипела:

— Живее!

Избегая встречаться взглядом со Стражем, я вскарабкалась ему на спину. Рефаит крепко держал меня за икру — для равновесия; от прикосновения его ладони кожа покрылась мурашками. Мария втянула меня наверх и хлопнула по плечу.

— Посмотри туда, темная владычица, — хриплым от волнения голосом проговорила она. — Только... постарайся не заорать.

Я по-пластунски подползла к забору, приподнялась на локтях — и обомлела.

Открывшаяся взору картина навсегда врезалась мне в память.

Танки. Сотни танков колоннами выстроились на плацу перед угольно-черным складом. Вдоль них сновали туда-сюда вооруженные до зубов солдаты в бронежилетах. Такая огневая мощь не приснится даже в самом страшном сне. Население Эдинбурга из других районов и не подозревало, что соседствует с полчищами военной техники.

Сюда, омытая кровью невинных, стекалась вся продукция оборонных предприятий Манчестера.

Справа возник Страж с пылающими, точно факелы, глазами. Следом подполз Ник с биноклем. Дав другу время переварить увиденное, я забрала бинокль и направила окуляры на ближайший отряд. «Вторая инквизиторская дивизия» значилось на бронежилетах, через плечи солдат были перекинуты винтовки с мерцающей белой полосой на дуле.

Активированные сканеры. Обычное огнестрельное оружие манчестерского производства в Эдинбурге оснащалось эфирными технологиями.

Во мраке, куда не дотягивались лучи прожекторов, вырисовывались очертания боевых кораблей. Великое множество народу спускалось и поднималось по трапам.

— Вторая инквизиторская дивизия, — шепнула я. — Это заграничная армия вторжения, а не местные войска.

Перед внутренним взором пронеслись образы прошлого. Игра света на поверхности реки. Транспаранты на фоне синего неба. Огненно-рыжая шевелюра брата за мгновение до того, как он принял смерть.

— Последний раз Сайен вторгался на чужие земли в две тысячи сорок шестом. — С лица Марии схлынули все краски. — Долго же они собирались. Вот как Вэнс планирует отпраздновать Новый год — завлечь очередную страну под сень Якоря и сокрушить.

— Саргасы упоминали про завоевание новых территорий? — обратилась я к Стражу.

— Они намерены поработить весь мир. Конкретных целей не озвучивали, однако их амбиции поистине безграничны.

Затаившись у забора, мы долго созерцали боевую мощь противника. Танки, артиллерию, неутомимых, словно роботы, солдат.

— Погодите. — Ник припал к биноклю, разглядывая две фигуры вдалеке. Внезапно его черты исказила страдальческая гримаса. — Helvete[1]. Это же Тьядер!

Не успела я дернуться, как Мария выхватила у него бинокль и поднесла к глазам.

— И с нею еще кое-кто, — покосилась на меня пиромантка. — Некто, кого ты будешь просто счастлива видеть.

Я забрала бинокль, не встретив ни малейшего сопротивления.

С корабельного трапа, в окружении военных, спускались двое. Биргитта Тьядер запомнилась мне еще со времен колонии — бледная кожа, высокие скулы. Густые волосы заплетены в косу и собраны в узел на затылке; легкая амуниция, под мышкой шлем. Тьядер прославилась зверствами своей гильдии легионеров в Стокгольме, она же возглавляла Вторую инквизиторскую дивизию, учинившую расправу над сестрой Ника.

При виде второго человека у меня подкосились ноги. Рядом с Тьядер шагала тощая женщина, едва достававшая спутнице до плеча. Даже издалека я узнала пышную

[1] Черт возьми *(швед.)*.

седую шевелюру, бесстрастный, как у рефаитов, взгляд, тонкие брови, бездонные черные глаза, практически лишенные белков, – от их взгляда не укроется ни единой детали. В прошлую нашу встречу это лицо взирало на меня с экрана монитора, пока я беспомощно барахталась в сети под потолком.

Хилдред Вэнс, будущая покорительница человеческой расы, наконец предстала передо мною во плоти.

На сей раз она не удовольствуется ролью стороннего наблюдателя и попробует поймать меня лично.

Ее худощавую фигуру подчеркивал сшитый на заказ костюм со стоячим воротником а-ля Дракула и алой отделкой, какой щеголяли самые высокопоставленные чиновники Сайена. Внезапно Вэнс встрепенулась, подняла голову: бьюсь об заклад, она смотрела прямо на меня! Во рту у меня пересохло, к горлу подкатила тошнота.

– Надо убираться отсюда.

Ник моментально напрягся:

– Пейдж, в чем дело?

Вэнс отвернулась, однако дрожь в коленках не унималась.

– Вэнс знает, что мы наверху. – Я судорожно сглотнула. – Она на меня посмотрела!

Мария деликатно кашлянула.

– Не преувеличивай, просто у нее такая манера – окидывать все взглядом.

– Так или иначе, на территорию нам соваться нельзя, – заключил Ник.

– Ядро, скорее всего, там, – размышляла я вслух. – Сканеры наверняка активируют на складе. Под самым нашим носом. – Заметив, что Вэнс увлеченно беседует с Тьядер, я отважилась подойти к забору. – Жаль, если наши старания пропадут впустую. Лично я иду на склад.

— Нет, лучше я, — подал голос Страж.

На секунду мы оба лишились дара речи.

— Забудь, — отрезала я. — Даже если ты сумеешь пролезть... — Слова замерли у меня на языке: Арктур раздвинул прутья забора и легко втиснулся в проем, демонстрируя серьезность своих намерений. — Все равно нет. Как темная владычица, приказываю тебе остаться.

Взгляд рефаита был прикован к складу.

— Прошу разрешения нарушить твой приказ.

— В просьбе отказано. Окончательно и бесповоротно.

— Пейдж, — вклинилась Мария, — у нас нет выбора. Нельзя же уйти, так и не выяснив источник энергии «Экстрасенса». Ведь ради этого все и затевалось. Иначе Касту мимов не спасти. — Пиромантка стиснула мою ладонь. — Мы все увязли в этом по уши. Позволь и нам внести свою лепту в общее дело.

В ожидании вердикта рефаит не шелохнулся.

Положа руку на сердце, Страж — самый оптимальный вариант. Кому не страшны пулевые ранения и ловушки, рассчитанные на людей? Кто, благодаря элементу неожиданности, всегда успеет среагировать, если его поймают с поличным? Наконец, кто еще способен двигаться столь бесшумно и незаметно? Только рефаит. Ему единственному под силу справиться с такой задачей.

— Ладно, так и быть, даю добро.

Не колеблясь, Страж перелез через забор и спрыгнул со стены. Мария протиснулась между прутьями и, надвинув капюшон, глянула вниз.

Едва рефаит исчез из виду, я застыла изваянием подле Марии и Ника. На побережье дул пронизывающий ветер. Тьядер и Вэнс скрылись в дверях необъятного склада; завидев их, солдаты спешили торжественно поприветствовать верховного командора.

Зачем только я отпустила Стража? Зачем позволила ему подобраться к такой твари, как Вэнс? Я протерла запотевший циферблат и следила, как стрелка отсчитывает секунды. Воображение рисовало леденящие кровь картины: солдаты разряжают в Арктура обойму за обоймой и выволакивают бездыханное тело во двор.

Он вернется. Обязательно вернется.

Даже не представляю, что будет, если этого не произойдет.

Рука в перчатке легла на каменный выступ, заставив нас содрогнуться. Мгновение спустя Страж вскарабкался на стену с каким-то грузом под мышкой.

У меня вырвался вздох облегчения. Секунда — и Страж присоединился к нам.

— Тебя засекли?

— Не думаю, иначе поднялся бы шум.

— А ядро? — сбивчиво проговорила я, не в силах успокоиться. — Оно там, на складе?

Арктур посмотрел на меня в упор.

— Ядра нет, но я принес вот это. — Он вручил мне огнестрельный сканер, похожий на те, что мы выкрали с завода, однако с существенным отличием — белой полосой.

Активированный.

Страж пристально следил за моей реакцией.

— Думаю, объяснения потерпят до убежища.

— Ты что-то видел! — выпалила я.

— Да.

Рефаит протянул мне кобуру. Я скинула пальто и быстро затянула ремень, ежась на пронизывающем ветру. Мария впихнула в кобуру заряженный сканер.

— Пора уносить ноги. — Я поплотнее запахнула полы, пряча винтовку. — Изучим эту штуку хорошенько.

На наше счастье, охранник еще был в отключке. Выбраться с территории объекта оказалось на порядок легче, чем проникнуть туда. Но едва ворота за нами захлопнулись, мы бросились наутек. Только теперь нас осенило, какой опасности мы подверглись. Рефаиты снова предпочли отправиться пешком, а мы втроем сели на трамвай и сошли у моста Уэверли — одного из двух мостов в центре Эдинбурга, делившего цитадель на Старый и Новый город. На улице моросил дождь, в «Поднять якоря» мы вернулись вымокшие до нитки.

Элиза натянутой струной застыла на кушетке. Заметив нас, она не сдержала радостный возглас:

— Ну наконец-то!

Ник наклонился и обнял ее за плечи:

— Не волнуйся, мы целы.

— Склад нашли?

— Нашли, — мрачно ответила Мария. — На свою голову. Рефаиты здесь?

— Наверху. Сказали, проводят спиритический сеанс.

Мария освободила стол.

— Ладно, давайте поглядим, что собой представляет активированный портативный сканер.

Я осторожно выложила винтовку на столешницу. Мария склонилась над смертоносным устройством:

— Активированный СЛ-59. Наш новый злейший враг.

Она провела пальцем по светящейся полоске, с уверенностью профессионала вытащила магазин, извлекла пули. Тем не менее Элиза вздрогнула, когда в нее уперся ствол уже разряженной винтовки.

— Прости, дорогуша, — вздохнула Мария, — просто хочу понять, с чем мы столкнулись. Сама конструкция довольно стандартная; предполагаю, все дело в прицеле. — Она поднесла винтовку к глазам. — Ну точно.

Она посторонилась, чтобы я могла посмотреть. Сквозь прицел СЛ-59 мир окрасился в черно-белые тона. Зато Элизу окружал слабый ореол — очевидно, аура. Ник же вырисовывался темным пятном.

— Можно мне? — В дверях возник Страж, за его спиной привычно маячила Люсида.

Пожав плечами, Мария отдала ему ствол. Мне еще не доводилось видеть вооруженного рефаита — жуткое зрелище. После недолгого созерцания Арктур снял прицел и вытащил из-под него капсулу на длинном проводе. Белая полоса потухла, сканер снова стал обычной винтовкой.

— Ядро мне найти не удалось, — объявил Страж, — на складе внедряли только это.

На его раскрытой ладони поблескивала капсула — серебристая, продолговатая, размером с обычную пилюлю.

— Что это? — сощурилась я. — Эфирная батарея?

— Не похоже: внутри нет фантома.

— Дай посмотреть.

Под давлением моих пальцев оболочка треснула, наружу выплеснулась маслянистая зеленовато-желтая субстанция. Люсида сквозь зубы выругалась на глоссе.

— Что это за дрянь? — поморщилась Элиза.

— Эктоплазма. — Я растерла жидкость. — Кровь рефаитов.

Меня сковал мертвенный холод, от мерцания эфира закружилась голова.

Лицо Стража исказила невиданная доселе суровая гримаса. Сквозь золотую пуповину мне передался слабый отголосок его отвращения.

— Эфирные батареи не питаются нашей кровью, — процедил он. — Это устройство иного рода. Обратите внимание, эктоплазма светится, хотя вне наших тел она темнеет и, кристаллизируясь, утрачивает свои уникальные свойства. Однако здесь мы не наблюдаем ничего подобного.

— Но почему? — нахмурилась я.

— Понятия не имею.

Арктур медленно кружил над винтовкой, с каждым шагом его глаза разгорались все ярче.

— О чем ты думаешь? — не вытерпела я.

— Лишь два рефаита обладают достаточными навыками и знанием эфира для создания подобной технологии. Нашира и Гомейса Саргас. — Отпустив это замечание, Страж продолжил в гробовом молчании нарезать круги.

— Пейдж, помнишь, в колонии мы говорили о Нашире? — произнес рефаит после недолгого раздумья. — Ее дар очень близок к сборщику, но куда опаснее. Она умеет не только контролировать фантом, но и присваивать его способности. Предположим, она поработила фантом с высокой чувствительностью к эфиру и внедрила его в каждый сканер посредством вот этого. — Он кивнул на мои пальцы. — Посредством собственной крови. Каждая капля связывает сканеры с фантомом и наделяет их его даром. «Экстрасенс» питается кровью Наширы. Такова моя версия.

— Весьма... любопытно, — заметила Мария.

Я спешно вытерла руку. Какая мерзость — дотронуться до вещества, текущего по жилам Наширы.

— Джексон говорил, кровь сборщика сродни эфирному клею, — пробормотала Элиза. — Если нанести ее на предмет, то призрак крепится к нему намертво.

Я заметила, что при упоминании имени Джексона Люсида заметно напряглась.

— К одному предмету, — подчеркнул Ник. — Фантом не может быть в нескольких местах одновременно.

— Но ведь Нашира не простой сборщик, верно? Она... как бы это выразиться... сверхсборщик.

— Неужели Нашира способна на такое? — изумилась я. — Пожертвовать литрами собственной крови?

Страж не отрываясь смотрел на винтовку:

— Почему бы и нет?

Вывод напрашивался неутешительный.

— Тогда получается... — выдавила я, в душе отказываясь поверить, — что ядро — не материальный объект, а призрак. Один из падших ангелов Наширы.

— И где его прячут? — вклинилась Мария. — В Эдинбурге?

— Не обязательно, — скривился Страж. — Он может находиться где угодно. Но скорее всего... рядом с Наширой.

Ноги у меня подкосились, я рухнула в кресло и прошептала:

— Хочешь сказать, нам надо уничтожить Наширу?

— Либо изгнать фантом.

— Но как? Мы даже не знаем его имени.

— Рано паниковать. Не забывай, это лишь гипотеза.

— Да плевать я хотела на твои гипотезы! Получается, источника питания «Экстрасенса» здесь нет. Мы как дураки поперлись на склад, а нас обвели вокруг пальца. И что мы имеем? Бесконечные догадки и очередную пушку. Ради этого мы чуть не погибли в Манчестере? Ради этого умер Том? — Я растопырила испачканные пальцы. — Ради какой-то жалкой гипотезы?

Мне никто не ответил. Я резко отвернулась, чтобы скрыть набежавшие на глаза слезы.

— Пейдж, — нарушила молчание Мария, — мы изначально действовали наугад, тем не менее...

— Тихо! — перебила Элиза. — Слышите?

Мы навострили уши. Снаружи включилась система оповещения. Я натянула капюшон и ринулась во двор.

На улице вовсю мела метель. Середина ночи — странное время для объявлений. Поднявшись по ступенькам, мы наткнулись на группу зевак. С исполинского экрана Королевской Мили на нас взирала Хилдред Вэнс.

«...Верховный инквизитор внял вашему призыву к справедливости и равенству для всех преступников, лояльных к Касте мимов. Сегодня мне, верховному командору, выпала возможность продемонстрировать вам преимущества военного положения».

Взгляд Вэнс пронизывал цитадель, усиленный динамиками голос разносился по Эдинбургу. Вместо привычного белого фона, какой использовали все сайенские чиновники для публичных выступлений, за спиной Вэнс виднелся разрушенный готический памятник, расположенный неподалеку от моста Уэверли на Инквизитор-стрит. Мы проезжали его по пути на склад. Таким образом Вэнс красноречиво сообщала зрителям, что находится в цитадели.

«Два дня назад нам доложили, что Пейдж Махоуни, главарь Касты мимов, сбежала из столицы и отправилась на Северо-Запад — сеять семена смуты и презрения к Якорю. У меня послание для Пейдж Махоуни. Пусть знает, что никто не смеет безнаказанно посягать на Якорь...»

Конец реплики потонул в возгласах зевак. Вскоре до меня донеслось:

«...В соответствии с военным положением приговор вступает в силу незамедлительно. Трепещите, враги Якоря!»

Лицо Вэнс сменилось белой заставкой. Когда экран снова ожил, сердце у меня ушло в пятки.

Но сразил меня не палач и не золотой меч, занесенный для удара, а мужчина на плахе. Против обыкновения, его черты не скрывал капюшон. Руки были скованны за спиной. С нашей последней встречи он постарел на добрый десяток лет, глаза налились кровью, лицо заросло щетиной, в волосах блестела седина.

Внизу экрана появилась бегущая строка: «КАЗНЬ КОЛИНА МАХОУНИ, ПОСОБНИКА ПАРАНОРМАЛОВ И ПРЕДАТЕЛЯ».

Внезапно сработал инстинкт самосохранения. Только не кричи! Крик выдаст тебя с головой. Остальным плевать на Койлина О'Матуну, он же Колин Махоуни.

Ник что-то говорил, тряс меня за плечи, однако я не могла отвести взгляд от сурового, изборожденного морщинами лица на экране. Отчетливо видела каждую капельку пота, каждое шевеление губ, словно сама стояла у ворот висельников в ожидании удара.

В последнее время мы с отцом не ладили. Сколько раз он отказывал мне в поддержке, сколько раз отворачивался, когда я так тянулась к нему. Однако теперь меня захлестнули дочерние чувства. Вспомнилось, как накануне отъезда из Ирландии, одиннадцать лет назад (целую вечность!), он вынес меня в поле, озаренное вспышками бесчисленных метеоров. Откуда-то из недр сознания всплыли давно забытые слова:

«Смотри, пчелка. Смотри, — с непонятной тоской проговорил отец. — Небо рушится».

Когда меч опустился, я не закрыла глаза.

Пейдж Махоуни приняла воздаяние.

Не помню, как мы добрались до берлоги. В памяти сохранилось покалывание в языке, ощущение полета. Сквозь проблески сознания мысли вертелись рубиново-золотым хороводом, сменяясь терновым лабиринтом, откуда нет выхода. Во мраке бабушка вдруг запела колыбельную на ирландском. Я хотела окликнуть ее, но слова застыли на губах, их крылья беспомощно повисли. Очнулась я на кушетке под одеялом, в камине тлели угли, бессильные отогнать холод, сковавший меня изнутри.

Отныне я сирота. Мы с отцом отдалились друг от друга задолго до похищения, однако, как выяснилось, он всегда незримо присутствовал в тайниках моего подсознания. Отец воплощал незамысловатый мир, родственную душу, с которой мы обязательно воссоединимся, как только кошмар закончится. Тогда он поймет, что его дочь сражалась за благое дело. В самые темные дни меня согревала мысль, что где-то есть близкий человек. Тот, к кому можно вернуться.

В полузабытьи раздался недовольный голос Люсиды:

— Мы не можем столько ждать. Не пойму, почему она валяется пластом?

— У Пейдж горе, — отвечал Ник. — Считай, потеряла единственного родного человека. Разве у рефаитов нет родителей?

— Мы иначе появляемся на свет, — отрезала Люсида.

— Если мы настроены всерьез, нельзя, чтобы Пейдж увязалась за нами. Я ее знаю. Не в ее правилах подвергать других риску, а самой оставаться в стороне.

— На сей раз я иду с вами, — вмешалась Элиза. — Хочу доказать, что и я тоже чего-то стою.

Я заворочалась на кушетке, ветхие ножки заскрипели, вынудив спорщиков замолчать. В ушах звенело. От резкого движения мир вокруг померк, но прикосновение прохладной ладони ко лбу привело меня в чувство.

— Пейдж? — Встревоженный Ник опустился передо мной на корточки и протянул чашку с чаем. Приподнявшись на локтях, я села и сделала глоток. — Мои соболезнования, милая. Мне очень жаль.

— Все давно к этому шло. Своим побегом из колонии я приговорила отца. — В носу защипало, каждое слово давалось с трудом. — Думала, будет хуже.

— Просто ты до сих пор еще в шоке.

Теперь понятно, почему руки не дрожат, а внутри все словно бы перегорело.

Мария с Элизой тенью скользнули в гостиную. Элиза уселась на кушетку и стиснула мою ладонь, Мария плюхнулась в кресло. Их сочувствующие мины раздражали, выводили из себя. Не Вэнс, а я убила отца, его смерть на моей совести, а убийца не заслуживает сострадания.

Веки у меня слипались. Прочь глупые мысли, прочь. Сайен начал истреблять семейство Махоуни задолго до возникновения угрозы в моем лице. Первой жертвой пал Финн в Дублине. Возможно, определенных последствий удалось бы избежать, постарайся я наладить отношения с отцом и вовремя уберечь его от опасности — однако не моя рука направляла клинок.

— Убью эту тварь Вэнс, — пробормотала я. — Вот прямо сейчас пойду и убью.

— Ни в коем случае. — Мария схватила меня за руку. — Усовершенствовав с твоей помощью «Экстрасенс», Вэнс затеяла с тобой психологическую войну, и казнь — это очередная провокация. Ты слишком близко подобралась к ее тайне, поэтому должна исчезнуть.

Я пыталась слушать, но тщетно, поскольку видела только кровь на мече.

— Ты переиграла ее по всем статьям. Верховный командор никак не рассчитывала, что соплячка, не имеющая элементарной военной подготовки, сумеет ускользнуть из расставленных силков. Теперь Вэнс в лепешку разобьется, но попытается выманить тебя наружу.

Ник обнял меня за плечи:

— Интересно, как?

— Нам показали не трансляцию с места событий, а запись. Судя по тому, как выглядело небо, ее сделали в более раннее время суток. Ну и плюс еще, Вэнс стояла у известного памятника. Думаете, совпадение? Нет, она хочет, чтобы Пейдж побежала туда сломя голову и угодила прямо в западню.

Мне едва удалось усидеть на месте. На глаза навернулись слезы.

— Но зачем вообще понадобилось убивать папу? Почему бы не воспользоваться им для шантажа?

— Во-первых, для Вэнс от мертвеца больше проку, чем от живого, — перечисляла аргументы Мария. — Во-вторых, это ее излюбленный стиль — найти больное место. Вспомни Розалию. Сначала выбить почву у тебя из-под ног, а затем нанести удар. Главное, не поддавайся на провокацию.

Мои кулаки сжались так, что костяшки пальцев побелели.

— Мы не можем вернуться в Лондон с пустыми руками. Короче, нам необходимо уничтожить сканеры.

— Мы как раз собирались это сделать. Как вариант, можно поджечь склад. — Мария чуть не лопалась от предвкушения.

Я хмуро покосилась на соратницу:

— Ты у нас пиромантка или пироманьяк?

— Да ладно тебе, речь ведь идет не о центре города! — Она упорно гнула свою линию. — Огонь — штука надежная и не оставляет следов. Огонь наш лучший друг.

Пожар любого масштаба нанесет Вэнс серьезный урон. Конечно, затея рискованная, при других обстоятельствах я бы никогда на это не согласилась, но сейчас спорить не было сил.

— Хорошо. Спалите там все дотла.

Мария издала ликующий возглас.

— Замечательно, но как мы подберемся к складу? — озадачился Ник. — Его же охраняют круглосуточно.

— Справимся. — Мария буквально лучилась энтузиазмом.

— Обратимся за помощью к Элспет. Думаю, она не откажет. — Собравшись с силами, я встала с кушетки.

Лицо Марии исказила судорожная гримаса; пиромантка рванула вперед и схватила меня за плечо:

— Пейдж, ты никуда не пойдешь. И думать забудь!

— Я темная владычица, — срывающимся голосом возразила я. — Если это наш последний бой...

— Пейдж, — вмешался Ник, — тебя разыскивают по всей стране, а уж про цитадель и говорить нечего. Вдобавок ты недавно потеряла отца.

— Плюс ты слишком остро реагируешь на провокации Вэнс, — мягко добавила Мария. — Сопротивление бесполезно, дорогуша. Тебе нужно держаться подальше от склада, и точка.

Настроены они были решительно, не переубедишь. Мой взгляд метнулся к Стражу.

— Будь по-вашему, — хрипло откликнулась я. — Отсижусь в горах, подальше от Вэнс с ее трансляциями. Страж, проводишь меня?

— Отличная мысль, — воодушевился Ник. — Компания тебе не помешает.

Арктур нахмурился, силясь разгадать, что у меня на уме, почему выбор пал именно на него. Впервые после того памятного разговора нам предстояло остаться наедине.

— Ладно, — произнес наконец Страж.

— Ну все, по коням. — Мария принялась запихивать оружие в кобуру. — Устроим Сайену незабываемую ночку.

18

ВАХТА

Прихватив скромный запас провизии, мы со Стражем растворились в пелене дождя. Наш путь лежал в горы позади Холирудского дворца — бывшей королевской резиденции, переданной в распоряжение верховного инквизитора Среднешотландской низменности, куда тот наведывался лишь от случая к случаю. Остальная команда, сгорая от нетерпения, поспешила на склад. После затяжного периода недомолвок и интриг им наконец-то выпал шанс нанести Сайену ощутимый удар — или, по крайней мере, попытаться это сделать.

По дороге мы не обменялись ни единым словом. Вокруг резиденции раскинулся сосновый лес. Сквозь кроны различались грубо вытесанные горы. По склонам гуляли ледяные ветра; облачко пара, вылетавшего изо рта, густело с каждым метром и влагой оседало на волосах. Термобелье почти не грело, у меня зуб на зуб не попадал от холода.

Во впадине под нависшей глыбой устроили лагерь. Каменный выступ спасал от дождя, а с обзорной площадки вся цитадель была как на ладони.

— Есть зажигалка? — нарушила я молчание, ставя между нами походную спиртовку.

Страж полез в карман пальто и протянул мне блестящий прямоугольник. Я повернула колесико, и спирт занялся голубым огоньком.

Вахта началась. Вряд ли Вэнс додумается искать меня в горах. Нет, она будет ждать в цитадели, расставив очередную хитроумную ловушку. Страшно представить, какую именно. Но, очевидно, на сей раз верховный командор не допустит промашки. Если угожу в ее сети, живой мне не выбраться.

Бездонная утроба неба разверзлась, норовя проглотить землю. Здесь, среди гор, чудилось, что мы остались одни во вселенной.

Воспоминания об отце и собственных неудачах свинцовой тяжестью давили на сердце.

— Соболезную твоей потере, Пейдж.

Из страха примерзнуть к каменному полу я принялась раскачиваться взад-вперед.

— «Потеря» — не вполне уместное слово. Я не просто потеряла отца, его отняли у меня, лишили насильно.

Страж посмотрел на меня в упор и тут же отвел взгляд.

— Прости. В английском языке столько... нюансов.

— В принципе, ты выразился верно. Вот только мне от этого не легче.

Отныне нас связывало лишь тесное сотрудничество. Я — Черная Моль, темная владычица Касты мимов, преступница-паранормалка и неудачница. А он — Арктур, страж Мезартима, командующий Рантанов, ренегат и плотеотступник, всецело посвятивший себя делу.

Не хватало еще изливать ему душу.

— Как сейчас помню, мне было пять, отец поехал в командировку в Дублин. Я считала дни до его возвращения в Типперэри. Каждое утро спрашивала у бабули, когда приедет папочка, а потом бежала на кухню и рисовала для него картинки. — Я увлеченно рассматривала шнуровку на ботинках. — Наконец он вернулся. Я с ранних лет чувствовала лабиринты — конечно, не до такой степени, как сейчас, но вполне прилично, — поэтому сразу рванула на окраину наших угодий и торчала там, пока вдалеке не появилась машина. Я бросилась к отцу с распростертыми объятиями, но он только отмахнулся: «Ради всего святого, Пейдж! Уймись!» По малолетству многого не понимаешь. У меня просто в голове не укладывалось, почему он так поступил. Все последующие годы я продолжала любить отца, по крайней мере, пыталась. А потом вдруг перестала.

Страж не отводил от меня глаз.

— Вряд ли он видел во мне покойную жену или винил меня в ее смерти. Маловероятно. Думаю, папа догадывался о моих способностях... и не мог смириться. Мой двоюродный брат знал наверняка. — Я подставила руки поближе к огню. — Прости, ты не обязан вытирать мне сопли.

— Наш уговор не запрещает дружеское участие.

Ветер высушил мои слезы.

— Мне известно, как умерла твоя мама, но я даже не знаю, как ее звали. Странно, не находишь?

Сколько лет я не произносила этого имени из страха ранить отца.

— Кора. Кора Спенсер.

Мама — единственная в нашей семье — приняла смерть не от Сайена.

— Ты упрекаешь себя за то, что не оплакиваешь отца должным образом, — заметил Страж.

— Мне полагается рвать на себе волосы от горя, строить планы мести — ведь именно этого и добивается Вэнс.

— Сложно советовать, когда сам не имеешь семьи, но скажу одно: нельзя насильно вызвать у себя эмоции.

Иногда лучший способ почтить мертвых — продолжать жить. На войне это особенно актуально.

Повисла напряженная пауза, однако слова Стража разрядили атмосферу.

В памяти всплыли арканы Таро. Дьявол. Влюбленные. Арктур вполне мог оказаться тем или другим... или обоими разом, или вообще никем.

— Ты всегда видишь меня насквозь?

— Нет. Изредка мне передаются отголоски твоих переживаний. Они вдруг вспыхивают и тут же гаснут. Золотая пуповина — вечная загадка, — произнес Страж и добавил: — Как и ты сама.

— Уж кто бы говорил, Мистер Тайна-за-Семью-Печатями.

— Хм.

На волнах дрейфовали боевые корабли. Ледяной ветер продувал наше убежище насквозь. Болтовня отвлекала меня от главного.

— Накинь мое пальто, — предложил Страж.

— А как же ты? — возразила я, хотя у самой зуб на зуб не попадал от холода.

— Мы не мерзнем, а верхнюю одежду носим исключительно для конспирации.

Если он не врет, то какой смысл артачиться? Я с наслаждением завернулась в пальто, стараясь не вдыхать легкий аромат Арктура, исходивший от подкладки.

— Спасибо, — пробормотала я, кутаясь в плотную ткань. — Говорят, зимы в Шотландии лютые, но не до такой же степени.

— Температура снизилась с появлением новых ледников. Брешь между нашими мирами растет.

Снова воцарилось молчание, неотвратимое, как прибой. Внезапно спину и плечи свело судорогой.

— Ну вот и все. — Я облизала потрескавшиеся губы. — Сколько длилось наше противоборство с Якорем? Месяца три?

— Оно еще не окончено, — возразил Страж.

Волосы трепал ветер, заиндевевшие пряди хлестали по щекам. Я повыше подняла воротник и в упор посмотрела на рефаита:

— Я позвала тебя сюда не случайно. Во-первых, хотела извиниться.

В полумраке лицо его оставалось непроницаемым.

— Извиниться за что?

Я набрала в грудь побольше воздуха:

— Сарины недвусмысленно дали понять, что, если не оправдаю их ожиданий, они лишат Касту мимов покровительства. Я из кожи вон лезла, пытаясь стать достойным лидером, но потерпела крах.

Я водила пальцем по застарелым рубцам на ладони, не в силах смотреть, как затухает огонь в глазах Арктура.

— Ты поверил в меня. С первого дня увидел во мне человека, способного возглавить бунт и вывести ясновидцев из колонии. Постепенно твоя убежденность передалась и мне. Но я вас подвела. Подвела всех, и тебя в том числе. Когда мы вернемся, то... — Голос у меня сорвался, в горле встал ком, однако мне удалось закончить фразу: — ...я собираюсь отречься от престола. А тебя прошу выбрать преемника.

Страж не ответил.

— Я не брошу вас на произвол судьбы, — продолжила я, воинственно вздернув подбородок. — Не покину Касту мимов, просто... мое место должен занять более подходящий кандидат. Человек, способный заручиться поддержкой ясновидцев и вырвать победу у Сайена. Тогда Адара сменит гнев на милость. Самый оптимальный вариант —

Мария. Она отчаянная, умеет воевать, пользуется уважением Потустороннего совета. Если ее кандидатура тебя не устраивает...

— Пейдж!

— ...То присмотрись к Элизе. Она прекрасно ориентируется в Лондоне, и хватка у нее стальная; главное, дать ей развернуться. Можно попросить Светляка, если он не против. И не забывай про Ника. Пять лет протянуть в Стокгольме при режиме Тьядер — это дорогого стоит. Он тебя не подведет. Как и любой из них.

Страж не шелохнулся. Я искоса глянула на него в надежде угадать ответ за непроницаемой маской.

— Пейдж Махоуни вдруг стала «желтой туникой». Никогда бы не подумал. Кто угодно, только не ты.

Я даже не обиделась, настолько была опустошена.

— Все верно. — От холода у меня не ворочался язык. — Лишь трус оставил бы их в аду...

— Кого?

— Семью. Тебе известно об Ирландии, Страж? Ты знаешь, что Якорь сотворил с Типперэри?

Выражение его лица не изменилось.

— А разве прежде это не было тебе известно?

— Нет, — горько усмехнулась я. — Да и какая теперь разница. Моя задача — спасти Касту мимов, а добиться этого можно лишь ценой отречения от престола.

Глаза рефаита вспыхнули огнем.

— Совсем себя не ценишь? — тихо проговорил он. — Ну какая же ты дурочка!

— Спасибо на добром слове, — хмыкнула я.

— Дурочка и есть, — повторил Арктур. — Ты вкусила тот же яд, каким Вэнс потчует все население Сайена.

Страж отодвинул спиртовку и присел подле меня на корточки. Я жадно всматривалась в него, впитывая каждую мелочь.

— На сеансе я намеренно не воспользовался твоими воспоминаниями о СайенМОПе. Теперь самое время освежить их.

— Зачем?

— Пора тебе вспомнить.

От его близости золотая пуповина натянулась скрипичной струной. Страж уподобился смычку, а я — музыке.

— Расскажи сам.

— Мне неведомо твое прошлое.

Наши ауры переплелись, как и пальцы. Ворота моего лабиринта распахнулись перед его фантомом.

Меня ослепил яркий свет, во рту возник тошнотворный привкус меди. Земля ушла из-под ног. Горечь обожгла нёбо, а в следующий миг плотину прорвало: меня швыряло по волнам пространства и времени, тело разлетелось на тысячи осколков, деформировалось и опять восстало из пепла. Так повторялось снова и снова...

Как вдруг...

Кайли Ни Дорнан распростерлась на мостовой Дублина, рыжие волосы полыхают на солнце. Мой кузен Финн с истошным воплем исчезает из виду. Сквозь черную рубашку его невесты сочится кровь из раны, нанесенной неизвестным стрелком.

Крохотные (мои!) детские ручонки теребят девушку. Надрывный всхлип. Кайли, очнись! Пожалуйста, очнись!

Повсюду брошенные ирландские флаги. Приятель Финна поднимает руки.

«Прекратите, — умоляет он. — Она не вооружена!»

Он тоже безоружен. Пуля убивает его наповал. Всякий адепт свободы таит в себе угрозу.

Паника. Непостижимая для девочки в силу ее юного возраста и вместе с тем неотвратимая, она бешеным зверем врывается в толпу, сметая все на своем пути. Взрослые напуганы не меньше детей. Давка. Потные тела стискивают малышку со всех сторон. Губы, искаженные криком, толкотня. Вопли о пощаде. Тычки. Девочка падает. Бронзовая статуя блестит на солнце. Скорее, добраться до памятника Молли Мэллоун. Спрятаться. Затаиться под тележкой. Раз, два, три. По щекам текут слезы. «Тебе не скрыться, Пейдж. Выходи».

За побоищем наблюдает гигант с огненными глазами. Он замечает ребенка.

Финн, помоги мне!

Мои веки судорожно дергались. Внутри, напротив, все словно окаменело. Страж опустился на колени в жидкую грязь и стиснул мои плечи.

В луже крови валяется забытая игрушка. Скитания по улицам смерти, мимо моста. Безликий солдат. Бегство. Пустота. Тетя Сандра находит уже не девочку, а куклу – с душой опустошенной, выжженной до пепла.

Цветы на похоронах возлюбленных, гробы утопают в букетах. Одна домовина пуста. Они мечтали упокоиться под сенью дерева. Только из уважения к памяти покойных отец скрепя сердце соглашается взять девочку на церемонию прощания с тем, кто додумался потащить ребенка на бойню. Откуда она вернулась вся окровавленная, бессловесная и с тех пор постоянно рисует в тетрадках чудовищ. Родственники поют песню, гимн того дня – песню о Молли Мэллоун и ее призраке. У могилы девочка впервые нарушает обет молчания.

Финн, они поплатятся за свои злодеяния.

Страж обхватил мое лицо ладонями. Торговец сном затаился где-то в темных лабиринтах воспоминаний.

Пейдж, послушай. Мы должны сменить имена. Его черты расплывчаты и невнятны. *Нет, Пейдж, этого недостаточно. В школе произноси свое имя на английский манер. Мар-ни.*

A Dhaid, scanraíonn an áit seo mé. (Папа, мне страшно.)

Нельзя говорить по-ирландски. Уяснила?

Вихрь. Меня затягивало в водоворот памяти. Все глубже и глубже, в пучину десятилетий.

Молли Махоуни! Молли Махоуни! Малышку безжалостно дергают за волосы. *Она воняет падалью. Они убивали наших солдат.* Издевательские ухмылки. *Грязная ирландка. Проваливай в свое болото.* Ее пихает старшеклассница, чьи родители служат в армии. Девочка, чья мама была в тот день в Дублине. *Где твои рыжие патлы, Махоуни? Ими ты вытирала кровь моей мамы? Нам в школе не нужна всякая шваль.* Неслыханное прежде слово. Враждебное, точно приговор или проклятие. *Мой отец говорит, ты всех нас угробишь.*

Девочка произносит по слогам: «Мар-ни, Мар-ни». Заевшая пластинка. Непонятное слово. Точно и не имя. Во всяком случае, не ее. Настанет день, и она явит обидчикам огонь, который испепеляет ее изнутри, наполняя душу ненавистью. Настанет день, и она сокрушит врагов.

Настанет день, и они познают истинный страх.

Довольно.

Обрывки воспоминаний, калейдоскоп оттенков. Крохи сознания вырвали меня из пучины прошлого. Хватит! Собрав волю в кулак, я стряхнула себя оцепенение, навеянное Стражем, и принялась барахтаться против течения. Золотая пуповина вспыхнула огнем, и...

Все погрузилось во мрак...

По камням струится прозрачный ручей. Безмятежная гладь без отражения, крутой обрыв, дно, устланное отборным жемчугом.

Ничто не вечно. Жизнь бесконечна.

Облачный лес. Портал. Инстинкт ведет его туда. Сгущаются сумерки — синий час, время загробного мира. Безвременье.

Очертания исполинских деревьев в тумане.

Амарант. Раскол в рядах еще не наступил. Завесы между мирами.

Ничто здесь не живет, и ничто не умирает.

Незнакомка. Кружится в танце. Не родственница, но родственная душа. Темные волосы струятся по сарксу. Слияние лабиринтов. Ее прикосновение, аромат в воде. Ее имя, неподвластное языку падших, — музыка на его губах. С началом войны их нарекут Тирабелл и Арктур.

За завесой спят смертные. На финальном отрезке жизненного пути их поджидает рефаим, где не ведают боли и недугов. Потерянные недосоздания. Скитания в поисках места, где угасающее солнце дарует сон, где царит вечный голод, а разверстая твердь жаждет плоти...

Вырвавшись из омута воспоминаний, я вскочила на ноги и пятилась до тех пор, пока наши ауры не разъединились. По мокрым от пота щекам струились слезы. В ушах по-прежнему звенели голоса. Я заново испытала ужас тех дней, в носу стоял запах крови и дыма. Кошмар закончился, однако произошел он наяву.

— Как ты сумел провернуть такое без шалфея?

— Мне не нужен шалфей, он лишь катализатор, не более.

— Шалфей не твоя нума?

— Нет.

Горло судорожно сжалось. Живот сводило от страха.

— Пейдж.

— Я все вспомнила. Там... — По лицу скатилась одинокая слезинка. — Там был рефаит. В Дублине.

— Гомейса Саргас наблюдал за вторжением, и зрелище пришлось ему по вкусу. С тех пор он всецело полагается на Хилдред Вэнс.

Оберегая мой хрупкий детский рассудок, подсознание загнало те события глубоко в сумеречную зону. Потоки крови, обагрившие сточные канавы. Солдаты, марширующие по мосту; конный авангард; горячее дыхание в знойном воздухе. Сваленные груды тел — мужчины, женщины, дети. Забившись под статую Молли Мэллоун, я смотрела, как солдаты волокут покойников по мостовой и сбрасывают в реку. А в голове билась единственная мысль: если шевельнусь, если выдам себя, меня пристрелят на месте. Бойня, организованная Хилдред Вэнс с поощрения Гомейсы Саргаса.

И теперь кошмар минувших дней может повториться. В любой момент.

Слезы хлынули потоком. Дыхание участилось.

— Я видела тебя в загробном мире.

Глаза рефаита вспыхнули:

— Наверное, золотая пуповина передала часть моего дара тебе.

— Ты танцевал с Тирабелл.

— Много лет назад мы были помолвлены.

Умом я отказывалась поверить, хотя давно подозревала. Как иначе объяснить ее трепетное отношение к Стражу, фамильярность, с какой Тирабелл не обращалась к другим сородичам.

— А почему расстались?

Страж устремил взгляд на цитадель.

— Это не только моя тайна.

Невидимый обруч сдавил виски.

— Во время сеанса ты мыслил на глоссе. Думала, не разберу, не сумею, но золотая пуповина помогла понять каждое слово. Как будто слушаешь давно забытую песню... — Я покачнулась. Страж подхватил меня, и мы опустились на землю друг против друга.

— Случилось то, что случилось. Прошлого не изменить. — Мой голос предательски дрогнул. — Но мы... я не могу допустить, чтобы это повторилось. Вэнс нужно остановить.

— Для этого есть ты. И Каста мимов.

Я припала к его груди, слушая умиротворяющее биение сердца. Крепкие объятия Стража согревали, но не удерживали настолько, чтобы я не могла высвободиться — как того требует наш уговор. И мой долг.

— Зачем ты это затеял?

Его ладонь легла мне на затылок.

— Затем, чтобы ты не забывала. Не забывала, почему должна оставаться темной владычицей. Тебе известно, каково это — и жить в свободном мире, и прозябать под гнетом Сайена. Дочь Ирландии и обитательница Лондона. Узница Шиола I. Подельница главаря мимов из Четвертого сектора Первой когорты. Ты знаешь: война неизбежна, и ставки в ней крайне высоки. Тебе известна разница между свободой и тиранией. И ты как никто понимаешь, что произойдет, если не помешать Сайену.

— Но другие тоже...

— В Синдикате ты единственная тесно общалась с Джексоном Холлом, правой рукой Саргасов. Стала единственным человеком, кто отказался плясать под дудку Наширы, и видела, как в наказание та убила ребенка. — Взгляд Стража настигал меня повсюду. — В тебе горит огонь ненависти к Сайену. Жажда отомстить за все их преступления и восстановить растерзанный ими мир. Именно тебя избрали Рантаны. Я выбрал тебя. Но главное, ты сама приняла решение на Битве за власть, когда осознала, что не Джексон Холл, а ты должна возглавить Синдикат.

Возразить было нечего. Экскурс в кошмары прошлого отнял у меня все силы.

Страж накинул мне на плечи пальто. Я безвольно обмякла у него на груди, рука в перчатке перебирала мои влажные кудри. Один из нас обязан положить этому конец... однако мы оба молчали, пока голубоватый огонек спиртовки не погас под натиском дождя и ветра.

— Вне зависимости от моего решения, надо признать: мы проиграли, — пробормотала я.

— Тебе и прежде случалось восставать из пепла. Выживает лишь тот, кто верит в себя.

От его мерных поглаживаний мое дыхание выровнялось. Я притянула Арктура к себе, чтобы хоть на мгновение избавиться от боли, навеянной воспоминаниями. Меня вдруг захлестнуло непреодолимое желание близости. Нет, нельзя поддаваться. Ничего не изменилось и не изменится. С горечью я выскользнула из обжигающих объятий (невыносимо, словно режешь по живому), взяла зажигалку и поднесла ее к спиртовке, но пламя не загоралось.

Тишина звенела от недосказанных слов. Когда я подняла голову, взгляд Стража полыхал огнем.

— Пейдж.

— Да?

Эфир вдруг завибрировал, заставив меня оцепенеть. Содрогаясь от дурного предчувствия, я повернулась в сторону Лита.

Эпицентр беспорядков находился далеко — там, куда не дотягивался фантом, — однако мало-помалу он смещался. По эфиру пробегала легкая рябь: так вода расходится кругами от топота ног, а напуганные выстрелом птицы слетают с ветвей.

— В чем дело? — насторожился рефаит.

Мой пульс стремительно учащался. Призыв к оружию заглушал биение сердца.

Близилось нечто страшное.

19

ЖЕРТВА

В кармане завибрировал криптофон. Одеревеневшими пальцами я ткнула в кнопку «принять вызов».

— Они наступают, — раздался на том конце испуганный голос Марии. — Армия движется на цитадель.

Я вскочила как ошпаренная.

— Но почему? Вас засекли?

— Это не по нашу душу, нам даже не удалось добраться до склада. — На мгновение в трубке воцарилась тишина, а затем до меня донесся лишь конец фразы: — ...срочно уносить ноги.

Рука судорожно стиснула телефон.

— Где вы?

— Встречаемся на мосту Уэверли.

Связь прервалась.

— Вот дерьмо! — Я спрятала трубку в карман. — На Эдинбург идут войска. Вэнс совсем спятила? Прислать целую армию ради горстки мятежников?

Страж погладил меня по щеке и посмотрел в глаза:

— Не забывай, что сказала Мария. Любой маневр Вэнс, независимо от масштаба, нацелен исключительно на тебя.

Меня вдруг захлестнул страх. Я на десять лет с лишним похоронила воспоминания о СаейнМОП и вторжении, спрятала их за семью замками, а ключ выбросила. Надломленная детская психика оборонялась как могла. Кошмары, преследовавшие меня все эти годы, не отражали и сотой доли звериной жестокости Сайена — жестокости, способной пробудиться в любой момент, пока существует «Экстрасенс».

Однако у нас появился шанс положить конец кровопролитию.

Шанс и способ.

— Страж, если я проникну в лабиринт Вэнс, сумеешь использовать меня как проводника и заглянуть в ее воспоминания?

— Даже не вздумай, — предостерег рефаит.

Я расправила плечи.

— Не ты ли, Арктур, избрал меня лидером? Тогда подчиняйся моим приказам.

Он смотрел на меня все тем же непроницаемым взглядом, однако где-то в самой глубине его глаз заполыхал огонь.

— Только соблюдай дистанцию. Слишком близко не подходи.

Страж, моя незыблемая поддержка и опора, вновь не подвел. Наши пальцы переплелись, на губах замерли запретные признания, каким не суждено прозвучать вслух.

Мы спустились с горы и запетляли среди сосен. Сверху улыбался полумесяц. Ветви хлестали меня по лицу, адреналин зашкаливал, залечивая старые раны. Страх вернул меня к жизни. Одним предначертано страдать, а другим — сражаться. Любыми правдами и неправдами я выведаю у Вэнс информацию, за которой охотилась по всей стране, и с ее помощью сокрушу врага. Хилдред Вэнс — убийца моего отца, погубившая Ирландию.

У кромки леса я застыла как вкопанная, не веря своим глазам. Перед воротами резиденции собралась толпа: сотни людей окружили фонтан на необъятной подъездной аллее. Демонстранты осыпали легионеров бранью и потрясали транспарантами «Стервятники, убирайтесь в Лондон!», «Вероломная Вэнс!», «Уничтожим склад!», «Прочь из Шотландии!». В общей массе выделялись плакаты с изображением черной моли, поднятые высоко к небу.

Бунт.

Интересно, с чьей подачи он вспыхнул?

Гвалт стоял оглушительный. Страж не отставал от меня ни на шаг. Натянув шарф по самые брови, я отступила в древесную тень. Мне уже удавалось отыскать лабиринт Вэнс на складе, удастся и теперь. Фантом отделился от тела и устремился на поиски.

— Она близко.

— Насколько? — уточнил Страж.

— Достаточно.

Перед дворцом с визгом затормозили фургоны НКО. Из кабины выбрался мужчина в форме капитана. Кто-то из митингующих швырнул в него раздутый воздушный шар. Раздался хлопок, и по щиту легионера потекли помои.

— Мясники! — завопили в толпе.

Подоспевший водитель выстрелил обидчику в живот. Тот согнулся пополам. Легионеры вскинули винтовки — но тут из-за угла вывернула новая процессия демонстрантов. Надо сосредоточиться, отрешиться от шума. Прильнув к Стражу, я достала кислородную маску и мгновение спустя ворвалась в эфир, а оттуда, камушком по воде, прямиком в лабиринт Вэнс.

Помещение из белого мрамора, высокие потолки, исполинская лестница. Четкие, изящные линии. Черно-белые тона.

На верхней ступеньке маячила призрачная оболочка Вэнс. Очевидно, верховный командор видела себя как в зеркале, вплоть до мельчайших деталей. Ни следа раскаяния в своих преступлениях, ни намека на угрызения совести. В отличие от ясновидцев, Вэнс не могла ни создавать свой лабиринт, ни сознательно контролировать оболочку. При угрозе вторжения ее блеклый фантом не подстраивался под ситуацию, а реагировал автоматически, повинуясь заданному алгоритму. Я рванула вперед и пригвоздила отвратительное существо к полу.

— Ты? — прошипело существо, впиваясь мне в плечи.

Его челюсть двигалась как на шарнирах. От страха я едва не разжала пальцы.

Призрачная оболочка невидца не должна говорить.

— Я.

В силу большого физического расстояния вытеснить фантом Вэнс из лабиринта не представлялось возможным. Оставалось лишь удерживать его на месте.

Призрачная оболочка соперницы содрогнулась, вызвав подобие землетрясения. Кто-то натренировал ее обороняться, но против меня у Вэнс не было ни единого шанса.

В эфире земное могущество не играет роли. Я стиснула виски существа, отметив, что руки почти по локоть обагрились кровью.

Золотая пуповина натянулась, образуя мост между Вэнс и Стражем. Задействовав меня как связующее звено, рефаит преодолел земное расстояние, отделявшее его от противницы. Древняя сила его дара мощным потоком хлынула сквозь меня, призрачная оболочка затрепетала. Когда волна спала, я с отвращением шарахнулась в сторону. Не каждый день прикасаешься к самому естеству женщины, погубившей тысячи людей.

Серебряная пуповина потянула меня обратно, но костлявая рука оборвала полет. На лице призрака выделялись черные провалы глаз.

— Я убью их, всех до единого, — шипело существо. — Сдавайся...

Высвободившись, я умчалась прочь, однако в ушах по-прежнему звенела угроза. Ради победы Вэнс действительно способна на все.

Меня отбросило в лабиринт Стража — и вовремя! Воспоминания еще не успели выветриться. После стольких испытаний он предстал во всей красе — источник энергии, ядро «Экстрасенса», мой Грааль — конечный пункт странствий. Механический и вместе с тем прекрасный. Огонек, заточенный в стеклянную пирамиду. Обузданный, укрощенный фантом. Совершеннейшая форма эфирных технологий.

И его хранилище.

Я сдернула кислородную маску и повернулась к Стражу:

— Уловил?

Его взгляд прожигал насквозь.

— Да.

У меня вырвался нервный смешок:

— Арктур, мы нашли ядро! Оно материально!

Вот уж не думала, что наша безумная затея удастся и мы сумеем отыскать источник питания. Однако я видела его собственными глазами.

Знала, где его прячут — в самом охраняемом здании Республики Сайен, Вестминстерском архонте, колыбели империи, пристанище бюрократии, в Сайенской цитадели Лондон. Пройдя долгий путь, мы вернулись туда, откуда начали. Впрочем, плевать. Оно того стоило.

Ведь я сумела выяснить еще кое-что. В броне Вэнс обнаружилась брешь, через которую мне открылся ее страх. Непреодолимый, какой не изгнать ни деньгами, ни могуществом.

«Экстрасенс» уязвим. У него есть слабое место. Тревога подтачивала лабиринт Вэнс, вгрызалась в него, точно ржавчина в железо.

О большем нельзя было и мечтать.

Настало время встретиться с остальными. Протиснувшись сквозь толпу изумленных горожан и демонстрантов, мы помчались по улицам Старого города. Буквально пару часов назад люди спокойно спали, и вдруг посреди ночи, словно по мановению волшебной палочки, грянул бунт. Мною овладело пугающее дежавю. На мосту я резко остановилась и прошептала:

— Это еще что?

Эдинбургский «Гилдхолл» полыхал изнутри. Из окон вырывались языки пламени. Кроваво-красный циферблат извещал о высочайшем уровне беспорядков, с фасада свисал огромный баннер. Исполинские буквы гласили: «Не прятаться! Не сдаваться!» На Инквизитор-стрит творилась давка. Сотни людей оказались зажаты кордоном легионеров, выстроившимся перед горящим зданием, и напирающей человеческой массой. Народ стискивали со всех сторон, загоняли точно скот. Одни пытались вскарабкаться на готический памятник, другие старались прорваться к мосту, чтобы раствориться в лабиринте улочек Старого города. В ночи звенели истошные крики и вопли о помощи.

На моих глазах разворачивалась чудовищная драма.

Наши ждали на мосту. Элиза тряпичной куклой повисла на руках Ника. Люсида в низко надвинутом капюшоне шагнула прямиком к Стражу и заговорила с ним на глоссе.

Я бросилась к подруге:

— Элиза, что стряслось?

— Ее ранили, — ответила Мария.

— Пустяки. — По лицу Элизы струился пот. — Обычная царапина.

Встревоженный взгляд Ника свидетельствовал об обратном.

— Солдаты, — пояснил он. — Наткнулись на них по дороге к складу. — Его зрачки сузились до точек. — Пейдж, ей нужна медицинская помощь.

— Мы старались, — угрюмо добавила Мария, — но с армией нам не сладить.

Элиза охнула и схватилась за бок.

— Уходим, — заявила я. — Транспорт работает?

— Работает, но... — Мария кивнула на скопление народа. — Нам туда не добраться. Остается лишь одно.

Подхватив Элизу под руки, мы с Ником нырнули в океан человеческих тел. Мария с рефаитами не отставали ни на шаг.

За знаменательным спуском темной владычицы последовало знаменательное отступление. Никакие регалии не спасали от давки, я чувствовала себя такой же беспомощной, как и тогда в Дублине.

— Странница! — завопил мне в ухо Ник. — Проверь... — Его губы двигались, но слова потонули в оглушительном гомоне.

— Повтори! — крикнула я в ответ.

— СайенМОП близко?

Из-за хаоса в эфире никак не получалось сконцентрироваться на шестом чувстве. Отрешившись от происходящего, я воспарила к кромке ультраабиссальной зоны. Фантом распознавал эфирную активность в радиусе полутора километров, однако уже на середине пути мне встретился легион марширующих лабиринтов.

Солдаты.

Я встрепенулась, жадно хватая губами воздух. Белое облачко пара смешивалось с дыханием Ника, когда тот спросил:

— В чем дело?

— Они уже здесь.

Хлынул дождь, мокрые пряди липли к щекам. Ник обнял Элизу и притянул к себе, а свободной рукой стиснул мои пальцы. Растолкав парочку прохожих, Мария поспешила к ним. На мониторах, вместо памятки о мерах общественной безопасности, словно в насмешку замелькали кадры происходящего. Спустя три протяжных сигнала включилась система оповещения, цитадель огласил раскатистый голос Скарлет Берниш:

«В сайенской цитадели Эдинбург введено военное положение. Сопротивление инквизиторскому режиму карается смертью. Руководство отрядами ДКО и НКО передается командующим СайенМОПу. Всем жителям приказано прекратить беспорядки и разойтись по домам».

Паника. В памяти отчетливо всплыл ее вкус, запах. Стиснутая зданиями толпа напирала и бурлила. По улице прокатилась волна, люди заваливались, как костяшки домино.

— Alba gu bràth! — выкрикнул кто-то. — Шотландия навсегда!

Меня притиснуло к незнакомцу, Ник навалился сверху, под давлением в легкие почти не поступал кислород. Ник плечом отстранил ближайшего демонстранта, нечеловеческим усилием создавая для нас воздушный карман. Дождь лил как из ведра. Я машинально потянулась к Стражу. А вдруг он исчез, бросил меня? Однако в следующий миг затянутая в перчатку рука коснулась моих пальцев.

Поднялся гвалт — людям велели убираться прочь, возвращаться по домам, как сказала Берниш. В небо взметнулась алая сигнальная ракета, свистели пули. Где-то плакал ребенок.

Внезапно какофонию звуков перекрыли шаги — синхронные, отточенные. Поверх людских голов двигался конный авангард. События десятилетней давности повторялись. Биргитта Тьядер скакала во главе конницы.

«В Сайенской цитадели Эдинбург вводится военное положение. Любая попытка сопротивления приравнивается к пособничеству преступной группировке Касты мимов. Для разгона сочувствующих будет применяться „Вещество SX"».

«Вещество SX» было знакомо мне не понаслышке. От соприкосновения с ним оставался глубокий шрам, в худшем случае человек просто умирал от удушья.

— «Душитель»! — заорали в толпе. — Выпустите нас!

Мария протиснулась вперед и перелезла через турникет. Элиза обернулась ко мне и прохрипела:

— Пейдж, не стой столбом. Шевелись.

Ник до боли стиснул мою ладонь, кольцо потных тел вокруг нас сужалось. Зажатые как в тисках плечи, оттоптанные ноги, теснота, словно в консервной банке. Войска все прибывали, ведомые командирами на черных жеребцах. В бронежилетах, боевых шлемах, вооруженные до зубов легионеры смахивали на игрушечных солдатиков. Даже на лошадях была защитная сбруя, как тогда, в Дублине.

В Дублине...

Панику вытеснила отчетливая мысль.

Все это уже было.

Мне представился разрушенный памятник. Горько-сладкий химический аромат распыленного «Душителя», от которого закружилась голова — впрочем, кружилась она давно, токарным станком шлифуя смутный замысел в конкретный план. В небе стервятниками парили два вертолета с эмблемой СайенМОПа. Вниз хлынул слепящий поток белого света. Если меня вычислят, то отволокут прямиком к Нашире, в архонт...

«Военное положение в Лондоне будет действовать до тех пор, пока Пейдж Махоуни не сдастся инквизитору».

Все это уже было.

Под натиском тел кислород не поступает в легкие.

Искаженные криком рты, истеричные метания, давка.

Пощада.

Каждый ее шаг нацелен на тебя.

Я словно наблюдала за происходящим издалека. Остается только одно. Есть лишь один способ спастись. Восстать из пепла.

Ник ни на секунду не ослаблял хватку, однако мой маневр застал его врасплох.

Рванувшись что было сил, я бросилась прочь. Ник до хрипоты выкрикивал мое имя, но я не обернулась.

По щекам струились капли дождя вперемешку с потом. Те, кого оттеснило к очагу возгорания, просто-напросто сгорят прежде, чем до них доберутся солдаты. До эпицентра давки оставалось рукой подать, когда за спиной возник лабиринт Стража. Из всей компании догнать меня могли только он и Ник, бегавший со скоростью света. Мой фантом отрешился и стрелой пронзил эфир.

Яростные вибрации золотой пуповины сотрясали все мое естество, проникали в каждую клеточку. Из носа хлынула кровь.

— Арктур, назад!

Рефаит не повиновался. Крутнувшись на сто восемьдесят градусов, я выхватила револьвер и наставила его на преследователя. Во рту возник металлический привкус.

— Не пытайся мне помешать! Серьезно, иначе получишь пулю в сердце! — Мой голос дрожал. — Если не убью, то покалечу!

— Пейдж, процесс запущен, его не остановить. Что бы ты ни делала.

Я подняла револьвер выше:

— Еще один шаг, и стреляю!

— Если угодишь в лапы Наширы, обратно уже не выберешься. — Готова поклясться, за ровным тоном слышалось непритворное волнение, страх. Казалось, еще немного, и его голос сорвется. Совсем как у человека. — Она заточит тебя в подземелье и высосет все соки, всякую надежду до последней капли. Твои крики музыкой усладят ее слух. — Рефаит потянулся ко мне. — Пейдж.

То, как он произнес мое имя, едва не лишило меня сил.

— Пейдж, — повторил Страж.

Я попятилась:

— Извини, но другого выхода нет.

— Если считаешь, что я буду стоять и смотреть, как ты отдаешь себя на растерзание Саргасам, лучше сразу выпусти в меня всю обойму, — тихо проговорил он. — Давай, смелее.

Кровь тонкой струйкой стекала по подбородку на грудь. Я медленно взвела затвор.

— Стреляй, Пейдж.

Губы у меня дрожали. Усилием воли мне удалось взять себя в руки. Пуля его не убьет, но задержит на время.

Впрочем, какая разница.

Я опустила револьвер, Арктур чуть кивнул, однако вместо того, чтобы приблизиться, я сорвала с шеи подаренное им ожерелье — фамильную реликвию Рантанов, спасшую меня от полтергейста, — и метнула в него.

После чего бросилась прочь.

Я бежала, не чуя под собой ног, золотая пуповина бешено пульсировала, шрам на боку горел огнем. Страж пустился в погоню. Расстояние между нами стремительно сокращалось. В последний момент я кинулась в самую гущу людей: подныривала под локтями, разгребала тела, плечами и бедрами освобождала себе дорогу, а там, где было не протиснуться, ползла на четвереньках. Худенькая, проворная, ни одному рефаиту за мной не угнаться. Страж с его могучей комплекцией безнадежно отстал; попытайся он повторить мой маневр, мигом спровоцировал бы очередную волну паники.

Ему не понять, не постичь мой замысел. Вокруг было слишком много народу. Задыхаясь, я достала револьвер и спустила курок.

Хотя солдаты стремительно наступали, мой выстрел первым грянул в ночи. Крики и мольбы возносились как молитвы. Мои ладони расталкивали мокрые от пота спины. С воплями «Разойдись!», изнемогая от жары, я тараном продвигалась вперед. После второго выстрела давление тел ослабло. Внезапно все расступились, и мое изображение заполонило мониторы.

Все камеры устремились на меня — вооруженную преступницу, агрессивную бунтарку. Вспышки слепили, перед глазами замелькали белые мушки, люди превратились в смутные силуэты с жуткими, перекошенными от страха лицами.

— Я – ПЕЙДЖ МАХОУНИ. ВЫ СЛЫШИТЕ? Я – ПЕЙДЖ МАХОУНИ. ВЫ ПРИШЛИ ЗА МНОЙ!

Золотая пуповина звенела натянутой струной. Первая дымовая граната полетела в толпу.

— ПРЕКРАТИТЕ!

Из трещины в металлической оболочке вырвался кобальтовый дым. Под аккомпанемент истерических криков «Душитель» подкрадывался все ближе, отравляя ночной воздух невыносимой вонью. От амбре из перекиси и гниющих цветов к горлу подкатила тошнота. Я сорвала шарф, скрывавший черты моего лица, и откинула капюшон.

С развевающимися на ветру волосами я прорвалась к полыхающему «Гилдхоллу» и задрала вверх сжатые кулаки. По одежде струями стекала вода.

— Я – ПЕЙДЖ МАХОУНИ!

На сей раз мой крик достиг цели.

Кобальтовая дымка окутала демонстрантов и солдат. Внезапно все стихло, умолкли крики, оборвались стоны. «Душитель» проникал под кожу. В затылке пульсировала тупая боль. Меня держали под прицелом винтовок.

Навстречу мне впереди всех ехала Вэнс. Наши взгляды встретились. Тьядер сделала знак, и один из солдат спешился.

Должно сработать.

Должно, иначе конец всему.

Расплывчатой тенью подкрался командующий. В огненном зареве поблескивал шлем. За стеклами противогаза горели две алые точки. Меня лихорадило, но я не опустила рук. Такая маленькая и при этом такая вездесущая. Сама надежда и безнадежность.

Нельзя показывать, что боишься.

Солдат вскинул винтовку. Из толпы донесся протестующий вопль.

Отступать уже поздно. Сердце замирало в груди. Дуло винтовки смотрело на меня в упор.

Только не показывать страх.

Вспомнился отец, бабушка с дедом. Двоюродный брат.

Не показывать страх.

Вспомнился Джексон Холл. Наверное, пьет сейчас за упокой души Бледной Странницы.

Вспомнились Ник, Элиза, Мария, Арктур. Жаль, что их не уберечь от кошмарного зрелища.

Винтовка нацелилась мне в грудь. Руки безвольно повисли, ладони вывернулись. С губ сорвался последний вздох.

«Огромная волна плескалась у твоих ног, а черные крылья увлекали тебя в поднебесье».

ИНТЕРЛЮДИЯ

МОЛЬ И БЕЗУМЕЦ,
ИЛИ ПРЕВРАТНОСТИ ВОЙНЫ

Сочинение Дидьена Вэя, эсквайра

Конечно, читатель Сайена, ты помнишь легенды о нем,
О Джексоне Холле, что кличку носил Белый Сборщик.
В старинном районе у мимов он был главарем,
Глупцов не терпел и с законом дерзейший был спорщик.
Да, само совершенство был Холл, безупречен стократ,
Добрый нрав, твердый шаг — мог им Лондон по праву
гордиться,
Только жаль, не сподобился он подчинить Синдикат
И, сделавшись темным владыкой, во власти своей
утвердиться.

В минувшее канул давно злополучный тот год,
Когда ясновидящий люд был поделен на касты
Таинственным Автором. Гений он иль сумасброд,
Иль просто бумагомарака? Здесь мнения разны.
Ты уж с Дидьеном Вэем, читатель, его не равняй,
У того-то воистину слог совершенен предельно.
Но любили его, и когда прекратился раздрай,
Он засел в Севен-Дайлс: там абсент пил и правил удельно.

Когда же лишился башки кровожадный Гектор,
Наш славный герой соизволил подняться с постели
И в бой за корону вступить. В пляске смерти был скор;
В боях на арене враги его не одолели.
И казалось, победа в руках, но порхнула вдруг из-за кулис
Претендентка на трон — и смела, и юна, и прелестна.
Кто ты, Черная Моль? Расскажи поскорей, не таись!
Это Бледная Странница! Та, что печально известна!

Ирландке в бою помогли и фантом и клинок.
Сражен покровитель наследницею вероломной.
Нет, меч не врубился ему в осевой позвонок,
Зато был опростан грехов его подпол бездонный.
«Ваш архонт — просто ширма, — заявила она напрямик, —
А за ширмою, дергая нитки, скрывается дьявол».
Тотчас монстры явились: «Все правда».
И в радостный крик
Ясновидцы ударились: «Темной владычице слава!»
И ее нарекли чудотворцем, каких не найти
В целом мире и даже в истории мира. В тот вечер
Каста мимов восстала из пепла. В архонт уползти
Поспешил падший Сборщик, лелея гордыни увечья.

Что за притча?! Вот так драма! Горе нам, паранормалы!
Двести лет мы вили гнезда и копили арсеналы.
Это все не пригодится,
Негде нам, глупцам, укрыться.
Может, спрячемся в потемках? Смерть и там найдет
однажды.
Или, на эфир надеясь, бросим вызов силе вражьей?
Странница лишилась трона,
Люди шепчут, что корона
С юных плеч уже слетела вместе с буйной головой.
Позавидует умершей тот, кто все еще живой.

ЧАСТЬ III

СМЕРТЬ И ДЕВА

20

СКЛЕП

Если это эфир, то совсем иной, незнакомый. В месте ушиба пульсировала боль. Маленькая девочка на аломалом поле. Среди моря цветов Ник зовет меня по имени, но маки слишком высоки, в них так легко заблудиться.

Из лепестков ко мне тянется фантом, нашептывает неразборчивое послание. Протягиваю руку и вижу Стража. Девочка превращается в женщину, бледную всадницу, несущую смерть. Звездный свет струится по моим волосам. Мы сливаемся в танце, прикосновения рефаита обжигают. Мне хочется ощущать его подле себя и в себе. Устремляюсь к нему, но он зубами вырывает мое сердце.

Его облик угасает. Амарант прочно пустил во мне корни. Истекая кровью, смотрю, как Элиза Рентон в зеленом платье кружится у стен башни. Молния ударяет в шпиль, золотая корона падает на землю и разбивается.

В недалеком будущем вырисовывается крепость, затмевая собой солнце. Где-то хохочет невидимый Джексон Холл.

Каждый вздох эхом отдавался в голове. Если вокруг эфир, то почему я ощущаю бренный груз тела, чувствую запах пота? На зубах скрипел песок, губы пересохли.

В висках колотился пульс. Совершенно ничего не помню: ни где я, ни как и почему тут очутилась, ни что этому предшествовало.

Под грудиной, глубоко внутри, обозначилось второе сердцебиение — серое, тягучее. Оно обострилось, едва я попробовала сесть — и тут же повалилась обратно. Вместо звуков из горла вырвался хрип. В панике я выгнула спину, потянулась вперед. На запястьях звякнул металл. Меня... заковали... в цепи...

«Она заточит тебя в подземелье и высосет все соки, всякую надежду до последней капли. — Содрогнувшись, я вспомнила голос Арктура, его воздетые сильные руки, сулившие мне защиту. — Твои крики музыкой усладят ее слух».

Белый свет резанул по глазам. Я ощутила древний лабиринт прежде, чем услышала шаги.

— О, заключенная номер двадцать пятьдесят девять сорок, какая встреча! — Эфир вокруг меня содрогнулся. Не узнать этот голос было невозможно, он буквально сочился высокомерием, какое и не снилось простым смертным. — Наследная правительница приветствует тебя в Вестминстерском архонте.

Архонт.

Привыкнув к яркому свету, я различила перед собой рефаита с пепельными волосами, выдававшими его принадлежность к клану Шератанов. Фантом стремглав вылетел из хрупкого лабиринта в надежде протаранить многовековую броню. После нескольких попыток в затылок точно вонзился раскаленный штырь, тишину огласил слабый стон.

— Не советую. Ты только вышла из комы.

— Сухейль, — прошипела я.

— Верно, Сороковая. Вот и пересеклись наши пути. Только на сей раз любовничек тебя не спасет.

На нос капнула вода, заставив меня зажмуриться. На мне была черная роба, обрезанная чуть выше колен. Запястья и лодыжки прикованы к гладкой доске. Из подвешенного ведра на лоб упала новая капля.

Пытка водой. Грудь начала лихорадочно вздыматься.

— Верховный командор просила передать, что твое жалкое восстание провалилось, — произнес Сухейль в перерывах между моими хрипами. — И кстати, все твои приятели мертвы. Сдайся ты раньше, их бы пощадили.

Ложь. Наглая ложь. Никогда не поверю. Я приподнялась, насколько позволяли цепи.

— Рано радуешься, ублюдок. Пока мы тут беседуем, твоя родина загнивает. И ты сгниешь следом, когда угодишь в ад, где тебе самое место.

— Забавно: так ненавидеть рефаитов и выбрать себе в любовники принца-консорта, — промурлыкал Сухейль. — А точнее, плотеотступника. — Вода пропитала мне волосы. — Наследная провидица запретила калечить твою плоть и ауру... к счастью, пытать можно по-разному.

Он кружил надо мной как стервятник. Я билась в оковах, впрочем, без особого успеха.

— Не бойся, темная владычица. В конце концов, именно ты правишь цитаделью. Никто не смеет тебя обидеть.

Проклятая дрожь не унималась. Как я ненавидела себя за слабость!

— Начнем с простого вопроса, — изгалялся Сухейль. — Где мой старинный приятель-плотеотступник?

«Можно мнить себя самым крутым смельчаком, но мы всего лишь люди. — Мои руки сжались в кулаки. — А люди ломают кости, пытаясь вырваться с водной доски».

— Повторяю вопрос: где Арктур Мезартим? А ну говори!

— Ты забыл сказать «пожалуйста», — окрысилась я.

Ладонь в перчатке потянулась к рычагу.

— Похоже, тут кое-кто изнемогает от жажды. — Массивная фигура рефаита заслонила свет. — Темной владычице не помешает выпить в честь ее скоротечного правления.

Доска откинулась назад. Ласково, почти с благоговением, Сухейль накрыл мое лицо тряпкой.

Перед уходом Сухейль погасил свет. Продрогшая, забрызганная с ног до головы рвотой, я обмякла на доске, не в силах шевельнуть пальцем. Едва шаги рефаита затихли, я разразилась рыданиями.

Он задал множество вопросов. О Рантанах и их намерениях. Чем мы занимались в Шотландии? Кто помог мне добраться до Манчестера? Где прячется Каста мимов? Что нам известно про «Экстрасенс»? Спрашивал, нет ли у меня сообщников в архонте, скольким участникам Сезона костей удалось выжить и где они сейчас. Вопросы, бесконечные вопросы.

Я молчала как партизан. Но он вернется завтра и послезавтра. И послепослезавтра. Пытка не стала для меня сюрпризом, этого следовало ожидать, однако я даже не подозревала, что не смогу воспользоваться своим даром, не сумею ни на мгновение облегчить боль. Наверное, виной всему кома, ослабившая мой лабиринт до предела.

Веки у меня слипались. Я отчаянно боролась со сном, убеждая себя сконцентрироваться, сосредоточиться. До казни оставалось совсем чуть-чуть. Максимум пара-тройка дней.

Шаг первый — пережить пытку.

Сухейль вскоре вернулся. Все началось заново: ледяная вода текла мне в рот, острым ножом пронзая желудок. От страха я исступленно металась в кандалах, сдирая кожу на запястьях. Истошные вопли рвались наружу, несмотря на издевки Сухейля и угрозу захлебнуться. Тело содрогалось в приступах рвоты. Я тонула на суше, билась, как рыба на прилавке магазина.

Образ рефаита свелся к руке, вливавшей в меня струю за струей. Мне приказали забыть свое имя. Пейдж Махоуни больше нет, есть Сороковая. Почему не усвоила в первый раз? Периодически он касался моего лба тонким жезлом, и мой фантом корчился, как от удара током. Каждый новый крик заглушался напором воды. Сухейль нашептывал, что экзекуция не нанесет плоти ощутимого вреда, однако в это верилось с трудом. Ребра трещали, живот распух, горло словно бы натерли наждаком. В перерывах я лихорадочно старалась не заснуть.

Выживание требовало нечеловеческих усилий. Дыхание из рефлекса превратилось в пытку.

Нельзя сдаваться. Нельзя. Надо продержаться еще немного, в противном случае моя жертва будет напрасной.

Сутки делились на допрос и гробовую тишину. Меня не кормили. Зато поили почти до смерти. Мочевой пузырь переполнился, теплая жидкость хлынула по ногам. Я превратилась в сосуд, наполненный водой. Возвратившись, Сухейль обозвал меня грязным животным.

Изнемогая от боли, я молилась, чтобы остальные не бросились мне на выручку. Нику достанет ума вмешаться. Они преодолели многое, чтобы вызволить меня из колонии, однако наш побег не шел ни в какое сравнение с перспективой проникнуть в суперохраняемый архонт. Когда Сухейль, вдоволь натешившись, оставлял меня в покое, я перебирала в уме всевозможные планы спасения. Однако каждый сценарий неизменно заканчивался кровопролитием. Я воображала, как мертвый Ник лежит на мраморном полу, пуля вошла ему в висок, улыбка навсегда потухла. Мне представлялся Страж, закованный в цепи, обреченный на вечные истязания, от каких не избавит даже смерть. Элиза, разделившая судьбу моего отца у ворот висельников.

На следующий день — или на следующую ночь — Сухейль подпитался моей аурой, чего не случалось уже очень давно. Ослепленная паникой, я отчаянно сопротивлялась, пока плечи, шея не вспыхнули огнем. Двойной удар по организму лишил меня последних сил, не получалось даже отхаркнуть воду из легких. Когда рефаит сорвал тряпку с моего лица, его зрачки отливали кроваво-красным.

— Тебе и впрямь нечего сказать, Сороковая? Помнится, в колонии ты заливалась соловьем.

Приподнявшись, я плюнула в мучителя. В следующий миг меня оглушила мощная пощечина. От удара зазвенело в ушах.

— Переломал бы тебе все кости, но наследная правительница запретила, — прошипел Сухейль.

От второго удара я потеряла сознание.

А очнулась уже в камере. Бетонный пол, безликие стены и темнота.

Сухейль поработал на славу. Под левым глазом наливался синяк, щека распухла и покраснела.

Возле нар виднелась чашка с водой. Казалось, минула целая вечность, прежде чем мне удалось добраться до нее и поднести к губам. Первый глоток вызвал рвотный рефлекс, но я не отчаивалась. Пробовала снова и снова. Сначала опустила в стакан рассеченную губу. Потом кончик языка. Рвота хлынула фонтаном. Горло судорожно сжалось, предвкушая заветную влагу.

Остановись! Тебе наверняка подмешали наркотик. Я отползла в сторону и, обхватив руками ноющий живот, перекатилась на спину. Меня не превратят в безвольную куклу.

Вскоре явился легионер со шприцем. Укол вызвал временную амнезию, беспамятство чередовалось с редкими проблесками сознания. Похоже, меня угостили белой астрой пополам с транквилизатором.

Шаг второй — сопротивляться действию наркотиков.

Игла вонзилась мне в кожу, начисто отбив память. Я забыла, как странствовать, забыла, что в принципе владела таким даром. Препарат словно бы отнял его у меня. Всасываясь в кровь, он начисто стер мою личность, никакой Пейдж Махоуни не существовало, только чистый лист. Едва доза выветрилась, как мне тут же ввели новую.

Вырисовывалась схема — обколоть меня до бесчувствия.

Постоянная жажда усугублялась боязнью воды. Меня преследовали образы ледяных водоемов, ручья из лабиринта Стража, бездонных глубин. Уж не знаю, наркотики или обезвоживание были тому виной.

Наутро легионеры перетащили меня в отдельный каземат и избили до полусмерти. Каждый удар сопровождался вопросом: «Где твои сообщники?», «Кто вам помогает?», «Кем ты себя возомнила, паранормалка?». Не получив ответа, меня снова били, тягали за волосы и осыпали отборной бранью, плевали мне в лицо и рассекли губу. Кто-то из палачей пытался заставить меня лизать ему сапоги, но встретил яростный отпор. Чья-то рука грубо вывернула запястье. Судя по гневному оклику их командира, вышло это ненамеренно.

Ко мне не обращались по имени. Только Сороковая.

После избиения я несколько часов провалялась в ступоре, потирая ноющее запястье. Когда сознание вернулось, надо мной маячило чье-то узкое лицо. От света фонарика я отпрянула в сторону и заслонила глаза.

— Как спалось, Сороковая? — Знакомый хрипловатый голос с ноткой самодовольства.

— Карл, — просипела я.

— Не Карл, а Первый. Ты хоть знаешь, где находишься? — Не дожидаясь ответа, человек, некогда называвшийся Карлом Демпси-Брауном, нахально уставился на меня. — Политических преступников держат в особой камере, прежде чем отправить к воротам висельников. Последним здесь побывал твой папаша.

Страшно представить моего безобидного немолодого отца, томившегося в этом хлеву.

Карл победно улыбнулся. Последний раз мы виделись с ним в колонии. На нем по-прежнему была алая туника, подбородок покрывала жидкая поросль, отросшие волосы заправлены за уши. Из поясной сумки торчали шприцы, наполненные синим и зеленым «флюидом».

— Радуйся, что хотя бы жива. Впрочем, это ненадолго.

Я безучастно уставилась в потолок. Веки распухли и почти не поднимались.

— Тебя повысили?

— Наградили за заслуги. Кстати, ты же не в курсе: отбегался твой любовничек. — Внутри у меня все помертвело. — Поймали на днях, пока ты отдыхала в каземате. Сам сдался. Наверное, рассчитывал выкупить этим твою жизнь.

Болтовня Карла отсрочила очередной укол. Мой фантом встрепенулся.

— Ну Арктур и олух, между нами говоря. Второй раз наследная правительница тебя не выпустит, — веселился Карл. — Напрасно, Сороковая, ты сбежала из колонии. На воле, как видишь, не сахар, а будет еще хуже.

Карл вдруг осекся и вытер нос рукавом. Заметив кровь, он взвизгнул от страха.

— Нет! Прекрати! — Его отбросило в сторону. — Ты не смеешь...

В мгновение ока я пригвоздила парня к стене, острие иглы очутилось буквально в сантиметре от его глазного яблока. Зрачки Карла расширились при виде собственного шприца, отнять который было так же легко, как отобрать конфету у ребенка.

— Комендант! — прохрипел он.

Ключи болтались у него на поясе. Моя дрожащая рука потянулась к связке.

В камеру ворвалась легионерша. Фантом ринулся в атаку, отозвавшуюся вспышкой ослепительной боли. Тщетно. Осознав, что битва проиграна, я вонзила Карлу шприц в предплечье и моментально ощутила укол в шею. Свет померк, и мое обмякшее тело повалилось на каменный пол.

Стало быть, Страж у них. Я болванчиком раскачивалась в углу, запустив пальцы в грязные засалившиеся волосы. Надо же было так сглупить! Он ведь понимал: Нашира не согласится на обмен. Она изначально хотела заполучить нас обоих. Или Карл обманул меня?

Золотая пуповина безмолвствовала. Ни вибраций, ни малейшего отклика. Страж находился вне зоны досягаемости.

Рефаитов нельзя убить, но их можно уничтожить. Арктур утратил ценность для Наширы и обрек себя на долгую мучительную смерть.

Нет, не верю. Карл наверняка соврал. Скорее всего, это происки Вэнс, очередная попытка выбить почву у меня из-под ног. Верховный командор не побрезгует ничем ради достижения своей цели.

Значит, она решила, что Страж — мое слабое место. Не Элиза, не Ник, а Арктур.

Я подползла к двери и попыталась заглянуть сквозь прутья решетки. Камера располагалась на пересечении нескольких коридоров, патрулируемых легионерами. Монитор на стене транслировал мою фотографию. Бегущая строка под снимком гласила: «ПЕЙДЖ МАХОУНИ УБИТА В ЭДИНБУРГЕ. УГРОЗА НАЦИОНАЛЬНОЙ БЕЗОПАСНОСТИ УСТРАНЕНА».

Я привалилась к стене и закрыла глаза. Перед внутренним взором проносились леденящие кровь сцены, предшествовавшие выстрелу. Едкий запах «душителя».

Похоже, Вэнс возомнила себя победительницей. Все завертелось передо мной, словно в калейдоскопе: конница, дым, солдаты, стоны и возгласы невинных. Все это уже было. И теперь повторялось, но на сей раз в качестве спектакля, этакой психологической ловушки, сродни той, в какую в свое время угодила Розалия Юдина, — только масштабнее.

На улицах Эдинбурга Вэнс специально для меня воссоздала Дублинское вторжение. Воссоздала вплоть до мелочей: внезапный хаос в тихом квартале, армия, митингующие, демонстрация, завершившаяся бойней. Верховный командор постаралась на славу.

Вэнс разыграла весьма реалистичный флешбэк: Эдинбург стал сценой, а население — невольными актерами, которых ввели в заблуждение. Но чтобы окончательно сломить меня, вынудить сдаться, одного спектакля мало. Для начала нужно расшатать жертве психику, заставить ее страдать и изнемогать от ненависти. Вот зачем Вэнс публично казнила моего отца.

Мне предстояло вновь уподобиться ребенку — напуганному, одинокому.

Мне пытались внушить, что, пожертвовав собой, можно предотвратить грядущий кошмар.

Умно. И невероятно жестоко. Вэнс не гнушалась ничем: пусть погибают невиновные, пусть здания сгорают дотла — не важно, цель оправдывает средства. И ее замысел бы удался, не освежи Арктур мои воспоминания о той давней трагедии. Верховный командор переусердствовала, слишком явно давила на болевые точки. В результате получилось чересчур наигранно, фальшиво.

Вот тогда-то меня и осенило.

Если я сдамся, Вэнс приведет меня прямиком в архонт, к Нашире, которая, если верить Стражу, контролирует фантом, питающий «Экстрасенс».

Отныне моя основная задача — крепиться и не умереть раньше времени.

21

В ЧЕЛОВЕЧЕСКОМ ОБЛИЧЬЕ

Вестминстерский архонт не предназначен для сна. Каждый час бой пяти колоколов разносился по Лондону, от грохота язычков сотрясались стены.

Днями напролет я прозябала в камере, где не было ничего, кроме параши.

После каждого укола туман, заволакивающий рассудок, становился все гуще. Наркотики превратили меня в живой труп. Во время редких проблесков сознания мне полагалось есть и пить, пока слушаются пальцы.

Рано или поздно меня отведут к Нашире. Она наверняка захочет повидаться напоследок, насыпать соль на рану.

Вряд ли меня одурманят для аудиенции. Поскольку выбора нет, нужно собраться с духом и прикончить Наширу. Безумие, конечно, но если мне не удастся отыскать и вызволить фантом, тогда остается лишь убить его хозяина. Точнее, хозяйку.

По лицу струился пот. Нашира опасалась моего дара, потому и мечтала им завладеть. Я смогу, справлюсь.

Должна справиться.

— ...Ни минуты покоя. Военное положение до сих пор в силе. — С камерой поравнялись двое легионеров, совершавших обход, мужчина и женщина. — Ты где сегодня дежуришь?

— Господин Альсафи поручил мне возглавить караул в Инквизиторской галерее.

При упоминании Альсафи я встрепенулась.

Совсем вылетело из головы. Может, мне и не придется сражаться с Наширой? Если передать Альсафи послание — информацию об «Экстрасенсе», взятую напрямую из лабиринта Вэнс, — он успеет подсуетиться. Отыщет фантом и выпустит его на свободу.

Проще сказать, чем сделать. Под рукой у меня не было даже завалящего клочка бумаги. Об пол камеры звякнул металлический поднос. Я подползла ближе и запустила пальцы в жидкое варево.

Покушение на Наширу — мой последний шанс. В голове немного прояснилось, и я попыталась расшифровать образ, украденный у Вэнс: прозрачная сфера с белым огоньком внутри. Источник энергии сканеров защищала материальная оболочка. Разрушим ее, и фантом вырвется на волю.

Давай, Пейдж, шевели мозгами, вспоминай. Сфера была заключена в стеклянную пирамиду, чья вершина упиралась в открытое небо, — следовательно, располагалась она высоко. Больше никаких опознавательных знаков, только белые стены. Понятия не имею, где находится это место. Узнать его способен лишь тот, кто не понаслышке знаком с инфраструктурой архонта.

В частности, Альсафи.

Вот только связаться с ним нет ни времени, ни возможности. Казнь могут назначить в любую минуту. Попробовать состыковаться с его лабиринтом? Нет, не выйдет, наркотики начисто лишили меня сил. Вэнс подстраховалась, чтобы я, упаси эфир, не воспользовалась своим даром. В принципе, она добилась своего — странствовать я не могла ни на сантиметр.

Однако верховный командор забыла или не знала, что мой дар не ограничивался странствиями. В самой примитивной своей форме он действовал как радар, способный обнаруживать эфирную активность без каких-либо телодвижений с моей стороны. Впервые за время заточения я отважилась прибегнуть к этому тайному средству.

Сама попытка воззвать к шестому чувству была сродни агонии. Терпи, скоро освоишься... Мне удавалось преодолевать физическое истощение в колонии, получится и здесь. Фантом медленно возвращался к жизни, блокируя прочие ощущения.

Радиус его действия значительно сократился, но чувство эфира крепло с каждой минутой. Вскоре моя призрачная оболочка уже витала по закоулкам Вестминстерского архонта.

Ядро здесь. Мы не ошиблись.

Скрючившись во мраке камеры, я следила за перемещениями лабиринтов. Если верить радару, Вэнс постоянно сновала из одного конца здания в другой, но больше всего времени проводила в одном месте. Очевидно, в кабинете.

За дверью послышались шаги. Легионеры возвращались из караула. Судя по добытым сведениям, эти двое дежурили чаще других.

— ...В Сочельник опять наша смена. Со скуки сдохнешь.

— Да ладно тебе. Зато оплата по двойному тарифу. Кстати, в следующем году планирую переводиться в ночь.

— В ночь? Чего-то ты недоговариваешь. А ну колись!

Зыбкие тени на полу. Приглушенные голоса.

— Ты слыхал про новые сканеры? Болтают, что с их помощью паранормалов истребят всех до единого. Достаточно Оконме подписать смертный приговор, и они закачаются на виселице.

Скрип резиновой подошвы по бетону.

— Я вообще думаю уволиться, — произнес мужчина. — С этим военным положением не продохнешь. Постоянные переработки, круглосуточные дежурства. В казармах паника — якобы нам урежут зарплату в пользу кригов. А ишачить задарма я не подписывался.

— Прикуси язык.

В коридоре воцарилась тишина. Наркотик стремительно заволакивал рассудок, сладкоголосой сиреной навевая забвение. Борясь со сном, я ущипнула себя за запястье.

— Видела, сколько иностранцев пасется в архонте? Говорят, испанцы. Посланники от короля.

— Хм, впечатляет. Интересно, чем они так заняты с Уивером? Весь день носу не высовывают из кабинета. — Женщина побарабанила пальцами по двери. — Не в курсе, кого тут держат?

— Ты что, с луны свалилась? Тут у нас Пейдж Махоуни собственной персоной.

— Очень смешно. Ее же пристрелили.

— Это официальная версия. — Окошко с лязгом распахнулось. — Смотри.

— Паранормалка, поставившая на колени целую империю, — протянула женщина после недолгого молчания. — Если честно, выглядит так себе, не тянет на опасную мятежницу.

Шло время. Меня кормили. Пичкали наркотиками. А потом, однажды днем — если дни еще существовали, — двое легионеров выплеснули на меня ведро воды, выволокли из подземелья и впихнули в душевую кабину.

— Приступай, — скомандовал конвоир своему напарнику.

Я попятилась, и высокий легионер буквально впечатал меня в кафель:

— Вымойся, свинья!

Пришлось подчиниться.

Я похудела. Кожа приобрела сероватый оттенок — верный признак злоупотребления «флюидом». На локтевых сгибах всеми цветами радуги переливались следы от уколов, ноги покрывали синяки от кулаков и сапог легионеров. Под грудью темнела лиловая впадина.

Рана от резиновой пули. Я стояла как манекен, пошатываясь под тяжестью собственного веса.

Стоило мне выйти из душа, как легионеры натянули на меня робу и поволокли прочь. Бетонный пол сменился багряным мрамором и больно царапал ступни. Голова кружилась, пока меня тащили по залитым солнцем коридорам; яркий свет нещадно бил по глазам.

Сердце вдруг тревожно екнуло. Ноги подкосились. Вот и все, конец. Меня ведут на эшафот.

— Расслабься, — хмыкнул легионер. — Убивать тебя не собираются. По крайней мере, прямо сейчас.

Так. Значит, время еще есть.

Где-то гремела музыка. Легионеры поволокли меня вверх по лестнице, после каждого пролета звук стремительно нарастал. Да это же «Смерть и дева» Франца Шуберта.

Табличка на массивной двери гласила: «Речная зала». Конвоир постучал и толкнул створку. Из окон открывался вид на Темзу. Сквозь неплотно задернутые шторы из алого дамасского шелка струился золотистый свет, отражаясь от мраморных бюстов и хрустальной вазы с настурциями.

Я застыла как вкопанная. На хозяине комнаты был алый, в тон драпировкам, жилет с замысловатым цветочным узором.

— Здравствуй, дорогуша, — произнес он, не отрываясь от книги.

Ступни точно приросли к полу. Конвоиры подхватили меня под руки и швырнули в кресло.

— Надеть на нее наручники, господин верховный надсмотрщик?

— Это лишнее. Моя драгоценная подельница не настолько глупа, — ответил Джексон, по-прежнему не поднимая глаз. — Если хотите оказать услугу, проследите, чтобы мне наконец принесли завтрак, заказанный еще двадцать шесть минут назад.

Легионеры попятились к выходу. Их лица скрывали опущенные забрала, однако мой обострившийся слух уловил шепот: «Чертовы паранормалы».

Слева на столешнице высилась разрозненная стопка бумаг. Посередине на кружевной салфетке поблескивал серебряный чайник. В его глянцевом боку отражался зрачок камеры наблюдения.

Помедлив, Джексон отложил книгу. «Пандора и Прометей» значилось на корешке.

— Вот и мы встретились, Пейдж. Сколько воды утекло. Далеко ты забрела, милочка.

Я пристально всматривалась в собеседника. Он изменился. Похудел, побледнел, корни волос тронула седина.

— Решил позабавиться напоследок? Добить меня?

— Ну, не такой уж я монстр.

— Именно такой.

Даже его коронная ухмылка поблекла. Несмотря на титулы и регалии, среди рефаитов Джекс был простым смертным. Весьма уязвимая позиция. Кроме того, бывший главарь мимов не терпел чужого превосходства. Собственное положение угнетало его, подтачивало изнутри. Он был здесь на вторых ролях. Союзник рефаитов, которому никогда не стать их ровней.

— Поболтаем по душам? Но прежде позволь задать тебе вопрос. Куда ты эвакуировала мой Синдикат? — Верный себе, Джексон предпочитал брать быка за рога. — СайенМОП заметил подозрительное отсутствие ясновидцев на улицах. Следовательно, их где-то спрятали — но где? — Он откинулся на спинку кресла. — Должен признать, я в замешательстве. Лондон — моя вотчина, где мне знаком каждый уголок. Однако ты ухитрилась оставить Якорь с носом. Просвети меня, темная владычица.

— Пожалуй, не стану.

Я старалась держаться хладнокровно, но все тело сотрясала крупная дрожь. Джексон откровенно наслаждался зрелищем.

— Ладно, давай сменим тему. Твоя очередь спрашивать. — Не дождавшись ответной реплики, он улыбнулся, как в старые добрые времена. — Перестань, Пейдж. Ты ведь любопытная особа. У тебя наверняка масса вопросов... вопросов, заставляющих тебя терзаться в заточении.

— Даже не знаю, с чего начать... Хорошо: где Зик и Надин?

Не самый животрепещущий вопрос, но вместе с тем насущный.

— В безопасности. Нашли у меня приют после того, как их вышвырнули на улицу.

— Хочешь сказать, они во Втором Шиоле?

— Второго Шиола пока еще нет. — Джекс лениво поскреб предплечье. — Ты глубоко вонзила когти в остальных, верно, милочка? Даника, такая практичная — хотя она вроде бы сбежала из цитадели. Умничка. А вот Элиза с Ником удивили. Какая преданность! Гордись, темная владычица.

Я вздернула бровь:

— Ревнуешь?

— Не совсем. Если трансляция из Эдинбурга не врет, эти двое получили по заслугам.

Мои друзья не могли умереть! Не могли!

Джекс подался вперед и коснулся темного завитка — после бегства из колонии он настоял, чтобы я стала брюнеткой, и этот локон единственный хранил следы краски.

— Сантименты, милочка?

Я резко отстранилась:

— Скорее, напоминание о том, как ловко ты запудрил мне мозги.

— Ты мне льстишь.

В дверь постучали, и вереница слуг внесла завтрак, достойный истинного гурмана. Гренки с ягодным компотом; кексы и взбитое сливочное масло; серебряный кувшинчик со сливками, кофейник, сваренные вкрутую яйца, посыпанные карри, и толстые ломти свежего хлеба. Джексон кивком отпустил прислугу.

— «Всякая революция начинается с завтрака», — процитировала я. — В этом вся суть твоего бунта, Джекс?

— Бунтовщица у нас ты. Правда, неудавшаяся. Но сама попытка достойна уважения.

— Ты меня разочаровываешь. А как же все твои воинственные речи в архонте?

— Смысл воевать с тобой? Даже без вмешательства Вэнс Синдикат разорвал бы тебя на куски. — Бледно-голубые глаза смотрели на меня в упор. — Ты всерьез надеялась победить Сайен с помощью горстки отъявленных бандитов? Это жизнь, дорогуша, а не твои фантазии. — Джексон налил сливки в чашку. — Угощайся. А я пока развлеку тебя историей.

— О чем?

— Обо мне.

— Имей совесть. Мне осталось жить всего ничего, не омрачай мои последние дни своей биографией.

— Предпочитаешь валяться в камере и страдать от несчастной любви к Арктуру Мезартиму?

— Не смеши меня.

— Ох, Пейдж, Пейдж. Кого ты обманываешь? Нашира рассказала о ваших страстных объятиях. — На меня повеяло жаром. — Притворяйся сколько угодно, но твой суровый вид — всего лишь фасад, за которым таится мягкое сердце.

— Не делай поспешных выводов. Тебе ли не знать, какое твердое у меня сердце.

— Согласен. Думаю, ты действовала из корыстных побуждений. Будь у меня время или желание закрутить заведомо обреченный роман, я бы и сам предпочел когонибудь из рефаитов. — Джексон добавил в кофе сливки. — Ладно, приступим к рассказу о скромном юноше, похищенном с улицы, о котором ты наверняка много слышала в колонии.

Я не стала возражать.

— Примерно в твоем возрасте я сочинил брошюру, впоследствии изменившую мою жизнь. «Категории паранормального» — первый документ о кастах и способностях ясновидцев. Надеюсь, ты не оскорбишь мой интеллект сомнениями, предположив, будто бы текст мне продиктовали рефаиты. Часы изысканий, исследований, муки творчества, незаурядный талант — все это мое по праву. Благодаря памфлету они и вышли на меня.

Проигрыватель заиграл сопрановую версию песни Джонни Кэша «Drink to Me Only with Thine Eyes».

— В силу своей достоверности памфлет заинтересовал рефаитов. Меня арестовали за изготовление и распространение подрывной литературы и, после недолгого заточения в Тауэре, отправили в Первый Шиол, где почти сразу возвели в ранг «розовой туники» и присвоили номер семь. Наверное, Рантаны до сих пор кличут старину Джекса Седьмым.

— Нет, они называют тебя архипредателем.

Джексон цокнул языком:

— Вот юмористы. Кто бы мог подумать.

При воспоминании о шрамах на спине Стража, причинявших ему нестерпимую боль, моя ненависть к собеседнику только усилилась.

— Покажи мне, — потребовала я. — Покажи свою метку.

Брови Джекса поползли вверх.

— Зачем?

— Убедиться, что это не очередная уловка Вэнс.

— О, даже ее фантазии не хватило бы на столь удивительное, судьбоносное совпадение. Но ты вправе удовлетворить свое любопытство.

Джексон Холл никогда не упустит случая покрасоваться. С легкой усмешкой он расстегнул жилет, обнажив впалую грудь, чуть приспустил рубашку и повернулся ко мне спиной.

На плече проступали поблекшие, но вполне различимые цифры XVIII-39-7.

— Довольна?

Я медленно кивнула. У меня и раньше не было повода сомневаться на его счет, однако клеймо стало последним, нерушимым доказательством.

— Тяготы пребывания в колонии меркли на фоне плодов познания. — Джексон не спеша застегивал пуговицы. — Нашира лишь упрочила мои догадки относительно семи каст и щедро делилась новыми знаниями — о способностях рефаитов, о моем собственном даре. Все мое двадцатисемилетнее естество влюбилось в недюжинный интеллект этой невероятной женщины, в ее глубинное понимание эфира, стремление постичь все его тайны. Признаться, никогда не мог устоять перед знаниями.

— Вы прямо сладкая парочка.

Джексон ухмыльнулся.

— Скорее, родственные души. До «алой туники» я дослужился, ни разу не столкнувшись с эмимом, — продолжал он, прихлебывая кофе. — Неделю спустя меня назначили надсмотрщиком, и жизнь заиграла яркими красками.

— Ты предал Рантанов ради куска хлеба с маслом?

— Нет, я предал их, чтобы выжить, — огрызнулся Джекс. — В колонии назревал бунт. У меня было два пути — помочь Арктуру Мезартиму или донести наследной правительнице о его планах. Из них двоих защитить меня могла только Нашира. — Он поставил чашку на блюдце. — Наивность — непростительный порок для бессмертных, а Арктур Мезартим всегда отличался потрясающей наивностью во всем, что касалось человеческой натуры.

— К моему появлению в колонии он избавился от этого недостатка.

— Ты просто очаровала его, втерлась в доверие. Повторюсь, наивным он был, наивным и остался. Представляю, как бедняга огорчился, узнав, кто ты есть на самом деле — преемница его заклятого врага.

— Не льсти себе, Джекс. На заклятого врага рефаитов ты не тянешь.

— Ты сильно заблуждаешься на его счет. Мои увещевания пропали втуне. — Джексон сложил ладони перед собой. — В общем, я доложил обо всем Нашире. Итог тебе известен. Мятежникам... э-э-э... преподали небольшой урок. — Он явно смаковал последнее слово. — Рантанов заперли наедине с фантомом Потрошителя.

— Потрошителя? — переспросила я, не веря своим ушам.

— Лакомый кусочек, правда? Личный полтергейст Наширы — помнится, тебе довелось познакомиться с ним на Битве за власть. Да, тот самый полтергейст, за которым ясновидцы гоняются столетиями. — Джексон повернулся к окну, и свет упал ему на лицо. — Иногда так и подмывает написать Дидьену, но нет. Пусть ищет до скончания дней. Так интереснее.

Теперь понятно, почему Арктур с Рантанами не торопились — и не торопятся — мне доверять.

— Ты чудовище, Джекс.

Собеседник погрозил мне пальцем:

— Приспособленец. Предатель. Марионетка. Но не монстр. Такова человеческая природа, Пейдж. А Саргасы управляют нашим безумием. — Его рука снова легла на подлокотник кресла. — Помнишь, что Нашира сказала обо мне в ноябре? Сколько времени минуло с нашей последней встречи?

Я порылась в памяти:

— Она сказала... ты отдалился от нее на двадцать долгих лет. — Я плеснула себе кофе. Хотя бы умру с кофеином в крови. — Любовная ссора?

— Нашира жаждала назначить меня верховным надсмотрщиком. «Алым туникам» требовался командир, а у твоего покорного слуги нюх на талантливых ясновидцев. Меня официально зачислили в сотрудники Сайена и отпустили на все четыре стороны, но с условием — каждые два месяца платить взнос и поставлять в колонию одного ясновидца высшего порядка.

— Регулярный взнос. — Меня вдруг осенило. — Серый рынок!

— В яблочко. Это я его создал.

— А Старьевщик?..

— ...Просто деловой партнер, — спокойно закончил Джекс. — Нашира сочла, что полностью подчинила меня себе. Как-то ночью я сбежал. Сбросил старую кожу. Опытный подпольный хирург полностью изменил мою внешность. — Он провел пальцем по щеке. — Но чтобы завладеть I-4, нужны были деньги. Я поддерживал связь с Саргасами через резиденцию «Баллиол», обещал продолжить сотрудничество, но от личной встречи отказывался.

— Как тебе удалось наложить лапу на I-4?

— Элементарно. Донес на тамошнюю повелительницу мимов и ее подельника, сутки спустя обоих арестовали, а Потусторонний совет одобрил мою кандидатуру. Я поселился в Севен-Дайлс. Семь солнц, семь циферблатов. «Семь печатей». Семь каст ясновидцев. Семь — мой порядковый номер в колонии. И даже букв в моем имени семь. Старьевщик помогал мне со взносами. Не безвозмездно, разумеется. Он сумел расширить сеть — об истинном масштабе ты узнала за несколько недель до Битвы за власть.

— Но если у тебя был серый рынок, то зачем тебе понадобились «Печати»? — недоумевала я. — Или ты планировал потихоньку продать нас в Шиол?

— Главарю мимов нельзя без банды. — Джексон замолчал и устремил взгляд в окно, на губах блуждала легкая улыбка. Пазл наконец сложился.

— Значит, планировал. По крайней мере, некоторых. Это ты подстроил мой арест. — Я буквально задыхалась от гнева. — Специально в тот день загрузил Ника работой, чтобы он не смог меня проводить. А сам организовал проверочный рейд. Когда подземщики остались с носом, ты велел мне затаиться у отца. И дал наводку.

— Увлекательно, но в корне неверно. Зачем мне тебя подставлять? Не забывай, — Джексон закурил сигару, — именно я спас твою шкуру.

Он по-прежнему смотрел в окно. Моя ладонь легла на столешницу и аккуратно высвободила чистый лист из стопки.

— Кто же тогда?

— Гектор, — последовал ответ. Мои пальцы проворно скатали бумагу. — Вспомни, он подстерег тебя на платформе и предупредил Сайен, на какой поезд ты сядешь. Наш темный владыка спал и видел насолить мне. Гектор обнаглел, стал требовать большую долю от рынка. Естественно, я отказался. Тогда он отнял мою драгоценную подельницу, а вырученные деньги захапал себе. Старьевщик по моей просьбе заказал его Аббатисе. Изначально я думал избавиться от него более цивилизованным способом — застрелить, к примеру, однако столь беспринципная жадность заслуживала... кровавой расправы.

Гектор. В памяти всплыла залитая кровью гостиная, обезглавленные тела: Джексон зверски отомстил вору, посягнувшему на его собственность.

На меня.

— Ты наказал его, а заодно освободил для себя место темного владыки, — усмехнулась я.

Джексон кивнул.

— На момент твоего ареста я уже не сотрудничал с Саргасами — им надоели мои вечные отговорки и категорическое нежелание играть по их правилам. Они урезали финансирование, чем глубоко ранили мою тонкую натуру, привыкшую к роскоши, к власти. Тем не менее я тебя не подставлял. Напротив, спас, рискуя собственной шкурой. В благодарность ты предала меня на Битве за власть, и тогда я решил вернуться к своим покровителям. Нет, не ради денег, а то еще, чего доброго, обвинишь меня в алчности. Я вернулся ради знаний. — Он выпустил тонкую струйку дыма. — У рефаитов можно многому научиться.

К тому времени когда Джексон наконец соизволил повернуться ко мне, скатанный клочок бумаги был уже надежно спрятан в рукаве.

Может, Джекс и врет, однако история все равно занимательная.

Допустим, он и правда спас мне жизнь, но отнюдь не из благородных побуждений. Нет, им руководила гордость. Все главари и повелительницы мимов завидовали ему — еще бы, добыть себе подельницу такого ранга! Я стоила тех денег, денег, присвоенных Гектором.

— У них поучишься — станешь твоей точной копией. Нет уж, увольте, — фыркнула я.

— Поздно, Пейдж. Ты уже моя копия. Сколько ни перекрашивай волосы, свою натуру ты не изменишь.

— С вашего позволения, господин верховный надсмотрщик, я, пожалуй, вернусь в свою камеру. Соскучилась по тишине, — процедила я. Некогда играть в его игры.

Стоило мне подняться, как Джексон вскочил из-за стола и взял меня за подбородок, заставив оцепенеть. Он притянул меня ближе, обдав запахом сигар и сладкого одеколона.

— Тогда перейдем к сути нашей беседы. Я позвал тебя не ради праздной болтовни, — мягко проговорил он. — Нашира вот-вот подпишет тебе смертный приговор.

Предсказуемо — но тем не менее меня бросило в дрожь.

— Тогда давай простимся навеки. — Вопреки моим стараниям, голос предательски дрогнул.

— Это вовсе не обязательно. Казни можно избежать.

— Интересно, каким образом?

— Если согласишься работать на Саргасов. Я обещал переманить тебя на нашу сторону. Скоро меня назначат верховным надсмотрщиком во Втором Шиоле с правом лично отбирать ясновидцев для колонии. — Джекс ни на секунду не ослаблял хватку. — Поедем со мной, Пейдж. Я буду твоим наставником. В качестве моей протеже ты без труда поднимешься до «алой туники».

Новый Шиол. Новая преисподняя.

— И Нашира согласна?

— Ей нет резона убивать тебя. По крайней мере, пока твой фантом... не окреп. — Его пальцы впились мне в кожу. — Подумай, Пейдж. Только представь, мы с тобой снова вместе, как в старые добрые времена. Тебе откроются многие секреты ясновидения, мы оба постигнем его глубинную суть. Лучше так, чем отдать свой бесценный, уникальный дар на растерзание Нашире.

— Рано или поздно она им завладеет и превратит меня — живую или мертвую — в смертоносное орудие. Предпочитаю умереть сейчас и не мучиться.

— Оставь щепетильность, Пейдж, она тебя не спасет. — Джексон не отводил от меня глаз. — Ты воображаешь себя благородной героиней, а меня злодеем, но настанет день, и тебя, как и всех нас, поставят перед выбором. Тебе придется выбирать между собственными желаниями, пороками и общепринятой моралью... и этот выбор тебя ожесточит. Ты поймешь, что все мы — дьяволы в человеческом обличье, и монстры, обитающие внутри нас, непременно выходят на поверхность.

Я попятилась. Уже не в первый раз Джексон бросается пророческими заявлениями.

Дьявол.

Не обо мне ли изначально шла речь?

Может быть, монстр, затаившийся в недрах моего собственного подсознания, и есть мой главный враг?

Внешне я держалась спокойно, однако душу разрывали противоречия. Подобно мотыльку, меня влекло на огонек Джексона. Сердце замирало от страха перед болью и унижениями, каким меня собралась подвергнуть Нашира. Я боялась сломаться, боялась потерять рассудок.

Конечно, можно согласиться и отсрочить казнь. Я четыре года играла с Джексоном в его игры, поиграю и еще. Однако Нашира наверняка предусмотрела такой вариант и придумала, как поймать меня на крючок.

Кроме того, я слишком хорошо знала Джекса.

— Вряд ли Нашира согласилась безвозмездно, не потребовав чего-нибудь взамен.

Верховный надсмотрщик лучезарно улыбнулся:

— Скажи, где прячется Каста мимов.

Настало время прислушаться к картам Таро. Если сейчас отвечу, то заключу сделку с внутренним монстром.

— Даже не мечтай. Ни за какие сокровища на свете.

— Ты меня разочаровываешь, Пейдж.

— Взаимно. В «Категориях» ты писал, что огонь можно победить, имея жгучее желание выжить. Теряешь хватку, Таинственный Автор?

Джекс моментально закрылся и разжал пальцы.

— Утратил я только наивность и всегда старался действовать на благо нашему сообществу.

— И в чем выгода совместной работы с рефаитами?

— Мы нужны им, а они нам. Воевать с рефаитами точно бессмысленно — война не пойдет на пользу ясновидцам и не облегчит им жизнь, Пейдж. Нам необходимы стабильность и взаимовыгодное сотрудничество.

— А как к этому относится твое начальство?

— Республика Сайен не хочет войны.

— Да ну? А как тогда объяснить склад в Эдинбурге, военные заводы в Манчестере? — перечисляла я. — Вторая инквизиторская дивизия готовится к вторжению, вряд ли это моя скромная особа наделала столько шума. Кого они собираются захватить?

Джекс задумчиво созерцал блестящие воды Темзы.

— Сайен поддерживает шаткий мир со свободными странами. Несмотря на периодические вторжения, в целом мы не лезем на их территорию, а они на нашу. — Он немного помолчал. — Как ты, наверное, слышала, сейчас в архонте присутствуют послы двух европейских держав. Уивер пригласил их для демонстрации преимуществ «Экстрасенса», способного с предельной точностью определять паранормалов. Если послы вдохновятся, правительства обоих государств добровольно перейдут под эгиду Якоря. В противном случае... мои миротворческие надежды вот-вот рухнут.

Едва до меня дошел смысл послания, живот скрутило от страха.

В дверь постучали. Джексон отвернулся к окну.

— Наша аудиенция окончена. Нашира сделает тебе последнее предложение. Прими его, если хочешь жить. Подумай о себе.

Стук повторился.

— Господин верховный надсмотрщик, — донеслось из-за створки.

Внезапно меня захлестнули обида, жалость, сострадание к человеку, так бездарно растратившему свой талант. Я приблизилась и коснулась его щеки, гадая, как Джексон выглядел, прежде чем хирургический скальпель навсегда изменил его внешность.

— Досадно, что Белый Сборщик уподобился своим подопечным, стал пешкой на чужой доске... Не представляешь, как глубоко я разочарована.

— Можешь считать меня пешкой, однако я играю на разных досках. И помяни мое слово, до развязки еще очень далеко. — В бледно-голубых глазах отражалось солнце. — Но даже в недолгом статусе пешки я сумел преподать тебе ценный урок, лапушка. Люди всегда разочаровывают.

22

УЛЬТИМАТУМ

Мои опасения подтвердились. Как мы и предполагали, Сайен вознамерился расширить границы своих владений.

Легионер в коридоре упомянул испанцев. Выходит, их следующая цель — Испания. И Португалия, если в архонте гостят представители обеих стран.

Я мало смыслила в свободном мире, знала только, что Сайен активно пропагандирует свои ценности в надежде сподвигнуть остальные государства примкнуть к Якорю по доброй воле. Подобная тактика сработала со Швецией, купившейся на заманчивые лозунги: «Примкни к нам и избавь страну от паранормальной чумы!», «Присоединись к нам и обезопась свой народ!». Тех, кто не поддавался на увещевания, захватывали силой, как Ирландию. Однако вторжения обходились недешево — куда проще и практичнее расширять империю мирным путем.

Разумеется, не все шло гладко, на пути к мировому господству Сайену предстояло преодолеть множество препятствий. Правительства свободных держав опасались связываться с растущей милитаристской державой. Многих настораживали отнюдь не гуманные методы Сайена, хотя его правители всячески пытались скрывать массовые обезглавливания и повешения. Кое-кто сомневался в существовании ясновидения, а те, кто верил, боялись путаницы: не ровен час, ошибешься и примешь обычного человека за паранормала. Надин и Зик как-то обмолвились, что именно этот страх во многом путал Сайену все карты.

Однако теперь у сторонников Якоря появился веский аргумент — «Экстрасенс», который вычислял преступников с минимальной погрешностью. Почему бы и не подчиниться Сайену, если там разработали безошибочную методику, позволявшую отличать паранормалов от простых граждан? Методику, с помощью которой можно раз и навсегда очистить общество от криминальных элементов.

«Экстрасенс».

Снова все упиралось в него.

Дипломаты послужат лакмусовой бумажкой для финальной стадии эксперимента. Об огнестрельных сканерах власти, разумеется, умолчат, ограничившись демонстрацией классического «Экстрасенса» — если и это не убедит посланников принять сторону Сайена... тогда, и только тогда, грядет вторжение.

Меня швырнули обратно в камеру и снова ввели мне наркотик. В драгоценные секунды, предшествовавшие забытью, я успела сунуть полоску бумаги под матрас.

Джекс недвусмысленно намекнул, что аудиенция с Наширой состоится сегодня. Отличная возможность увидеться с Альсафи — помнится, в колонии он ходил за наследной правительницей хвостом. Надо не упустить шанс и передать ему добытую информацию.

Едва действие препарата выветрилось, об пол звякнул металлический поднос. Время кормежки. Вытащив листок, я скрючилась под дверью, вдали от вездесущего ока легионеров. А затем зубами разорвала нить, стягивавшую рану от ножа Стикса, и кровью нацарапала три слова:

БЕЗВРЕМЕННИК РЕВЕНЬ МОКРИЧНИК.

К появлению легионера записка была надежно спрятана. За отказ от еды меня вновь подвергли пытке водой.

Альсафи большой дока в языке цветов.

Безвременник — «мои дни сочтены».

Ревень — «совет».

Мокричник — «свидание».

Вечером меня опять выволокли из подвала. С наступлением сумерек в архонте кипела жизнь. По коридорам сновали чиновники, нередко выступавшие по «Оку Сайена». Священники в черных сутанах с белоснежными воротничками. Легионеры в сопровождении командующих. Солдаты. Подопечные Скарлет Берниш в алых мантиях сосредоточенно вносили информацию в датапэды, готовясь угостить публику очередной порцией вранья. Позвякивая стальными пряжками сапог, по мраморному полу скользили присяжные инквизиторских судов в мантиях, отороченных белым мехом. При виде меня многие останавливались, откровенно глазели и перешептывались.

В противоположном конце вестибюля с пачкой бумаг под мышкой стояла Скарлет Берниш. Безупречный макияж, элегантное бархатное платье с замысловатым кружевным воротником, волосы струятся до талии, наверху сетка из множества косичек.

Ее спутница тоже неоднократно мелькала по «Оку Сайена». Невысокая, с темно-синими глазами, аккуратным курносым носиком и бледной, почти прозрачной кожей. Иссиня-черные волосы были уложены в высокую прическу и унизаны рубинами. Платье из бордового шелка с воротничком цвета слоновой кости складками ниспадало до земли. В вырезе на груди поблескивало колье из розового золота, украшенное грушевидной формы бриллиантами. Наряд не скрывал интересного положения его владелицы.

— Люси, выглядишь просто великолепно, — восторгалась Берниш. — И какой у тебя срок?

— Почти четыре месяца.

Акцент беременной освежил мою память. Компанию вещательнице составляла Люси Менар Фрер, супруга и советница верховного инквизитора Франции.

— Какая прелесть! — Берниш улыбалась во все тридцать два зуба. — Детишки рады?

— Младшие в полном восторге, — засмеялась Люси. — А вот Онезим переживает. Ревнует к малышу свою *maman*. Хотя, когда родилась Милен, он ее всячески холил и лелеял...

При виде меня обе женщины замолчали. Фрер машинально положила руку на живот и обратилась к своим телохранителям по-французски; те моментально выстроились перед ней живым щитом. Берниш смерила меня взглядом и, попрощавшись с приятельницей, двинулась прочь.

Миновав очередной поворот, мы очутились перед двойными дверями с табличкой «Инквизиторская галерея». Прежде чем шагнуть внутрь, я тихонько достала из робы записку и спрятала ее в кулаке.

Еще с порога меня поразили масштабы помещения. Полы из алого мрамора (излюбленный цвет архонта); с высокого, украшенного лепниной потолка свисают три массивные люстры в обрамлении множества свечей.

Две противоположные стены были увешаны официальными портретами верховных инквизиторов, боковые стены украшали фрески. Слева висело огромное полотно в стиле ренессанс, изображавшее становление Сайена: на берегу реки Джеймс Рэмси Макдоналд с флагом наперевес обращался к экзальтированной толпе. Справа художник запечатлел на холсте начало Мэллоуновских восстаний: ошарашенные ирландцы стискивали окровавленные знамена, а солдаты с добродушными физиономиями дружелюбно протягивали им руки. Называлась картина «Ирландия отворачивается от Якоря».

Посреди живописного великолепия высился банкетный стол из палисандрового дерева, в углу поблескивал глянцем рояль. Во главе стола сидела Нашира Саргас; по правую руку от нее, облаченный в черную мантию с высоким воротником, устроился другой наследный правитель, Гомейса Саргас, чьи запавшие глаза смотрели на меня в упор. Кресло слева от Наширы пустовало, а место рядом с ним занимал Альсафи Суалокин.

Напротив него лучезарно улыбался Джексон, ну прямо точь-в-точь как за завтраком. Упорно не желает оставить меня в покое.

По обе стороны залы выстроились легионеры с винтовками, заряженными «флюидом». Моя сопровождающая подняла дубинку и постучала ею об пол:

— Госпожа наследная правительница, по распоряжению командира отряда заключенная номер двадцать пятьдесят девять сорок доставлена.

— Усадите ее, — распорядилась Нашира.

Меня провели мимо гостей и впихнули в кресло с высокой спинкой между Наширой и Альсафи, аккурат напротив Гомейсы.

Второй охранник потянулся за наручниками.

— Приковать ее, сюзерен?

— Не нужно. Сороковая прекрасно осведомлена, что плохое поведение карается водной доской.

— Как пожелаете, сюзерен.

У меня едва не вырвался вздох облегчения: дойди дело до наручников, легионеры заметили бы записку.

Я спрятала ладони под стол, чинно положив их на колени. Сопровождающие с поклоном удалились, и Нашира соизволила обратить на меня взор. Всматривалась так пристально, точно успела позабыть мое лицо. Ее черная аура чадила, сдавливала мне горло. Неподалеку вились пятеро фантомов, включая пресловутого полтергейста с Битвы за власть — того самого, кто терзал Стража.

Впрочем, владела она не только пятью. Шестой — самый могущественный — притаился где-то в здании.

Мой взгляд сосредоточился на тарелке с золотой окантовкой. От напряжения мышцы сводило судорогой. Я боялась поднять глаза на Альсафи, сидевшего совсем рядом.

Стоит мне выйти отсюда, и Нашира навсегда окажется вне зоны досягаемости. Может, прибегнуть к первоначальному плану и попытаться вытеснить ее фантом? Нет, безумная затея. Конечно, со времени нашей последней стычки мой дар существенно окреп, однако лабиринт противницы защищала многовековая броня, пробить ее в моем нынешнем состоянии невозможно.

— Какая неожиданная встреча, — протянула я, не вынеся гнетущего молчания.

— Не смей разевать рот без позволения сюзерена, ничтожество! — рявкнул Альсафи.

Голос, прозвучавший прямо над ухом, заставил меня содрогнуться.

— Должна признать, Сороковая, с нашей последней встречи ты проделала немалый путь, — заговорила Нашира. — Налет на тщательно охраняемый завод, убийство высокопоставленного чиновника, проникновение на засекреченный склад. Думаешь, ты решила загадку «Экстрасенса»?

Я постаралась сохранить невозмутимое выражение лица. Один неверный взгляд, малейшее движение, и Нашира поймет, что игра продолжается.

Я осторожно покосилась на бывшую невесту Стража, основательницу Сайена. В черном наряде с расшитыми золотом манжетами и топазами, светившимися в полумраке, она словно бы облачилась в звездную пелерину. Длинные волосы переброшены через плечо, каждый локон точно завиток начищенной медной проволоки.

— Немудрено, что ты нацелилась на ядро... Да вот только напрасная затея, откровенно говоря. «Экстрасенс» неуязвим.

Лгунья! Мне вспомнился лабиринт Вэнс, зачатки страха.

Второй наследный правитель — убийца Лисс — не проронил ни слова.

Гомейса, страж Саргасов, пугал меня больше всего. Рефаиты, эти бессмертные создания, казались существами без возраста, однако в облике Гомейсы угадывались высокомерие прожитых столетий и невероятная жестокость. Под выступающими скулами зияли впадины, глубоко посаженные глаза горели злым огнем.

Он наслаждался бойней в Дублине. Учинив ее, Вэнс исполняла его пожелание.

— Ты поступила правильно, решив сдаться, — вещала Нашира. — Лишившись главаря, Каста мимов воздержится от войны и кровопролития.

Моя ладонь коснулась бедра Альсафи. Тот сидел, положив руки на стол, но, ощутив мое прикосновение, слегка откинулся в кресле.

— Двадцать Второй, сыграй что-нибудь, — приказала Нашира.

Я обернулась. В углу, облаченный в фирменные цвета Сайена, застыл один из верных приспешников Саргасов, «алая туника». Он мало изменился, если не считать зашитого рта.

— Уверена, ты помнишь Двадцать Второго, — безучастно заметила Нашира. — После бегства твоей шпаны ему вменялось в обязанность охранять резиденцию «Сюзерен». К несчастью, он позволил убийце-Рантану скрыться.

Я действительно узнала Двадцать Второго. Он присутствовал на банкете, затеянном в честь «алых туник».

Тем временем юноша поклонился и сел за рояль.

Рука в перчатке тронула мое запястье. Записка перекочевала из моих пальцев в огромную ладонь.

— Думаю, пора рассказать Пейдж про Второй Шиол, — произнес Джексон, закуривая сигару.

Сердце лихорадочно забилось. Нашира милостиво кивнула Джексу, и тот расплылся в благодарной улыбке.

— Да будет тебе известно, — зажурчал бывший главарь мимов, попыхивая сигарой, — что, несмотря на твой бунт, рефаим верен своему обещанию, данному еще в одна тысяча восемьсот пятьдесят девятом году, а посему намерен и впредь защищать человечество от эмитов. Для этих целей во Франции возведут следующий Шиол. Как видишь, наследная правительница возместила урон, причиненный тобою в сентябре, и обезвредила Касту мимов.

Двадцать второй исполнял салонную песенку, однако постепенно мелодия менялась, менялась едва уловимо.

Всего два переиначенных куплета — и песню практически не узнать, если не помнишь ее наизусть.

В зале звучала «Молли Мэллоун», но не в привычной, классической аранжировке. В таком замедленном, мрачном виде повстанцы пели ее на похоронах Финна и Кайли. На долю секунды я перенеслась на родину, уничтоженную Сайеном. И мысли о прошлом придали мне сил.

— Хватит валять дурака! — рявкнул Гомейса, и музыка оборвалась. — Пора раскрыть Сороковой ее дальнейшую участь.

Внутри у меня все помертвело.

— Да, час пробил. — Глаза Нашира неограненными изумрудами сияли во мраке. — Время... увещеваний истекло.

Кровь отхлынула у меня от лица. А она продолжала:

— Сороковая, мы неоднократно давали тебе шанс реабилитироваться. Однако ты пренебрегла этой возможностью и продолжаешь в своем упорстве отстаивать идеологию Рантанов, целенаправленно игнорируя угрозу эмима. Сохранить тебе жизнь означает презреть законы Сайена. — Нашира сделала легионеру знак, и тот развернул передо мной рукописный свиток. — Ровно через десять дней, первого января, тебя казнят здесь, в архонте.

Документ оказался смертным приговором за подписью верховного судьи. Мой взгляд забегал по строчкам, различая отдельные слова вроде «признать виновной» и «отродье». Пальцы Джексона крепче стиснули набалдашник трости.

— Твой фантом останется со мной в качестве падшего ангела. Может, это научит тебя повиноваться, — заключила Нашира.

В ушах у меня звенело. Какая наивность: столько месяцев противостоять Сайену и надеяться избежать смерти. Наверное, отцу тоже предъявили такой документ.

— Наследная правительница, прикажешь отвести заключенную в камеру? — подал голос Альсафи.

— Позже. Хочу побеседовать с ней наедине.

После короткой паузы трое рефаитов поднялись из-за стола и удалились. Следом легионеры вывели Двадцать Второго, чью выходку не заметил никто, кроме меня.

Джексон слегка задержался, одарив меня напоследок выразительным взглядом: мол, одумайся, пока не поздно.

Двери закрылись, и мы остались вдвоем в гробовой тишине.

— Считаешь, люди того стоят?

Вопрос эхом прокатился по пустынной зале. Осторожно, ловушка. Нашира никогда не интересовалась человеческим мнением без веской причины.

— Отвечай!

— А рефаиты?

За окном висела убывающая луна. Нашира с безмятежным видом сплела пальцы.

— С восьми лет ты росла в созданной мною империи, — вещала наследная правительница, пропустив мои слова мимо ушей. — Тебе она чудилась неволей, пленом, однако из двух зол принято выбирать меньшее. Поверь, мы уберегли человечество от куда более страшной участи.

От хорошо поставленного голоса и ядовитой ауры собеседницы моя кожа покрылась мурашками.

— Едва ли ты слышала о процессах над ведьмами — весьма будничных по старинному английскому законодательству. В колдовстве тогда могли обвинить абсолютно любого, без малейших тому доказательств. Виновных сжигали на кострах, топили, а обвинители не только не испытывали угрызений совести, а, наоборот, гордились собой, своей сознательностью и тем, что они способствуют торжеству справедливости.

В ту далекую эпоху казни отличались... зрелищностью. За измену родине, как в твоем случае, преступника вешали, потом полумертвого снимали, вспарывали ему живот, вытаскивали внутренности, отрезали внешние половые органы. Труп четвертовали, а голову насаживали на кол — для устрашения. Публике нравилось.

А ведь совсем недавно я мнила себя бесстрашной.

— Рефаиты никогда не совершали подобных зверств по отношению к собратьям. И не совершат, даже при нынешних обстоятельствах, — резюмировала Нашира.

Я нервно сглотнула. И поинтересовалась:

— Не ты ли грозилась освежевать своего сородича?

— Только на словах, — отмахнулась моя собеседница. — Арктур понес справедливое наказание. Никакого садизма.

— Да на нем живого места нет. По-твоему, это не садизм?

Нашира не удостоила меня ответом. Шрамы и мучения Арктура Мезартима не волновали ее совершенно.

— До того как стать наследной правительницей, я обитала в исполинской обсерватории Саргасов, где столетиями изучала человеческую природу. Как выяснилось, внутри каждого из вас есть механизм, именуемый ненавистью, и заводится он очень легко, буквально с пол-оборота. Мне доводилось наблюдать войны и насилие. Убийства и рабство. Присущую людям жажду власти.

Очутившись на вашей земле, я воспользовалась знаниями, накопленными в обсерватории: в частности, о том, как сокрушительна бывает ненависть. Нам не составило особого труда обратить народный гнев против «паранормалов» и пообещать контролировать ситуацию. Так возник Сайен. — Нашира устремила взгляд в окно, на цитадель. — Империя, воздвигнутая на человеческой ненависти.

Последние остатки тепла покинули мое тело.

— Я не совершила ничего такого, чем бы вы, люди, не занимались тысячелетиями. Просто сразила вас вашим же собственным оружием. И не собираюсь останавливаться на достигнутом. — Она грациозно встала и направилась в противоположный конец залы. — Рантаны выставляют меня твоим заклятым врагом, но они слепы.

Я завороженно следила, как изящный силуэт скользит по полу.

— Очередная попытка помочь людям закончилась для Арктура плачевно — его предал Джексон, твой будущий наставник. В наказание я натравила на него некий фантом, чтобы не забывал, какова истинная природа человека.

Упоминание об Арктуре придало мне сил.

— Похоже, он не усвоил урок.

— Тирабелл Шератан основательно запудрила ему мозги, исказила представление о тех, кого он намеревается спасти.

Имя Тирабелл она произнесла таким зловещим тоном, что мне сделалось не по себе.

— Мы долго не вмешивались, однако, как показывает практика, люди не способны контролировать самих себя. Если останемся в стороне, вас уже не спасти — никогда.

— С чего вдруг такая забота, Нашира? Ты ведь неоднократно демонстрировала, что люди для тебя грязь.

— Истребив род человеческий, мы рискуем разрушить эфирный порог. И потом, кто-то ведь должен служить империи. Поддерживать естественный порядок, где вы самонадеянно мните себя на вершине иерархии. Досадное заблуждение. Настала эпоха рефаима.

С глаз точно пелена спала. До сих пор Нашира чудилась мне воплощением зла и бессмысленной жестокости, однако каждый ее шаг был просчитан до мелочей; она знала людей лучше нас самих. Мы добровольно вручили ей ключи от темницы.

Однако если у нас отнимут свободу, обратно ее уже не вернут.

— Здание, в котором мы находимся, — произнесла я в ответ, — спроектировано человеческим умом и возведено человеческими руками. Неограниченные в мечтах и талантах, мы воплощаем замыслы в реальность. Реализуем самые смелые фантазии.

Нашира не перебивала. Я не мешала ей говорить, а теперь настал ее черед слушать.

— Таковы люди. Мы создаем и исправляем созданное. Строим и перестраиваем. Да, на нашей совести немало пролитой крови и загубленных цивилизаций. Однако отречься от пороков можно лишь по доброй воле. Лиши нас свободы выбора — и, клянусь, мы никогда не исправимся. — Я смотрела на противницу в упор. — И я буду бороться за свободу до последнего вздоха.

Нашира вновь промолчала, глядя на Лондон, этот мегаполис, воздвигнутый человеческим трудом. Лондон, с его тайнами, историей и красотой, наслаивавшимися друг на друга, словно лепестки розы. Чем глубже проникаешь в его сущность, тем больше загадок встает на пути.

— Верховный надсмотрщик просил повременить с твоей казнью, — заговорила наследная правительница. — Для человека он довольно... проницателен. Уверяет, что якобы твой дар должен созреть, иначе мне не овладеть им в полном объеме. Сотрудники архонта испытали его по моей просьбе и пришли к выводу, что твои таланты не эволюционируют — или же ты просто слаба.

Значит, боль была проверкой, и я ее не выдержала.

— Однако выбор у меня невелик. Если других странников не подвернется, возможно, я и соглашусь на предложение верховного надсмотрщика. Отправлю тебя во Францию, под другим именем, и позволю жить обычной жизнью во Втором Шиоле.

— В обмен на что?

Ни один мускул на ее лице не дрогнул.

— Скажи, где скрывается Каста мимов.

Всего два слова отделяли меня от спасения. Достаточно произнести «кризисный центр», и казнь отменят.

Можно солгать и попытаться выиграть время. Можно назвать любую улицу или заброшенное здание.

— Если обманешь, тебя ждет мучительная смерть, — предупредила Нашира.

Нет, ее не переиграть. Пан или пропал.

Лучше уж пропасть.

— Я темная владычица Сайенской цитадели Лондон и останусь таковой до самого конца. В моих силах дать людям шанс. Предав Касту мимов, я лишу их надежды. А этого не случится. Никогда.

Повисло долгое молчание. Казалось, минуло несколько часов, прежде чем появился Альсафи.

— Наследная правительница, вы закончили с пленницей?

Нашира чуть заметно кивнула, во взгляде ни тени злости, только пустота. Колени у меня дрожали, однако я с надменным видом последовала за Альсафи прочь из галереи.

Я шла по коридору, опасаясь лишний раз поднять голову. За нами наверняка наблюдают. Альсафи должен подать мне знак. Наряд его остался прежним: черный старомодный костюм, на плечи наброшен плащ. Черты лица более подвижные, чем у других рефаитов, зеленые глаза полыхают огнем — верный признак неограниченного доступа к чужим аурам.

— У нас мало времени, — пробормотал Альсафи. — Твоя камера тщательно просматривается. О каком совете идет речь?

— «Экстрасенс» здесь, в архонте. Ядро спрятано под стеклянной пирамидой в комнате со светлыми стенами. Думаю, где-то наверху, в башне, к примеру, куда не забредут посторонние. Еще там есть белый свет. Очень яркий. Его наверняка видно снаружи.

Альсафи нахмурился: похоже, описание ему ни о чем не говорило.

— Ядро можно уничтожить, но я не сумею. Меня специально держат под препаратами, чтобы не странствовала. Вся надежда на тебя.

— Значит, оно здесь, — протянул рефаит тоном, не предвещавшим ничего хорошего. Кому приятно узнать, что все это время ядро было прямо у тебя под носом. Альсафи не странник, а вычислить «Экстрасенс» удалось исключительно благодаря моему дару. — Ты знаешь, как его деактивировать? — Не получив ответа, он продолжал: — Я не могу рисковать своим положением в архонте ради ничем не подкрепленных догадок. Глупо жертвовать собой просто так.

— Полной уверенности нет, — признала я, — но мы нашли доказательства.

Альсафи стиснул зубы.

— Ядро подпитывает один из падших ангелов Нашиpы, заключенный посредством ее крови в стеклянную сферу. — Я понизила голос до едва различимого шепота. — Разбив оболочку, ты освободишь фантом.

— По-твоему, это обезоружит сканеры?

— Да.

Интуиция подсказывала, что дело обстоит именно так. Ядро нельзя перемещать, для бесперебойной работы сканеров оно должно храниться в надежном, тщательно охраняемом месте.

Альсафи ни на секунду не сбавлял шаг.

— В твоих доводах есть резон. С высвобождением фантома его энергия рассеется, и батарея перестанет функционировать. Даже если мы столкнулись с иной формой эфирной технологии... без фантома она существенно ослабнет или самоликвидируется. — Он замедлил темп, пытаясь выиграть время. — На днях приедет палач. Я не сумею организовать твой побег.

— Знаю.

Рефаит покосился на меня.

— Безвременник. — Пауза. — Ты и не собиралась бежать.

Фраза повисла в воздухе.

Вскоре мы поравнялись с дверью в подвал, кишащий легионерами. Поприветствовав Альсафи, они бесцеремонно втолкнули меня в камеру.

23

АПРИОРИ

Десять дней до казни. Томительная отсрочка, призванная окончательно подорвать мой дух. Меч — слишком мягкая кара для мятежницы, что осмелилась выступить против наследной правительницы. Вероятно, Нашира уготовила мне мучительную смерть из числа тех, которые она живописала накануне. Последняя попытка убить мою веру в людей. Рефаиты хотят сломить Пейдж Махоуни, заставить молить Джексона о пощаде, заклинать забрать ее во Францию.

Не дождутся. Я смиренно готовилась к смерти, но, прежде чем упокоиться в эфире, нужно убедиться, что Альсафи уничтожил «Экстрасенс».

Очередную порцию наркотиков я принимала с благодарностью, безропотно вверяя себя легионерам, подставляя вены под иглы, прикосновения которых уже давно не чувствовала. Наркотики притупляли страх напрасной гибели. Пока Альсафи отказывался или не мог принять меры, Каста мимов продолжала томиться в Подполье.

Как-то ночью легионеры вытащили меня из камеры и снова подвергли пытке водой — исключительно забавы ради. А после отволокли назад, промокшую, истерзанную, и сунули поднос с ужином. Я давилась, но ела и внезапно обнаружила на дне чашки записку. Буквы расплылись, однако мне удалось различить единственное слово: «ЩАВЕЛЬ».

От сердца немного отлегло. Щавель символизирует терпение. Альсафи ждет подходящего момента, чтобы подобраться к ядру, не вызывая подозрений. Хоть какое-то утешение.

Однако шли дни, а вестей все не было. В пищу больше не подкладывали записок.

31 декабря 2059 года,
канун Нового года

Меня разбудил луч света, направленный прямо в глаза.

— С добрым утречком, темная владычица, — злорадствовал легионер. — Настал твой смертный час.

Меня отвели на верхний этаж архонта, где располагались официальные помещения, и втолкнули в другую камеру с решетчатой дверью.

Юбилейный год решили отпраздновать с размахом на Олимпийском стадионе, предназначенном сугубо для проведения церемоний. В противоположном конце коридора висел экран, позволявший следить за трансляцией.

К месту событий, оживленно беседуя, стекались высокопоставленные чиновники и министры. Поравнявшись с моей камерой, многие останавливались поглазеть. В их числе были начальник разведки, тучный министр культуры, глава транспортного министерства — с землистой физиономией и носом, выдававшим пагубное пристрастие к алкоголю. Люси Менар в компании французских эмиссаров долго таращились на меня, как на какого-нибудь уродца из кунсткамеры. Всем любопытным я отвечала немигающим взглядом. Когда французской делегации наскучило зрелище, они поспешили прочь, однако Люси задержалась у решетки и положила руку на округлившийся живот:

— Какое счастье, что мои дети будут расти в мире, избавленном от такой напасти! — Выпалив последнюю фразу, она стремительно удалилась, не дав мне возразить.

Понятно, почему меня перевели сюда: выставили на всеобщее обозрение, как военный трофей.

Вскоре нагрянул Джекс — попрощаться. В глазах его читалась неподдельная грусть.

— Ну вот и все, — произнес он со смесью злости и горечи. — У тебя была возможность исправить положение, но ты ее отвергла.

— Я сделала свой выбор. Это называется свобода, Джекс. То, ради чего я сражалась.

— И сражалась так исступленно, — вздохнул он, отворачиваясь. — Прощай, лапушка. Мне будет не хватать тебя, мой незаконченный шедевр, утраченное сокровище. Но учти: я не люблю ничего бросать на середине — ни проекты, ни интриги. Как знать, вдруг наша игра только начинается.

Мои брови поползли вверх: да он точно спятил.

Послав мне напоследок ослепительнейшую из улыбок, Джексон скрылся из виду.

К несчастью, этим визиты не ограничились. Следом нагрянул Бернард Хок, главнокомандующий легионеров, один из немногих ясновидцев в архонте, знакомый мне по колонии. В парадном костюме он явно чувствовал себя неуютно.

— Рано лить слезы, сучка, — процедил Хок, вонзая мне в кожу иглу. — Отдыхай пока. После торжества придет палач... вот тогда и порыдаешь.

Собравшись с силами, я отпихнула мучителя.

— Тебя самого-то от себя не тошнит, а, Хок?

Он молча отвесил мне затрещину и хлопнул дверью. Постепенно разговоры в коридоре стихли.

Продрогшая до костей, я съежилась в уголке. Вскоре послышались шаги — к камере приближались Саргасы в сопровождении Уивера и самых высокопоставленных чинов, включая Патрицию Оконма, заместителя верховного командора. Очевидно, они направлялись на торжество.

Замыкал колонну Альсафи. При виде его волосы у меня встали дыбом.

Никто из сильных мира сего не удостоил меня взглядом. Поравнявшись с дверью, Альсафи незаметно вытащил из кармана листок и бросил его мне сквозь прутья. Едва процессия свернула за угол, я схватила послание.

ПОСКОННИК ЛЕДЯННИК КЛЕМАТИС
ЭПИГЕЯ ПОЛЗУЧАЯ

Посконник — «задержка». Ледянник — «от взоров твоих столбенею». Клематис — два варианта: либо «ясный рассудок», либо «уловка», «хитрость». Эпигея ползучая — «упорство».

Я перечитала записку. Ну и как это расшифровать?

«Задержка» — «Экстрасенс» не уничтожен.

«От взоров твоих столбенею» — за Альсафи следят.

Привалившись к стене, я обхватила колени руками, словно боялась рассыпаться на части. Непонятно, к чему относятся упорство и ясный рассудок, но очевидно одно: Альсафи не преуспел.

И от меня тоже мало проку. Наркотик уже отравил организм, и буквально через пару часов состоится казнь.

В порыве отчаяния я уронила голову на грудь. Меня все-таки растоптали, Нашира и Хилдред Вэнс добились своего. Мой дар сократился до бесполезного радара. Плечи сотрясались от безмолвных рыданий. Сердце переполняла ненависть. Кем нужно себя возомнить, чтобы добровольно капитулировать и в одиночку пытаться одолеть архонт? Идиотка, тупая, самонадеянная идиотка!

Дрожащими руками я развернула записку. Эпигея ползучая символизирует упорство. Чушь какая-то. Как Альсафи думает упорствовать, если за ним следят?

Я смяла листок в кулаке.

Клематис: либо «ясный рассудок», либо «уловка». Интересно, которое из этих двух значений относится ко мне и что Альсафи имел в виду?

«Если угодишь в лапы Наширы, обратно уже не выберешься. Она заточит тебя в подземелье и высосет все соки, всякую надежду до последней капли».

В коридоре вдруг грянула музыка. На мониторе замелькали кадры с прямой трансляции празднования. Трибуны были увешаны черными полотнищами с золотыми якорями в центре исполинских белых кругов. С верхних ярусов открывался лучший вид. Мелкие сошки, обладатели дешевых билетов, устроились по краям необъятной оркестровой ямы и, вытянув шеи, пытались разглядеть подмостки.

«Досточтимые граждане Сайенской цитадели Лондон, — загремел из динамиков голос Скарлет Берниш, — приветствуем вас на Олимпийском стадионе!»

Поднялся оглушительный рев. Усилием воли я заставила себя сосредоточиться.

И внимать триумфу Сайена.

«Сегодня мы празднуем наступление нового, особенного года, знаменующего новые успехи для Якоря — символа надежды в безумном современном мире. — Шквал аплодисментов. — Прежде чем пробьет полночь, погрузимся в два столетия нашей блистательной истории. А помогут нам в этом выдающиеся таланты Сайена. Отметим свои нынешние достижения и положим начало грядущим. Вместе мы расширим границы, укрепим основы. Министр культуры торжественно представляет — грандиозное празднование!»

Под несмолкающие овации сцена пришла в движение. Значит, шоу. Или послание от Вэнс. *«Взгляни на наше несокрушимое могущество. На мощь, которую ты не смогла одолеть»*.

Платформа поднялась, в полумраке софитов детский хор затянул «На якоре Сайена стоим мы». Под гром аплодисментов юные певцы отвесили публике степенный поклон.

Декорации сменились, и взору предстали древние символы монархии. Мужчина в костюме Эдуарда VII в окружении статистов в пышных нарядах Викторианской эпохи танцевал под задорную мелодию скрипки. С появлением стола для спиритических сеансов танец сделался более исступленным; нам рассказывали историю возникновения Сайена, изрядно отредактированную, без упоминания рефаитов. Прожекторы ослепительно вспыхнули, на сцену выскочили новые актеры и принялись исполнять оскорбительные акробатические номера вокруг Эдуарда VII. Последний изображал короля, погрязшего во зле, а танцоры — паранормалов, которых он выпустил на свободу. Похожий сценарий разыгрывали на Двухсотлетнем юбилее в колонии.

Очередная смена декораций. На сей раз взорам публики предстал театр теней, актеры выстраивались в небоскребы и башни, пока танцоры падали на колени. Возрождение Лондона на обломках монархии. Музыка гремела. Сайен праздновал победу.

Сцена внезапно опустела. Погасли огни. В зыбком свете софитов актеры вернулись — бесстрастные и молчаливые.

В центре подмостков на цыпочках застыла женская фигурка в узорчатом корсете и черной юбке, волосы сколоты в узел на затылке. Всякий узнал в ней Марилену Брашовяну, прима-балерину и звезду саейнского Бухареста, чьи номера неизменно включали в программу государственных церемоний.

Брашовяну не шелохнулась — вылитая фарфоровая статуэтка. Камера взяла ее крупным планом, давая публике рассмотреть детали костюма. Внутри у меня все оборвалось: юбка балерины была сшита из сотен шелковых мотыльков.

Она изображала Черную Моль.

Меня.

На стадионе воцарилось молчание. Под мелодичный и вместе с тем безумный аккомпанемент фортепьяно Брашовяну порхала по сцене. Второй танцор в образе Кровавого Короля схватил девушку за руку и завертел юлой. Я завороженно наблюдала за их па-де-де. Вот она, Черная Моль — наследница Кровавого Короля, страшного грешника, предвестника паранормального.

Темп нарастал. Брашовяну исполняла фуэте за фуэте, по сцене метались алые вспышки, гремела музыка. Кровавый Король поднял балерину над головой и снова привлек к себе. Черная Моль покорялась злу. Массовка держала плакаты с надписями «Свобода», «Справедливость», «Естественный порядок». Притаившаяся в тени армия ворвалась на подмостки, и актеры с плакатами повалились навзничь, сраженные меткими выстрелами. Кровавый Король плавно опустил Черную Моль на землю. Брашовяну шагнула в луч прожектора, высоко воздев руки. Момент моей смерти в Эдинбурге.

Восхитительное зрелище.

Мое убийство обставили с помпой.

Брашовяну медленно двинулась на середину сцены. Зрители затаили дыхание. Гордо подняв голову, балерина заговорила; в глазах ее полыхала ненависть.

— Мы должны объединиться — или проиграем! — Слова, сказанные в микрофон, разнеслись по стадиону, проникая в каждый дом.

Я не верила своим ушам. Брашовяну повторила мой призыв к революции, повторила перед всем Сайеном. Уму непостижимо. Камера, направленная на правительственную ложу, зафиксировала натянутые улыбки чиновников и снова метнулась к сцене. Повисло тягостное молчание.

Выходка балерины явно не входила в программу.

Брашовяну поклонилась, потом достала из прически серебряную шпильку и воткнула ее себе в горло.

Из оркестровой ямы донеслись истошные крики. Лишь те, кто сидел вплотную к подмосткам, видели, как из раны хлынула кровь. Шпилька выпала из хрупких пальцев. Остолбенев, я смотрела на алые потоки — вне всяких сомнений, подлинные.

Танцовщица опустилась на землю — грациозная даже после смерти. Заиграл оркестр. Ее партнер с гарнитурой в ухе поднял бесчувственное тело высоко над головой, исполнил грациозный пируэт и с деревянной улыбкой исчез за кулисами. Публика, за исключением потрясенных сошек, восторженно хлопала.

Нечто странное зрело у меня внутри. Марилена Брашовяну, уроженка Румынии, своими глазами наблюдала вторжение и выбрала сегодняшнюю ночь, чтобы обагрить своей кровью пышную ложь Сайена.

Легионер забарабанил по прутьям решетки:

— Сороковая, подъем!

Одна рука манила меня. Другая сжимала шприц. Очередная доза.

Наркотик.

Кожа мгновенно покрылась мурашками. Вид иглы отрезвил меня, рассеял пелену, навеянную празднеством.

Ясный рассудок.

Мой рассудок был ясен как никогда. Никакого помутнения. Зрение четкое, фантом готов к бою.

Первый укол оказался пустышкой.

— Шевелись, девочка, — скомандовал легионер.

Я покосилась на свои ладони. Не трясутся.

Уловка.

Альсафи. Очевидно, он подменил шприцы. Мне вкололи что-то безобидное, вроде физиологического раствора. Как удачно: здание почти опустело, все отправились на торжество. Пока мероприятие не закончится, лишь горстка легионеров отделяла меня от «Экстрасенса».

Упорство.

Легионер наставил на меня пистолет:

— Иди сюда. Живо.

— А если не послушаюсь? И что ты сделаешь? — промурлыкала я. — Выстрелишь? Наследная правительница с тебя шкуру спустит.

Дуло не опустилось, однако мне уже случалось смотреть в лицо смерти, и ничего — выжила. Выругавшись, легионер сунул пистолет в кобуру, снял с пояса связку и принялся перебирать ключи. Досадная оплошность. Ярость бурлила во мне, воспламеняя кровь. Огонь ненависти разгорался все ярче.

Легионер распахнул дверь и тут же повалился навзничь, сбитый моим телом как тараном. Мы покатились по полу. Моя ладонь легла противнику на лицо, сдавливая что есть мочи, пока он не выпустил оружие. Руки у меня тряслись, пока легионер отчаянно хватал меня за волосы, шею, царапал плоть. Замахнувшись, я ударила его прикладом по виску, потом еще раз и еще, пока не брызнула кровь. Подобрав связку, я втащила бездыханное тело в камеру и дрожащими пальцами заперла дверь.

Слева раздались шаги. Сжимая пистолет и ключи, я метнулась в противоположную сторону, босые ноги бесшумно скользили по мрамору.

Не одна Марилена Брашовяну омрачит сегодня Сайену триумф. Если мне суждено умереть, то пусть хотя бы Каста мимов обретет свободу.

С бешено колотящимся сердцем я свернула за угол, повторяя про себя как молитву: «Только не смотрите камеры, только не смотрите камеры». Ощущение эфира вернулось, позволяя благополучно миновать охранные посты и не нарваться на Вэнс, притаившуюся в здании.

Фантом витал в поисках комнаты со стеклянной пирамидой и вскоре обнаружил ее в дебрях архонта. Я упорно ковыляла по мраморному полу, стараясь не обращать внимания на боль. По необъятному периметру здания сновали два отряда легионеров. Фантом слишком поздно засек чужой лабиринт: пришлось юркнуть в кабинет министра финансов и, обливаясь холодным потом, спрятаться за шторой. Одно неверное движение — и меня вновь запрут в камере, откуда уже не выбраться. Даже без воздействия препаратов моя форма оставляла желать лучшего: в таком состоянии физическую схватку не выиграть.

Когда легионер удалился на приличное расстояние, я тенью выскользнула из кабинета обратно в лабиринт, потом поднялась вверх по лестнице. «Экстрасенс» явно располагался где-то выше.

Тускло освещенный коридор второго этажа пустовал. Темнота слегка упокоила натянутые до предела нервы. Сигнал шел откуда-то сверху, надо было только понять, откуда именно.

Скорее всего, ядро спрятано в одной из двух башен, венчающих архонт по краям. Башня инквизитора служила по совместительству звонницей. А вот вторая...

Пальцы лихорадочно перебирали ключи. Ни единого с пометкой «башня Виктории». С другой стороны, о хранилище знали лишь Вэнс и наследные правители, только они имели туда доступ.

Стряхнув оцепенение, я снова тронулась в путь. Большинство дверей в здании запирались электронными замками, но наверняка они были снабжены и обычными, механическими — в противном случае легионеры не таскали бы с собой тяжелые связки. Электроника — штука тонкая, может сломаться в любой момент, а ключ никогда не подведет.

Внезапно включилась охранная сигнализация. Пульс у меня зашкаливал. Неужели мой побег вскрылся или это выходка Брашовяну активировала тревогу? На окна опустились металлические жалюзи, вокруг заметались бело-голубые лучи аварийного освещения. Адреналин хлынул по венам, прогоняя боль. Благополучно миновав очередную группу легионеров, я очутилась в вестибюле, устланном черным пушистым ковром, и с окнами вдоль стены. Коридор упирался в сводчатую, утыканную шипами дверь с табличкой «башня Виктории». Дыхание участилось. Ядро находилось прямо надо мной.

Без особой надежды я повернула ручку.

Та легко поддалась.

Я медленно толкнула створку. Наверняка ловушка. Вэнс не оставила бы тайное хранилище без охраны. Однако какая бы западня ни подстерегала за порогом, это мой единственный шанс. Я шагнула в темноту и плотно затворила за собой дверь.

Откуда-то из недр помещения тянуло сквозняком. Вокруг царил кромешный мрак. Винтовая лестница обвивала подобие колодца, пробитого в полу; сквозняк шел оттуда. Перегнувшись через край, я увидела, что колодец простирался до центрального вестибюля, по которому мчался отряд легионеров с зажженными фонарями. Выждав, пока все стихнет, я принялась карабкаться по ступеням; мышцы не повиновались, голова раскалывалась от боли и усталости. Каждый шаг давался с неимоверным трудом, пальцы судорожно перебирали по перилам. Мускулы атрофировались от долгого заточения, колени подкашивались под тяжестью собственного веса. После первого падения я думала, что уже не встану. Ладони нащупали следующую ступеньку, однако с каждой секундой мне все больше чудилось, что я стою у подножия горы с неприступной вершиной.

«Тебе и прежде случалось восставать из пепла».

Ладони судорожно вцепились в перила. Шаг. Второй. Третий.

«Выживает лишь тот, кто верит в себя».

Добравшись до верхней площадки, я рухнула на колени, содрогаясь всем телом. Откуда-то сочился свет. Еще немного... Поднимайся.

Мои шаги гулко отдавались под сводами. Преодолев несколько метров, я очутилась в высшей точке башни, под самой крышей.

Взору открылась стеклянная пирамида, подсвеченная снизу, ее острый конец упирался в потолок. А прямо под ней, заключенный в прозрачную сферу, — образ, явившийся мне в лабиринте Стража; образ, украденный из сознания Хилдред Вэнс. Ядро. Таинственный элемент, питавший каждый сканер, костяк «Экстрасенса». Теперь его сущность предстала передо мной во всей красе.

В сфере бился фантом немыслимой силы. От переизбытка энергии окружающий эфир отчаянно вибрировал. Наши догадки подтвердились.

Тайна раскрыта.

— Пейдж Махоуни.

Волосы у меня на затылке встали дыбом.

Я узнала этот голос.

Из тени вышла женщина. В бледном свете, пробивавшемся с потолка, она напоминала оживший скелет.

— Хилдред Вэнс.

Ей удалось обмануть меня, сокрыть свой лабиринт от всевидящего ока фантома. Поистине, сколько неведомых нам загадок таит эфир.

Вэнс застыла натянутой струной, в лице ни кровинки. Я была уверена, что не испугаюсь, однако облик верховного командора навевал суеверный страх. Меня бросило в жар при виде железной длани Якоря, человеческого воплощения амбиций рефаитов, убийцы моего отца и двоюродного брата.

Она охотилась за мной по всей стране, использовала мою бесценную, хрупкую ауру для укрепления своей сокрушительной мощи. Она контролировала мою жизнь с тех пор, как мне исполнилось шесть.

И вот теперь, спустя тринадцать лет, мы наконец встретились.

Взгляд Вэнс метнулся от ядра ко мне. В угольно-черных глазах чудилось презрение. Впрочем, только чудилось. В них не было ни пыла, ни огня. Если Джексон прав, и все мы — дьяволы в человеческом обличье, то Вэнс давно сбросила маску. После десятилетий, проведенных в обществе рефаитов, от человеческого в ней осталась лишь оболочка.

Ко мне она не испытывала даже ненависти. Много чести для такого ничтожества. Судя по ее, если так можно выразиться, реакции, я воплощала вражеский объект, подлежавший немедленному устранению.

— Еще до того, как ты нагрянула в мой лабиринт, я разгадала твой план. Ты изначально нацелилась на

«Экстрасенс». — Командор вновь покосилась на сферу. — Надо признать, ты почти обвела меня вокруг пальца. Предсказуемо отреагировала на вторжение в Эдинбург; мы детально воссоздали кошмар твоего детства в надежде, что ты капитулируешь, поскольку не захочешь допустить повторения истории. Все шло по плану. Сломленная душой и телом узница гниет в темнице. Однако, как и я подозревала, тобою руководил тонкий расчет.

Я слушала, не перебивая.

— Троянский конь, — продолжала Вэнс. — Древняя военная хитрость. Принеси дар врагу и проникни в его дом. Ты поняла: если сдашься, мы сами приведем тебя к ядру. Достаточно лишь прикинуться побежденной. — Костлявые руки сомкнулись за спиной. — Гражданский долг требовал от меня отлучиться из архонта, чем ты незамедлительно воспользовалась. Думаю, не без помощи кого-то из высших чинов.

— Ошибаешься, — фыркнула я. Тем временем Вэнс снова обозрела ядро. — Кстати, довольно смело с твоей стороны сойти с экрана. А теперь позволь спросить: ты помнишь имена тех, чьи жизни украла?

Ответа не последовало. Взвесив все за и против, Вэнс сочла за лучшее промолчать.

— Ты убила не только моего отца, Койлина О'Матуну. Тринадцать лет назад по твоей вине погибли мой двоюродный брат, Финн Маккарти, и безоружная девушка Кайли Ни Дорнан. — Мой голос дрогнул, произнося имена. — Ты убила тысячи невинных людей. Однако, заглянув в твой лабиринт, я увидела кровь на своих собственных руках. Ты искренне веришь, что на моей совести больше загубленных душ?

Снова молчание.

Вэнс выжидала. Интересно чего. В следующую секунду ее взгляд сместился к ядру. Уже в четвертый раз.

Верховный командор нервничала.

Значит, ядро уязвимо. Его можно уничтожить.

Обнаружить эктоплазму не составило труда. Испуская зеленоватое сияние, флакончик изумрудной жидкости удерживал фантом внутри сферы. Один из подопечных Наширы, ее падший ангел. Сотни тончайших, видимых лишь эфиру ниточек расходились от него к сканерам по всей цитадели, по всей стране.

Нельзя подчинить фантом, не зная его имени. Но если уничтожить защитную оболочку, энергия рассеется и нити оборвутся.

Вне всякого сомнения.

Я взвела курок. Вэнс моментально прицелилась в меня из пистолета:

— Он прикончит тебя, выстрелом ты ничего не добьешься. Фантом по-прежнему будет подчиняться сюзерену и продолжит питать «Экстрасенс».

Я не шелохнулась.

Сложно понять, врет она или говорит правду. Шансы пятьдесят на пятьдесят.

— Ты умрешь напрасно, — увещевала меня Вэнс.

Может, и так.

Но верховный командор неспроста нарушила молчание. Зачем ей рассказывать, как устроен «Экстрасенс»? В чем выгода? Если только...

Если только Вэнс не врет.

А лгала она исключительно по необходимости.

— Ты хорошо разбираешься в людях, — нарочито медленно протянула я. — Однако ты допустила одну фатальную ошибку.

Противница опять покосилась на ядро, потом на меня.

— Ты вообразила, будто я надеюсь выбраться отсюда живой.

Вэнс взглянула на меня в упор, и в самой глубине черной пропасти ее глаз мелькнуло — буквально на долю секунды — чувство, на какое эта женщина, казалось, была не способна.

Сомнение.

Верховный командор колебалась.

Я спустила курок. Стеклянная сфера разлетелась вдребезги, высвободив скопившуюся за долгие годы энергию; флакончик с эктоплазмой упал и разбился прямо у моих ног. Обагренная кровью рефаитов, я бросилась на пол в попытке увернуться от пуль Вэнс. Теперь надо бежать. Однако очутившийся на воле фантом обрушился сверху и схватил меня за горло.

Полтергейст. Разъяренный, кровожадный призрак. Наследная правительница приказала ему питать устройство, а мой выстрел нарушил установленный порядок. Полтергейст швырнул меня об стену. Из носа хлынула кровь. Пистолет откатился в сторону.

Вэнс как истинный стратег знала, когда отступать. Но стоило ей попятиться к двери, призрак отбросил меня в сторону и с грохотом захлопнул массивную створку. Вэнс оцепенела. Чуждая эфиру, она понятия не имела, откуда ждать атаки. Поднявшись на четвереньки, я взглянула на останки сферы.

Верховный командор не обманула; «Экстрасенс» попрежнему функционировал. Огонь ни капли не померк.

— Ты подчиняешься наследной правительнице, — властно обратилась Вэнс к фантому. — Мы оба служим сюзерену.

Я поспешила туда, где валялся пистолет.

Если я умру сегодня, Хилдред Вэнс отправится следом за мной в преисподнюю.

Полтергейст среагировал мгновенно, опрокинул меня навзничь и навалился всем весом. Невидимая толща приковала меня к полу. Из треснувшей сферы посыпались искры, на стенах заплясали причудливые тени, пока падший ангел выдавливал из моего обмякшего тела последние крупицы жизни, парализуя лабиринт. На коже застыл пот. Воздух не поступал в легкие. Угол зрения сузился до столпа света, исходившего из ядра.

Полтергейсту невозможно противиться. Но и не противиться тоже невозможно. В отчаянии я попробовала странствовать, но сил не хватало. Материальный мир вокруг нас трещал по швам.

Перед глазами вспыхивали разноцветные пятна. Лабиринт грозил рухнуть в любой момент. На почве кислородного голодания начались галлюцинации. Вот Ник улыбается мне из залитого солнцем цветущего сада. Отец незадолго до смерти. Элиза хохочет на рынке. Следом привиделся Страж. Я ощущала прикосновение его рук, губы, прильнувшие к моим губам за алыми драпировками.

Распустившийся амарант. Внезапно в ушах зазвучал голос Джексона:

«Как знать, вдруг наша игра только начинается».

С затухающим взором я инстинктивно выставила вперед левую руку в надежде оттолкнуть полтергейст. Почувствовала давление, но ладонь не убрала. Шрамы, полученные на маковом поле, горели огнем.

Давление вдруг ослабло. Полтергейст сдавал позиции.

Внезапно в ладонь словно бы вонзили иглу. Боль стремительно нарастала, тело сотрясалось в беззвучном крике — на мгновение полтергейст отступил. Жадно хватая ртом воздух, я прошептала: «Прочь!»

Дальше все было как в тумане. Стеклянная пирамида задрожала и в долю секунды, показавшуюся мне вечностью, рассыпалась на части. Нас с Вэнс раскидало в разные стороны.

Темноту озарила ослепительная вспышка, и все погрузилось во мрак.

24

ПЕРЕПРАВА

1 января 2060 года
Новый год

И снова пробуждение как в загробном мире.

Эфир манил меня в свои объятия, нашептывал на ухо, призывая забыть прежние горести, отречься от бренного тела. Сквозь приоткрывшиеся веки различалась бледная ладонь, усыпанная осколками. Выше рука переливалась бриллиантами и расплавленными рубинами. Даже ресницы вспыхивали самоцветами. Я распростерлась, точно ожившая шкатулка с драгоценностями, упавшая звезда. Некогда живая плоть обратилась в хрусталь. Из дыры в потолке, куда вылетел полтергейст, немилосердно сквозило. Стоило мне шелохнуться, как с волос градом посыпалось битое стекло. Белый огонек погас. В эфире зияла огромная брешь — все, что осталось от «Экстрасенса». Со временем она затянется.

Перед смертью необходимо решить последнюю задачу. Я поднесла дрожащую ладонь к глазам. Вырезанные полтергейстом буквы соединялись с хитросплетением шрамов, образуя единственное слово — «семья».

Я вновь откинулась на мягкое травянистое ложе. Друг говорил: знания таят в себе опасность. После смерти я постигну все тайны эфира. Разыщу остальных и буду незримо оберегать их, помогу на новом этапе игры, в войне, начавшейся сегодня.

Шаги по траве. Кто-то приподнял меня за плечи, во мраке засветились изумрудные глаза — рефаит.

— Странница, очнись.

Сквозь пелену проступили знакомые черты.

— Оставь меня, Альсафи, — пробормотала я. — Уходи.

Он разжал мой левый кулак и уставился на отметины.

— Я того не стою. — Язык едва ворочался от усталости. — Со мной покончено. Не ввязывайся.

— Кое-кто не согласится с такой оценкой. — Альсафи подхватил меня на руки. С губ сорвался стон. Осколки, унизывавшие мое тело, жалобно зазвенели. — Твой час еще не пробил.

Сунув мне пистолет, Альсафи направился к выходу. Сражение продолжается. Обернувшись, я различила в углу скрюченную фигуру Вэнс. Ей тоже изрядно досталось. Всемогущий командор истекала кровью, как простые смертные. Надо попросить Альсафи вернуться, убедиться, что она мертва. Однако в последний момент сознание меня покинуло.

Очнулась я у подножия лестницы, щека прижата к камзолу Альсафи. Едва мы свернули в коридор, застеленный черным ковром, моя рука легла на плечо спутника.

— Лабиринт, — прошелестела я. Вопреки слабости, фантом уловил чужое присутствие. Рефаит. — Нашира.

Альсафи застыл как вкопанный. Спрятаться было негде.

— Сиди тихо, — торопливо заговорил он. — Если со мной случится беда, отправляйся в кабинет верховного инквизитора. Там есть потайной ход наружу. Мой агент тебя встретит.

— Альсафи...

— Передай Арктуру... — Он осекся. — Передай, я надеюсь, что это искупит мою вину.

Мне о стольком хотелось его спросить, но время поджимало. За спиной поблескивала рукоять меча: Нашира преградила нам путь.

При виде меня ее глаза превратились в раскаленные угли. Наследная правительница словно бы сошла прямиком из преисподней, прихватив с собой частичку адского пламени.

— Альсафи!

— Сюзерен, у меня дурные вести из башни. Верховный командор тяжело ранена. «Экстрасенс» уничтожен. — Он специально говорил по-английски, чтобы я могла понять.

— Разумеется, мне известно про «Экстрасенс». — Спокойный, размеренный тон Наширы вселял в меня панический страх. — Вэнс сейчас окажут медицинскую помощь. Отнеси Сороковую в подвал, немедленно.

Меня стала бить крупная дрожь. Альсафи не двинулся с места; я не столько услышала, сколько почувствовала, как он перевел дух. Когда Нашира в нетерпении обернулась, он посмотрел на нее в упор.

— В чем дело, Альсафи?

Тот напрягся всем телом. Нашира шагнула вперед.

— Должна признать, меня удивляет, как простая смертная, а в особенности узница, сумела натворить столько дел за такой короткий промежуток времени. Без посторонней помощи Сороковая не осилила бы и половины своих подвигов. Сбежать из Лондона при действующем военном положении. Кочевать из цитадели в цитадель. Добраться до ядра. — Еще один шаг. — Без сообщника тут явно не обошлось.

Не мешкая, Альсафи сгреб меня в охапку и побежал.

Алый ковер. Облицованные деревом стены. Боль, проникающая в каждую клеточку тела. Рука в перчатке отдернула гобелен, повернула ключ, толкнула панель; через мгновение я приземлилась в кромешном мраке туннеля, больно ударившись левым боком о стену, осколок еще глубже вошел в плоть. Из саднящего горла вырвался крик. Рыдая, я бросилась к двери.

— Альсафи, нет!

Следом в туннель полетел магнитный ключ.

— Беги! — рявкнул рефаит. Пошатываясь, я встала и припала к «шпионскому глазу». Альсафи выхватил из-под полы меч, но Нашира отразила удар. — Беги, странница!

— Рантан, — процедила Нашира.

Лязгнула сталь. Клинки вспыхнули всеми цветами радуги. Я привалилась к стене, не в силах оторваться от зрелища. Многочисленные фантомы спешили примкнуть к воинственному танцу рефаима. Обездвиженная агонией, я наблюдала, как Альсафи Суалокин борется с Наширой Саргас.

Преимущество наследной правительницы сразу бросалось в глаза. Будучи на порядок быстрее и проворнее, она вихрем кружила вокруг противника, не уступая в изяществе Брашовяну. Неподвижный Альсафи рубил с плеча, однако ему недоставало грациозности. Мечи звенели. Альсафи с каменным лицом отражал удар за ударом. Мне доводилось наблюдать за схваткой рефаитов в колонии — правда, дрались они не на мечах. Помню, как содрогался эфир от их поступи; помню, каким холодом веяло от столкновения враждебных аур. Эфир точно улавливал их ненависть, распалял ее, подпитывал.

Соперники кружили, словно в танце. Альсафи издал гортанный рык, Нашира, напротив, будто онемела. Она размахивала мечом все быстрее и быстрее, в вихре различались лишь блеск ее волос и мерцание клинка. Лезвие рассекло Альсафи щеку, из раны хлынула эктоплазма.

Нашира играла с ним, как кот с мышью.

Альсафи сорвался с места, сталь со свистом разрезала воздух.

Его клинок метался вверх-вниз, не причиняя Нашире ни малейшего вреда.

Внезапно наследная правительница воздела руку, призывая падших ангелов.

Альсафи выругался на глоссе. Затем оба на долгое время замерли, даже не шелохнулись.

От первой атаки полтергейста из глаз Альсафи выкатилась слеза. На лице проступили багровые полосы — след от незримого ножа. Рефаит отчаянно отбивался, разил мечом направо и налево, вынуждая тварь отступить, но тут орава падших ангелов стервятниками набросилась на него сверху, раздирая ауру. Альсафи испустил леденящий кровь вопль, меч звякнул о каменные плиты. Нашира занесла клинок. Взгляд Альсафи полыхнул ненавистью, а в следующий миг лезвие опустилось ему на шею.

Я отпрянула от двери, зажав ладонью рот. Финал противостояния знаменовал характерный стук, с каким голова Альсафи покатилась по полу.

Мгновение Нашира смотрела на труп — мгновение, показавшееся мне вечностью, — а потом круто развернулась, и меня вновь опалило адским огнем. Если я не умру сегодня, она будет преследовать меня до конца дней и не остановится, минуй хоть десять лет, хоть миллион. Нашира не успокоится, пока не добьется своего. Я подобрала с пола магнитный ключ и бросилась наутек.

По углам обзора вспыхивали черные точки. Ступни горели от соприкосновения с каменным полом, легким отчаянно не хватало кислорода. На губах появился соленометаллический привкус. От невыносимой боли к горлу подкатывала тошнота. Ноги подкосились, я свернулась калачиком в темноте, слушая лихорадочный стук сердца.

— Восстань из пепла, темная владычица. Ты справишься, — умоляла я себя шепотом.

Кое-как мне удалось подняться. На стенах багровели отпечатки моих ладоней. Не могу больше. Так и умру, не добравшись до кабинета инквизитора.

В глаза вдруг бросилось изречение Фрэнка Уивера, выгравированное над дверью: «Обязуюсь расширить наши владения от края до края земли. Да не ослабеет наша обитель во веки веков».

Внутри угадывался лабиринт. На лбу у меня выступил пот. Роба пропиталась кровью. Голова кружилась. Сознание норовило померкнуть. Долго мне не протянуть. Я сунула ключ в скважину и плечом навалилась на створку.

Кабинет поражал богатым убранством, с портретов взирали верховные инквизиторы минувших эпох. Возле огромного, во всю стену, окна высился дубовый стол, увенчанный деревянным глобусом. И ни следа Уивера. Мои ноги бесшумно ступали по ковру.

У книжного шкафа маячила фигура. Рыжие волосы, цвета запекшейся крови на моем теле, спускались до пояса. Женщина обернулась. Я вскинула пистолет. В бледном свете, пробивавшемся снаружи, ее кожа приобрела восковой оттенок.

— Махоуни.

Я не шелохнулась.

Скарлет Берниш шагнула ко мне и подняла руку:

— Махоуни. — Холодные голубые глаза пытались поймать мой взгляд. — Опусти пистолет. У нас мало времени.

Губы, привыкшие лгать.

Мне уже доводилось держать на мушке верховного инквизитора. Теперь настал черед верховной вещательницы. Впрочем, тогда мы просто мерялись силами, сейчас же на кону стояла жизнь.

Берниш подняла вторую руку, словно капитулируя, и сказала:

— Зимняя вишня.

На мгновение я опешила. С чего бы ей вдруг ссылаться на язык цветов? А в следующий миг...

Зимняя вишня.

Обман.

Агент Альсафи.

Скарлет Берниш, воплощение «Ока Сайена», сообщавшая населению новости с тех пор, как мне стукнуло двенадцать. Она была пресловутым агентом Альсафи в архонте. Скарлет Берниш, сообщница Рантанов. Профессиональная лгунья. Идеальный двойной агент.

Скарлет Берниш, предательница Якоря.

Помещение озарил золотой луч. Молниеносным движением Берниш схватила со стола нож для резки бумаг. Лезвие просвистело мимо моего виска и вонзилось легионеру в забрало; алый пластик покрылся трещинами. Рукоять гротескно торчала у него из середины лба. Брызнула кровь. Пошатнувшись, легионер свалился замертво.

Колокола на башне пробили час. Эфир вибрировал от переизбытка смертей.

— Шевелись, Махоуни, — скомандовала Берниш. — За мной.

К нам приближалось целое полчище лабиринтов. Мой взгляд непроизвольно метнулся к камерам наблюдения. Отключены. Берниш надавила на основание бюста инквизитора Мэйфилда, и боковая панель отъехала в сторону.

— Вперед, быстрее! — С этими словами она втолкнула меня в тесное пространство.

Не успела потайная створка захлопнуться, как в кабинет вломился целый отряд. Ладонь Берниш зажала мне рот.

Мы затаились в ожидании. Снаружи доносились приглушенные голоса, наконец раздался топот удаляющихся шагов.

Берниш убрала руку. Тишину нарушил треск, вспыхнула галогеновая трубка, в ее свете волосы женщины отливали кровью на фоне бледного лица. Молча мы двинулись по неосвещенному узкому туннелю, где едва хватало места для одного.

Спустившись по винтовой лестнице, Берниш поднесла трубку вплотную ко мне.

— На кого ты работаешь? — прохрипела я. — На Рантанов? На какое правительство или организацию?

— Разрази меня гром, Махоуни, ну и видок у тебя. — Пропустив вопрос мимо ушей, Берниш рассматривала мое изувеченное тело, осколки, застрявшие в руках. — Ладно, не дергайся. Сейчас мы тебя подлечим. Где Альсафи?

— Нашира... — Дыхание у меня сбилось. — Я просила его не вмешиваться, просила...

— Нет! — Берниш метнулась было обратно, но передумала. Ее кулак впечатался в стену, лицо исказила гримаса отчаяния. — Сукин он сын... — Внезапно она осеклась и вцепилась в мои плечи. — Он упомянул про меня? — Хватка у вещательницы оказалась стальной.

— Нет, он даже мне ничего не сказал.

— Нашира взяла его в плен или сокрушила?

— Альсафи больше нет.

Берниш на мгновение зажмурилась.

— Проклятье! — Глубокий вдох, и к ней вернулось прежнее самообладание. — Надо торопиться.

Шелковым шарфом она перетянула мне рану на предплечье, стараясь не загнать осколок глубже.

— Уивер меня подери, да ты вся дрожишь, — заметила вещательница, закидывая мою руку себе на шею. — Надеюсь, ты оправдаешь наши хлопоты, темная владычица.

Пару часов назад мне бы и в голову не пришло слепо повиноваться любимице архонта, однако Альсафи ей верил, поверю и я. Из двух зол — идти за Берниш или принять мученическую смерть в подвале — надо выбирать меньшее.

Мы зашагали по каменному коридору. Я старалась не наваливаться на спутницу, но силы таяли с каждой минутой.

— Не спать, Махоуни. Не спать.

Берниш на ходу достала из кармана некое подобие носового платка и прижала его к лицу. Платок молниеносно преобразил черты молодой женщины, чудесным образом добавив ей лишних двадцать лет. Затем вещательница что-то закапала себе из флакончика в глаза, а огненную шевелюру спрятала под шерстяной берет. Словом, действовала как заправская шпионка. Но кто внедрил ее и когда?

Мы шли очень долго, однако потом Скарлет наконец остановилась, набрала цифровой код, и двойные створки распахнулись. Мы очутились в тесном, как гроб, лифте, пропахшем плесенью. С ужасающим грохотом кабина поползла вверх. Где-то на уровне улицы мы вышли, и Берниш отворила деревянную дверь.

Снаружи высились сугробы. Через неприметную дверцу — пройдешь мимо и даже внимания не обратишь — туннель вывел нас в тупик неподалеку от Уайтхолла.

Я выбралась из архонта.

Живой.

Рядом стоял припаркованный грузовик. Берниш помогла мне залезть в кузов, кто-то подхватил меня за подмышки, и мир погрузился во тьму.

— ...Не обманул. Все это время она была жива. Просто невероятно...

Пол подо мной сотрясался. Плечо саднило, однако эта боль не шла ни в какое сравнение с мучительной, не унимающейся пульсацией над левой бровью.

— Ник, — прошептал кто-то, — Ник, она просыпается.

Чьи-то пальцы гладили меня по щеке. А потом, словно из тумана, выплыл Ник Найгард.

Сквозь пелену я не сразу узнала родные черты. На лбу Ника багровела ссадина, кожа посерела от смеси грязи и запекшегося пота, но главное, он жив. Я потянулась к нему — удостовериться, что это не сон.

— Ник.

— Тихо, sötnos. Мы с тобой.

Он ласково привлек меня к себе, упираясь подбородком в макушку. На меня вдруг нахлынуло осознание произошедшего. Я попыталась заговорить, но внезапно плотину прорвало. Вместо членораздельных звуков из горла вырывались сдавленные хрипы вперемешку с рыданиями. Слезы текли рекой. Ребра заныли, в висках стучало, вода вновь раздирала легкие. Ник дрожал всем телом. Мария гладила меня по спине, успокаивала как маленькую:

— Все хорошо, Пейдж. Все хорошо.

А я плакала и плакала, пока не впала в блаженное забытье.

Веки опять приоткрылись. Я лежала в кромешной темноте на тонком одеяле. В глаза словно насыпали песка, однако слух улавливал возбужденные голоса.

Руки и ноги покрывала мозаика бинтов. Кто-то успел извлечь все осколки. Снова провал, на сей раз вызванный снотворным. Впрочем, хватило его ненадолго. Очнулась я с более или менее ясной головой, но все еще под анестезией. Левая сторона туловища горела огнем.

Рядом изваянием застыл Арктур Мезартим.

— Ты идиотка, Пейдж Махоуни. — Его тон не предвещал ничего хорошего. — Упрямая, самонадеянная идиотка.

— Пора бы уже привыкнуть.

— Иногда ты превосходишь всякие ожидания.

Я только вздохнула.

— Думаю, Хилдред Вэнс с тобой согласится.

Не ему меня упрекать. Арктур и сам принимал весьма спорные решения. Он говорил, что война требует риска, а я поставила на кон свою жизнь.

— Прости, что тогда навела на тебя пушку.

— Хм.

Его взгляд смягчился. Преодолевая боль, я сжала его руку. Большой палец исследовал линию моих скул, огибая синяки и порезы. Во мраке архонта меня терзал страх, что мы никогда больше не увидимся, не коснемся друг друга. Только сейчас я поняла, насколько дорожу этими прикосновениями.

— Что они с тобой сделали?

От зловещего тона я вздрогнула и покачала головой.

— Отложим объяснения до лучших времен. Главное, со мной все в порядке.

На самом деле, конечно же, не в порядке. Только слепой этого не заметит. Меня трясло, как наркомана, лишенного дозы.

Страж аккуратно перебирал мои волосы. Я уткнулась в его ладонь.

— У меня добрые вести, — сообщил он. — Адара, хранительница Сарина, сделала выбор. Ты внесла немаловажный вклад в разгром Сайена, а посему она сочла человечество достойным сотрудничества с Рантанами. Ее союзники готовы сражаться на нашей стороне и ждут команды.

Я постаралась унять сердцебиение. Наконец-то вложения Тирабелл оправдались. Пейдж Махоуни не подвела.

— Где мы? — вырвалось у меня.

— На пути в Дувр.

— Дувр. — Веки у меня слипались. — Порт.

— Да. — Страж не переставая гладил мои кудри. — Спи, юная странница.

На языке вертелось столько вопросов, но задать их я не успела и снова провалилась в сон, а когда очнулась, не сразу вспомнила, где нахожусь. Напротив дремала Мария, моя голова покоилась на коленях у Ника. Мы устроились в кузове грузовика, ближе к дверям. Машина прыгала по ухабам, каждая кочка болью отзывалась в истерзанном теле.

— ...Распоряжения поступят в течение нескольких недель. За этот срок Махоуни должна поправиться. Альсафи пожертвовал собой ради нее. Надеюсь, его смерть будет не напрасной.

Берниш.

— Мы были как братья, — отвечал Страж. — Мой долг — чтить его память, однако сомневаюсь, что Пейдж согласится надолго выйти из игры, пусть даже ценой собственного здоровья.

Я затаила дыхание.

— Если она не отдохнет, пользы от нее не будет, — недовольно заметила Скарлет. — Моему спонсору это не понравится. Пейдж пытали в архонте, одному богу известно, как ей удалось разрушить «Экстрасенс», плюс, как мне кажется, она не до конца оправилась после Битвы за власть. Странно, как она вообще держится на ногах.

— Пейдж не занимать стойкости. Во многом именно поэтому наш выбор пал на нее.

Берниш фыркнула.

— Она человек. А психика у нас слабее. Впрочем, тело тоже. — Молчание. — Махоуни не отпразднует двадцатый день рождения, если не будет отдыхать. Она значимая фигура в этой игре, Арктур. Достоинства Пейдж не ограничиваются одними лишь ясновидческими способностями... Холл и Саргасы не успокоятся, пока не заграбастают ее. — Грузовик подпрыгнул на ухабе. — Моим спонсорам необходимы так называемые поджигатели, способные затеять революцию в разных частях империи. Махоуни возглавляет список кандидатов. Если она хочет одолеть Саргасов, то самый оптимальный вариант — примкнуть к нам.

— Думаешь, твои... спонсоры — достойная альтернатива Сайену?

— Возможно. Главное, они хотят свергнуть нынешний режим, так что пока наши цели совпадают.

— Рантаны пожелают встретиться с твоими покровителями, кем бы те ни были.

— Всему свое время. Возможно, они немногим лучше Сайена, но кто не рискует, тот не пьет шампанское. Нельзя же просто смотреть, как Нашира Саргас захватывает власть над миром.

— Попробую уговорить Пейдж взять паузу хотя бы на месяц, — помолчав, произнес Страж. — Однако решения она принимает самостоятельно, иногда в ущерб себе. Тут я ей не начальник.

— Разумеется, нет. Но, если постараться, ты можешь стать ее другом. А друзья ей скоро понадобятся.

Грудная клетка саднила. Стараясь не привлекать внимания, я перевернулась на «здоровый» бок.

— Каков твой следующий шаг, вещательница?

Берниш тихонько засмеялась.

— Утром буду лежать в медпункте, лечиться от потрясения. Шутка ли — несколько часов прятаться от кровожадной Пейдж Махоуни.

— Ты здорово рискуешь. Тебя непременно заподозрят.

— У порочного, безнравственного мира есть крупное преимущество: все люди продаются и покупаются. У каждого своя цена — деньги, страх за свою шкуру, иллюзия власти. На эту валюту всегда можно купить преданность. Поверь, никто меня не обвинит.

Страж больше не проронил ни слова.

Грузовик остановился, в кабине вспыхнул свет. Берниш разбудила всю компанию и вручила мне сверток с одеждой. Ник помог натянуть поверх бинтов темно-синий свитер, дождевик и водонепроницаемые брюки; я поморщилась, когда пришел черед вдевать в рукав левую руку. На дождевике выделялась судоходная эмблема Сайена: опутанный канатом якорь. Грубая ткань царапала кожу, однако в целом было терпимо: похоже, во сне мне вкололи обезболивающее.

— Где Элиза? — насторожилась я.

Ник отвел взгляд:

— Здесь ее нет.

Сердце тревожно забилось.

— Хочешь сказать... Ник...

— Нет-нет, милая, не пугайся. С ней все в порядке. — Он выдавил из себя улыбку. — Просто она... присоединилась к Касте мимов.

— Почему Элиза не поехала с нами? — Мой друг отмалчивался, и я схватила его за подбородок. — Ник!

Только сейчас я заметила, что глаза у него на мокром месте.

— Берниш вынудила ее вернуться и управлять Кастой мимов вместе со Светляком. Элиза знает Лондон как свои пять пальцев, там от нее больше проку, — прошептал он. — Нам пришлось подчиниться. Покровители Берниш настаивают, чтобы Каста мимов продолжала свою деятельность в цитадели, а мы встретимся с ними где-нибудь в Европе. Логично, учитывая наш маршрут.

— Встретимся с какой целью?

— Для дальнейшего сотрудничества. Завершить то, что начали. — Ник тоже надел свитер. — Ты выполнила свою миссию: объединила Синдикат и разгромила «Экстрасенс». Благодаря тебе они обрели шанс на спасение — большего от правителя и ожидать нельзя. Теперь ты должна уехать, дольше оставаться в столице опасно.

— Но Сайен объявил меня мертвой. Какая опасность для мертвеца?

— Правда вот-вот выплывет наружу. За тобой начнется охота. Для Касты мимов ты станешь не опорой, а обузой. — Ник застегнул дождевик. — Рантаны согласились послать вместе с тобой Стража, чтобы он докладывал о наших действиях.

— Значит, нас морем переправят из страны. Таково пожелание Рантанов и... неких покровителей Берниш.

Все так разительно переменилось. Разлука тяжело скажется на Элизе, ведь мы — единственные близкие ей люди, а нам даже не дали проститься. Только сейчас я поняла, чего лишилась стараниями Сайена.

— Пейдж, — ласково проговорил Ник, увидев мою суровую гримасу, — наверное, оно и к лучшему. Элиза и Светляк отлично справятся. «Экстрасенса» больше нет, Синдикату ничто не угрожает.

Мое правление окончилось. Пейдж Махоуни сложила полномочия темной владычицы. Знаю, к этому все и шло, но одно дело знать, а другое — чувствовать. Впрочем, Синдикат в надежных руках, Элиза и Светляк — те немногие, кому я доверяла безоговорочно, и сама назначила бы их преемниками, удосужься кто-нибудь поинтересоваться моим мнением.

В распахнутую дверь ворвалась метель; Берниш вскарабкалась в кузов и скрестила руки на груди.

— Поздравляю, — улыбнулась она. — Отныне вы члены «Домино», шпионской организации, действующей на территории Республики Сайен. Согласно новому статусу вам надлежит покинуть столицу и перебазироваться в Европу.

На щеке Марии наливался огромный синяк.

— На кого ты работаешь, Берниш?

— Скажу лишь, что представляю коалицию свободного мира, крайне заинтересованную в устранении Сайена. — Вещательница полезла в дипломат. — Делай, как тебе велят, Хазурова, иначе пристрелю. Свидетели долго не живут. — Она протянула пиромантке тонкую кожаную папочку. — Твои новые документы. Ты возвращаешься на родину, в Болгарию. Инструкции получишь в ближайшее время.

Поджав губы, Мария принялась листать досье.

Вторая папка досталась мне.

— Надеюсь, ты неплохо владеешь французским, Махоуни? Вы с Арктуром отплываете торговым судном в Кале. Агент встретит вас и переправит на конспиративную квартиру в Сайенской цитадели Париж, куда еще не добрались войска. — Берниш вручила мне телефон. — С вами свяжутся.

Париж. Не знаю, чего добиваются покровители Берниш, однако столица Франции, пожалуй, была единственным местом в Сайене, куда меня влекло как магнитом. Именно там, по словам Джексона, планируют возвести Второй Шиол. А где Шиол, там и серый рынок.

И мне под силу их сокрушить.

Я раскрыла папку с печатью Сайенской республики Англии и углубилась в чтение. Так, теперь я Флора Блейк, студентка-англичанка, в настоящий момент находящаяся в академическом отпуске. Специализируюсь на истории Сайена, в частности, на становлении и развитии Сайенской цитадели Париж.

Ник, сидевший рядом со мной, судорожно подтянул колени к груди и поинтересовался:

— Мы разве не едем вместе с Пейдж?

— К сожалению, нет. В Швеции от тебя будет больше пользы. Ты знаешь язык, обстановку в стране и особенности диктатуры Тьядер.

Нахмурившись, Ник изучал досье. Я стиснула его ладонь.

— Полагаю, от меня требуют держаться в тени, — произнес Арктур.

— Верно. Легенду сочинишь сам. — Берниш взглянула на часы. — Пора.

Один за одним мы выбрались из грузовика. Впереди простирался Ла-Манш. Поистине, неисповедимы пути призрачной странницы.

Мы впятером направились к набережной, где дрейфовали корабли и работали погрузчики. Основная масса судов принадлежала СайенМОПу и носила вычурные названия: «Победа инквизитора», «Мари Зеттлер III». Часть из них предназначалась для перевозки солдат с острова

Уайт. Среди военного флота выделялись торговые и грузовые шхуны, циркулировавшие между Сайеном и горсткой нейтральных стран свободного мира.

— Берниш, окажи мне услугу, — попросила я, запахивая куртку так, чтобы лишний раз не задеть раны.

— Излагай.

— Иви Джейкоб, одна из уцелевших в Сезоне костей, скрывается сейчас в системе очистных сооружений Флита. С ней женщина по имени Рошин. Сумеешь потихоньку вытащить их оттуда?

— Свидетели Сезона костей на вес золота. Не беспокойся, сделаю, — ответила моя спутница после недолгого раздумья.

Вот теперь действительно все.

Спустя одиннадцать лет я покидала Сайенскую республику Англию. Вспомнилось, как в детстве, бессонными ночами и посреди кошмарных школьных будней, я мечтала подняться на корабль и уплыть в светлое будущее. Однако кто бы мог подумать, что все случится именно так.

Мы остановились в тени исполинского контейнерного судна. Вдоль борта тянулись буквы «Flotte Marchande — République de Scion»[1].

— Карета подана, Махоуни, — объявила Берниш. — Вы отчаливаете первыми.

Сердце лихорадочно забилось. Пора. Мария скупо улыбнулась и заключила меня в объятия:

— Прощай, девочка.

— Спасибо, Йоана. Спасибо тебе за все.

— Не благодари меня, темная владычица. Просто ответь на вопрос. — Пиромантка отстранилась и сжала мое предплечье. — Ты видела Вэнс?

---

[1] «Торговый флот — Республика Сайен» *(фр.)*.

— Да, — кивнула я, — если она и жива, то теперь надолго выпадет из игры.

— Отлично, — просияла Мария. — А теперь отправляйся, наведи порядок в Париже. Нельзя, чтобы наши усилия пропали втуне. И по возможности, постарайся не умереть до нашей новой встречи.

— И ты тоже.

Она поцеловала меня в щеку и стала взбираться вслед за Берниш на соседний корабль.

Мы с Ником молча смотрели друг на друга.

Земля уходила из-под ног. Центр гравитации сместился.

— Помню, как впервые встретил тебя. — Голос Ника звучал размеренно, спокойно. — В видении. Маленькая белокурая девочка на маковом поле. Так я разыскал тебя в тот день, много лет назад. Помню, как латал твою рану, оставленную полтергейстом. А ты просила не вышивать нелепых узоров.

У меня вырвался нервный смешок.

Настал черед моих признаний:

— Помню, как скучала по тебе каждый день. Гадала, куда ты делся. Не забыл ли девчушку с макового поля.

— Помню, как вновь нашел тебя.

Мой взгляд заволокло пеленой.

— Помню, как ты рассказал о своих чувствах к Зику. Помню, как хотела умереть, поскольку любила тебя больше всего на свете. — Наши пальцы переплелись. — Помню, как подумала: нет, нельзя умирать, ты ведь так счастлив, а я мечтаю до конца дней видеть тебя счастливым.

Мы никогда не обсуждали случившееся той ночью. Ник погладил меня по щеке.

— Помню, как тебя короновали на «Арене розы», — прошептал он, и его горячие слезы обожгли мое лицо. —

Помню, как осознал, в какую потрясающую, отважную женщину ты выросла. И как мне повезло сражаться на твоей стороне. Быть твоим другом. Частью твоей жизни.

Ник стал моей плотью и кровью, потерять его — значит утратить половину души. Я плакала так горько, как не плакала с самого детства. В тени торгового судна мы исступленно обнимали друг друга, словно десять лет назад. Бледная Странница и Алый Взор. Две последние «Печати» распались.

Агент из Кале сопроводил нас на борт и спрятал в грузовом контейнере, пообещав вернуться, как только корабль причалит к берегам Франции. Скоро, слишком скоро раздался вой корабельной сирены — сигнал к отплытию. Устроившись подле Стража среди коробок и ящиков, я ждала. Старалась не думать о Нике и судне, увозившем его далеко-далеко.

Мы обязательно встретимся, чего бы это нам ни стоило.

Лондон навеки останется со мной. Этот город всегда будет жить в сердце. Город, куда меня отговаривал ехать Финн. Моя хризалида, мое проклятие и искупление. Его улицы вошли в мою кровь, превратили меня из Пейдж Махоуни в Бледную Странницу, Черную Моль, темную владычицу, а потом развенчали, закалили. Когда-нибудь я вернусь. Посмотреть, как страна сбрасывает с себя оковы Якоря.

Когда судно отчалило, мы со Стражем выбрались на палубу. Шквалистый ветер на корме трепал мои кудри.

Корабль рассекал воды Ла-Манша, за бортом пенились волны. Мои руки легли на релинги. Ледяной бриз дул прямо в лицо, словно норовил сорвать кожу и обнажить мою истинную сущность. Взгляд невольно устремился к южному побережью Британии.

Я избавила страну от «Экстрасенса», подрезала крылья Хилдред Вэнс. Отныне ясновидцы почувствуют себя вольготно, как никогда прежде. Однако сколько всего еще предстоит сделать. Я отрекусь от короны, возьму меч и начну сражаться. Совсем скоро на улицах Парижа появится неприметная Флора Блейк, и театр войны вновь распахнет двери и поднимет занавес.

Мы обретем новых союзников, кем бы они ни были.

— Забавно, мы мнили себя зачинщиками революции, но все оказалось куда серьезнее. Похоже, мне суждено оставаться марионеткой, а за ниточки всегда будут дергать другие. По-видимому, так и есть.

— Судьба в наших руках, — возразил Страж. — Кому как не страннице знать, насколько легко рвутся любые нити.

Я круто повернулась к нему:

— Тогда пообещай мне. Пообещай, что мы не станем безропотно следовать приказам Берниш и ее покровителей. И не раскроем свои карты, пока не выясним, какую игру они ведут. И не расстанемся. Поклянись, что ты меня не бросишь.

Наши взгляды встретились.

— Клянусь, Пейдж Махоуни.

Мы стояли плечом к плечу, пока корабль уносил нас все дальше от берегов Англии. Шел первый день января. Начало нового года, новой жизни под новым именем. Я снова оглянулась на скалы у кромки воды, на белые утесы Дувра, слегка тронутые первыми солнечными лучами.

Немного терпения — и солнце возродится, рассеяв мрак ночи, и снова зазвучит песня. Рассвет уже близок.

САЙЕН: МЕЖДУНАРОДНОЕ ОБОРОННОЕ ПОДРАЗДЕЛЕНИЕ
ЗАСЕКРЕЧЕННАЯ ВНУТРЕННЯЯ КОММУНИКАЦИЯ

ОТПРАВИТЕЛЬ: ПАТРИЦИЯ ОКОНМА

ТЕМА: ГЕНЕРАЛЬСКИЕ ПОЛНОМОЧИЯ

Срочное сообщение для всех командующих.
При исполнении своего гражданского долга ХИЛДРЕД ДИАНА ВЭНС, верховный командор Республики Сайен, получила серьезное ранение и пока отстранена от дел. Поскольку я временно назначена исполняющей обязанности верховного командора, генеральские полномочия вплоть до особого распоряжения переходят ко мне.

«ЭКСТРАСЕНСУ» нанесен невосполнимый ущерб. Всем войскам следует незамедлительно вернуться к стандартному вооружению.

Преступному объекту, ПЕЙДЖ ЕВЕ МАХОУНИ, удалось сбежать из-под стражи при помощи как минимум одного «крота». Для установления личности ее сообщника мы допрашиваем весь персонал архонта, включая сотрудников, имеющих высшую степень секретности.

Органы внутреннего и внешнего пограничного контроля предупреждены о том, что преступный объект находится на свободе. Официально ПЕЙДЖ ЕВА

МАХОУНИ объявлена мертвой. Иная информация не должна достичь широкой общественности. Ключевая задача ОПЕРАЦИИ «АЛЬБИОН» - устранить союзников ПЕЙДЖ ЕВЫ МАХОУНИ, известных как КАСТА МИМОВ.

Кроме того, в свете сорвавшихся дипломатических переговоров с иностранными державами соответствующие меры на ПИРЕНЕЙСКОМ ПОЛУОСТРОВЕ следует принять незамедлительно. Приказываю начать ОПЕРАЦИЮ «МАДРИГАЛ». С 6 января вводится режим секретности, любые упоминания о данной операции строго запрещены.

Отметим Новый год новыми достижениями, расширим границы Сайена от края до края земли. Да не ослабеет наша обитель во веки веков!

Слава сюзерену.

Слава Якорю.

ПРИМЕЧАНИЕ АВТОРА

Хотя язык цветов в «Ходе королевой» заимствован из реально существующей флориографии XIX столетия, однако в интересах сюжета некоторые трактовки (взять, к примеру, хоть тот же клематис) пришлось изменить.

СЛОВАРЬ

Сленг ясновидцев в «Ходе королевой» произвольно заимствован из лексикона криминального мира Лондона XVIII и XIX веков с небольшими вариациями. Прочие слова придуманы автором либо взяты из современного английского языка, а также из иврита.

Амарант — цветок, произрастающий в загробном мире. Используется для лечения призрачных ран.

Арлекин — уличный исполнитель, артист.

Арсенал — группа призраков.

Архонт (Вестминстерский архонт) — сосредоточение власти Республики Сайен; здание, где заседает большинство высокопоставленных чиновников, включая верховного инквизитора; также временное пристанище Саргасов и их союзников.

Балаганить — заниматься ясновидением на улицах за деньги. В основном балаганщики промышляют предсказаниями будущего. Запрещенный вид деятельности в Синдикате, за исключением случаев, когда главарь мимов получает долю от прибыли балаганщика.

Битва (схватка) за власть — официальное сражение за титул темного владыки или владычицы. Обычно организуется после смерти действующего владыки и в отсутствие его преемника. Пейдж Махоуни одержала победу в последней битве, устроенной после убийства ее предшественника, Сенного Гектора, и его досточтимой подельницы Рот-до-Ушей.

Водосточники и *канальи* — низшая прослойка невидцев. Водосточники выискивают ценности на берегах Темзы, канальи же рыскают в лондонской системе водоочистных сооружений. Несмотря на различия, оба сообщества тесно взаимодействуют друг с другом и подчиняются единому лидеру, который после избрания нарекает себя Стиксом.

Гадание — искусство черпать информацию из эфира посредством нум, иногда при участии просителя.

Гастроли, гастролировать — любое взаимодействие или использование духов с целью получения материальной выгоды. Считается особо тяжким преступлением согласно сайенскому законодательству.

Главарь мимов (женский аналог — *королева мимов*) — предводитель шайки в ясновидческом Синдикате, специалист по гастролям. В период правления Пейдж Махоуни выступали командующими ячеек ясновидцев.

Глоссола́лия (глосс) — язык духов и рефаитов. Из ясновидцев доступен лишь полиглотам.

Загробный мир (другие названия — Ши'ол, полумир) — родина рефаитов. Некогда связующее звено между землей и эфиром, однако после размытия границ находится в упадке.

Запредельная тьма — отдаленная часть эфира, лежащая вне пределов досягаемости ясновидцев.

Заупокойная молитва — набор слов, отправляющий духов в запредельную тьму.

Золотая пуповина — связь между двумя духами, о которой практически ничего не известно.

Зрячий — ясновидец.

Каста мимов — союз между лондонским ясновидческим Синдикатом и представителями Рантанов, возглавляемый Пейдж Махоуни и Тирабелл Шератан и созданный с целью свержения Саргасов и упразднения Республики Сайен.

Криг — разговорное обозначение солдата СайенМОПа (производное от шведского слова «krig» — «война»).

Кумовья — ясновидцы, занимающиеся воспитанием и обучением побирушек.

Лакей — низшее сословие ясновидцев в Синдикате. Выполняет мелкие поручения главенствующих банд.

Легионеры — полицейские на службе Сайена, делятся на два подразделения: Ночной Карательный Отряд (НКО), куда входят ясновидцы, и Дневной Карательный Отряд (ДКО), состоящий из невидцев.

Лунатик — тот, кто, помимо ясновидения, предлагает услуги сексуального характера. Лунатики работают индивидуально или группами под прикрытием ночного салона.

Муза — дух умершего писателя или художника.

Невидец — противоположность ясновидцу.

Ноябрьфест — ежегодный праздник в честь основания Сайена в ноябре 1929 года.

Нумы — магические предметы, используемые гадателями и прорицателями для связи с эфиром. Например, огонь, карты, кровь.

Побирушка — а) бездомный; б) тот, кто живет и работает под присмотром кума (кумы). Побирушки не являются полноправными членами Синдиката, однако могут дослужиться до статуса лакея.

Подельник, подельница — молодой ясновидец, особо приближенный к главарю или королеве мимов. В большинстве случаев (но не обязательно) это любовник (любовница) лидера и последующий преемник его/ее титула. Потенциальный преемник получает статус *досточтимого* и единственный из подельников допускается в Потусторонний совет. Пейдж Махоуни стала первой темной владычицей, имевшей сразу двух подельников.

Подопечный — фантом, дух, подчиняющийся сборщику.

Призрачная оболочка — форма, которую принимает дух за пределами лабиринта.

Призрачный лабиринт — участок сознания, где хранятся воспоминания. Делится на пять зон, или колец: солнечная, сумеречная, полуночная, предрассветная и абиссальная. Ясновидцы осознанно посещают лабиринт, в то время как невидцы наблюдают его мельком и исключительно в снах.

Рантаны — группа рефаитов, возглавляемая Тирабелл Шератан. Рантаны противостоят правящему семейству Саргасов и верят в постепенное возрождение загробного мира. Отдельные их представители заключили союз с лондонским ясновидческим Синдикатом (см. *Каста мимов*).

Рефаиты, составляющие *рефаим*, — биологически бессмертные человекоподобные обитатели загробного мира, питающиеся аурой ясновидцев.

СайенМОП — Сайенское международное оборонное подразделение (вооруженные силы Сайена). Первая инквизиторская дивизия отвечает за национальную безопасность; Вторая занимается исключительно вторжениями; Третья, крупнейшая, защищает и контролирует завоеванные Сайеном территории.

СайОРТ — Сайенский отдел робототехники.

Салеп — густой горячий напиток; готовится из корня орхидеи с добавлением розовой воды или цветков апельсина.

Саркс — бессмертная плоть рефаитов и прочих обитателей загробного мира. Имеет металлический отлив.

Сборщик — а) смертный ясновидец V касты. Сборщики подчиняют фантомы (см. *подопечные*), вырезая у себя на теле их имена на временной или постоянной основе, а также умеют закрепить дух за определенным местом посредством небольшого количества собственной крови; б) обозначение рефаита, обладающего аналогичными способностями. Кроме того, ясновидцы-сборщики присваивают себе дар, которым хозяин фантома владел при жизни.

Сеанс — а) у ясновидцев — групповое сообщение с эфиром; б) у рефаитов — способ передачи информации друг другу.

Семь каст ясновидения — система классификации ясновидцев, впервые предложенная Джексоном Холлом в памфлете «Категории паранормального». В перечень входят гадатели, прорицатели, медиумы, сенсоры, хранители, фурии и прыгуны. Система вызвала множество разногласий, поскольку делила касты на высшие и низшие, однако впоследствии была безоговорочно принята криминальным сообществом Лондона, а также за его пределами.

«Семь печатей» — некогда главенствующая банда в Четвертом секторе Первой когорты. Бандой управлял Джексон Холл вместе с подельницей Пейдж Махоуни.

Серебряная пуповина — связь между телом и духом (фантомом). Позволяет человеку долго сохранять единый физический облик. Пуповина всегда индивидуальна и особенно важна для ясновидцев, которые с ее помощью способны временно покидать свое тело. Формируется постепенно и в случае обрыва не восстанавливается.

Синдикат — криминальная структура, состоящая из ясновидцев. Возникла в начале 60-х годов XX века в Лондоне, цитадели Сайена. Во главе Синдиката стоят темный владыка и Потусторонний совет. Члены Синдиката гастролируют ради материальной выгоды.

Темный владыка или *темная владычица* — глава Потустороннего совета и преступный лидер лондонского Синдиката. В Манчестере и Эдинбурге правителей ясновидческих сообществ соответственно именуют Угольным Королем (Королевой) и Ворожеей.

«Флокси» — ароматизированный кислород, вдыхаемый через трубочку; сайенский аналог алкоголя. Подается в большинстве увеселительных заведений, включая кислородные бары.

«Флюид» — психотропный наркотик, вызывает у ясновидцев приступы боли и потерю координации.

Центр переохлаждения, ледник — небольшая брешь между эфиром и материальным миром. Место, где царит вечный холод. При сочетании с эктоплазмой открывает проход в загробный мир. Предметы материального мира (кровь, плоть и прочее) не способны проникнуть за пределы ледника.

Частник, левак — таксист, не имеющий лицензии на частный извоз; обслуживает преимущественно ясновидцев.

Эктоплазма — кровь рефаитов; зеленовато-желтая светящаяся, слегка студенистая субстанция; способна открывать центры переохлаждения.

«Экстрасенс» — запатентованное название прибора радио-эстетического обнаружения. В начале «Хода королевой» сканеры марки «Экстрасенс» способны обнаруживать представителей первых трех каст ясновидцев.

Эмиты, составляющие *эмим*, — враги рефаитов, прозванные «внушающими ужас». Питаются человеческой плотью. Кровь эмитов помогает ясновидцам скрывать свой дар от посторонних.

Эфир — царство духов, с которым сообщаются ясновидцы.

Язык падших — в лексиконе рефаитов любой человеческий язык.

БЛАГОДАРНОСТИ

Эта книга прошла долгий путь, растянувшийся на два с лишним года. В первую очередь хотелось бы поблагодарить тебя, читатель, за терпение. Каждый час, проведенный в работе над рукописью, закалял меня, а потом мы с редактором еще бесконечно шлифовали текст, но зато теперь я могу по праву гордиться произведением, которое ты держишь в руках. Надеюсь, оно тебе понравилось, и третья часть приключений Пейдж Махоуни стоила ожидания. А скоро грядет четвертая...

Далее хотелось бы выразить благодарность моим замечательным редакторам, Алексе фон Хершберг и Женевьеве Герр. Не могу передать, как я признательна вам обеим за терпение, мудрость и энтузиазм. Без вас этот роман никогда бы не увидел свет.

Низкий поклон всем сотрудникам литературного агентства «David Godvin Associates» — в особенности несравненному Дэвиду Годвину, всегда готовому подставить плечо, а также Хизер Годвин, Лизетте Верхаген и Филиппе Ситтерс. Спасибо вам за приверженность моему творчеству и за чаепитие в тот по-настоящему непростой для меня день.

Благодарю за поддержку продюсерскую компанию «Imaginarium Studios» — в частности, Хлои Сайзер и Уилла Теннанта, которые внесли неоценимый вклад в работу над книгой.

Спасибо Александре Прингл, Аманде Шипп, Ануриме Рой, Бену Тёрнеру, Брендану Фредериксу, Каллуму Кенни, Кристине Гилберт, Дийе Кар Хазра, Фаизе Хан, Джорджу Гибсону, Гермионе Лотон, Имоджен Денни, Изабель Блейк, Джеку Берчу, Кэтлин Фэррар, Лоре Киф, Лие Бересфорд, Мэдлин Фини, Мари Кулман, Нэнси Миллер, Николь Джарвис, Филиппе Коттон, Рейчел Маннхаймер, Саре Меркурио, Трэм-Эн Доун и всем сотрудникам издательства «Bloomsbury» за преданность данной серии. Каждое утро я просыпаюсь с мыслью, как мне повезло, что я попала в хорошие руки.

Отдельная благодарность Саре-Джейн Фордер за тщательную корректуру, а также Дэвиду Манну и Эмили Фаччини — вашими стараниями «Ход королевой» ничуть не уступает предыдущим частям.

Выражаю огромную признательность переводчикам и издателям по всему миру. Благодаря вам мои книги обрели бесчисленное множество читателей.

Иногда автору приходится писать о незнакомых местах. В процессе работы над романом мне довелось посетить Манчестер и Эдинбург. Однако, будучи жительницей Лондона до мозга костей, я бы никогда не сумела без помощи экспертов воссоздать на страницах романа оба этих прекрасных города. Поэтому огромное спасибо Киарану Коллинзу за терпение и желание отвечать на мои бесконечные вопросы об ирландском языке, Луизе О'Нил — за живописные детали Энкоутса, Моссу Фриду — за глубинные знания Манчестера и Стюарту Келли — за замечательную экскурсию по Эдинбургу.

Кроме того, хотелось бы отдельно отметить: Мелиссу Харрисон — за помощь во всем, что касается птиц и деревьев; Пола Таллинга, автора книги «Derelict London», путеводителя по заброшенному Лондону, — за увлекательный тур по Флиту; Ричарда Эндрю Винсента Смита, обладателя поистине энциклопедических знаний о поездах (если они и не энциклопедические, то по меньшей мере в миллион раз превосходят мои собственные), который, несмотря на занятость, нашел время вычитать эпизоды со Сток-он-Трентом; Сару Бергмарк Элфгрен, в очередной раз выручившую меня со шведским. И огромное спасибо всем добрым незнакомцам из «Твиттера» за готовность быстро и охотно отвечать на мои вопросы, связанные с языками и диалектами; вы — настоящее сокровище Интернета.

Илана Фернандес-Лассман и Вики Морриш — вы лучшие друзья, о которых можно только мечтать. Благодарю вас за то, что всякий раз, когда я выплывала из мрака редактуры, вы ждали меня с распростертыми объятиями, пиццей и шуточками.

БЛАГОДАРНОСТИ

По натуре я писатель-одиночка, однако за последние пару лет осознала, насколько проще и приятнее делить свой творческий путь с теми, кому не понаслышке знакомы взлеты и падения, которые неизбежно испытываешь, когда переносишь свои фантазии на бумагу. Спасибо Элвин Гамильтон, Лоре Ив и Мелинде Солсбери, а также «Великолепной команде» — в составе Клэр Доннели, Лиане Литутуфу, Лизе Лудеке, Кэтрин Уэббер и Кристал Сазерленд — за многолетнюю дружбу. Вы потрясающе талантливы, и для меня большая честь дружить с вами.

Благодарю все книжные сети, книгоблогеров и ведущих каналов, всех, кто популяризировал мое творчество в Instagram и на YouTube, рецензентов, критиков, библиотекарей и прочих книголюбов за проявленный интерес и распространение серии о приключениях Пейдж Махоуни.

И наконец, огромная признательность моей семье, разделившей со мной минуты сомнений и триумфа. В нынешнем году я вылетела из гнезда, но мир никогда бы не увидел книг Саманты Шеннон, не поддержи вы меня на пути к мечте.

СОДЕРЖАНИЕ

Часть III
СМЕРТЬ И ДЕВА

Шеннон С.

Ш 47 Ход королевой : роман / Саманта Шеннон ; пер. с англ. А. Петрушиной. — СПб. : Азбука, Азбука-Аттикус, 2021. — 448 с.

ISBN 978-5-389-07268-8

Одержав победу в кровавом сражении, Пейдж Махоуни становится темной владычицей Синдиката. Отныне она королева лондонского преступного мира, готовая вести войну против тирании Сайена. Однако заклятые враги не дремлют, а коррумпированный Синдикат отказывается поддержать ее в борьбе.

Ситуация усугубляется с появлением «Экстрасенса» — устройства, призванного стереть ясновидцев с лица земли. Пейдж единственная способна скрыться от его радара. Доведенная до отчаяния, она решает уничтожить дьявольский механизм. Но как это сделать, когда на тебя объявлена охота, за твою голову назначена награда, а самый близкий человек может оказаться предателем?

Впервые на русском!

УДК 821.111
ББК 84(4Вел)-445

Литературно-художественное издание

САМАНТА ШЕННОН

ХОД КОРОЛЕВОЙ

Ответственный редактор Геннадий Корчагин
Редактор Ирина Беличева
Художественный редактор Татьяна Павлова
Технический редактор Татьяна Раткевич
Компьютерная верстка Елены Долгиной
Корректоры Ольга Золотова, Юлия Теплова

Главный редактор Александр Жикаренцев

Подписано в печать 24.09.2021. Формат издания 60 × 90 $^{1}/_{16}$.
Печать офсетная. Тираж 4000 экз. Усл. печ. л. 28. Заказ № 6504/21.

Знак информационной продукции
(Федеральный закон № 436-ФЗ от 29.12.2010 г.):

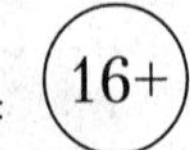

ООО «Издательская Группа „Азбука-Аттикус“» —
обладатель товарного знака АЗБУКА®
115093, г. Москва, ул. Павловская, д. 7, эт. 2, пом. III, ком. № 1

Филиал ООО «Издательская Группа „Азбука-Аттикус“» в Санкт-Петербурге
191123, г. Санкт-Петербург, Воскресенская наб., д. 12, лит. А

ЧП «Издательство „Махаон-Украина“»
Тел./факс: (044) 490-99-01. E-mail: sale@machaon.kiev.ua

Отпечатано в соответствии с предоставленными материалами
в ООО «ИПК Парето-Принт».
170546, Тверская область, Промышленная зона Боровлево-1, комплекс № 3А.
www.pareto-print.ru

ПО ВОПРОСАМ РАСПРОСТРАНЕНИЯ ОБРАЩАЙТЕСЬ:

В Москве: ООО «Издательская Группа „Азбука-Аттикус“»
Тел.: (495) 933-76-01, факс: (495) 933-76-19
E-mail: sales@atticus-group.ru; info@azbooka-m.ru

В Санкт-Петербурге: Филиал ООО «Издательская Группа „Азбука-Аттикус“»
Тел.: (812) 327-04-55, факс: (812) 327-01-60. E-mail: trade@azbooka.spb.ru

В Киеве: ЧП «Издательство „Махаон-Украина“»
Тел./факс: (044) 490-99-01. E-mail: sale@machaon.kiev.ua

Информация о новинках и планах на сайтах: www.azbooka.ru, www.atticus-group.ru

Информация по вопросам приема рукописей и творческого сотрудничества
размещена по адресу: www.azbooka.ru/new_authors/